LETTRES ANGLO-AMÉRICAINES

BROOKLYN FOLLIES

DU MÊME AUTEUR AUX ÉDITIONS ACTES SUD

Trilogie new-yorkaise :
   – vol. 1 : *Cité de verre*, 1987 ;
   – vol. 2 : *Revenants*, 1988 ;
   – vol. 3 : *La Chambre dérobée*, 1988 ; Babel n° 32.
L'Invention de la solitude, 1988 ; Babel n° 41.
Le Voyage d'Anna Blume, 1989 ; Babel n° 60.
Moon Palace, 1990 ; Babel n° 68.
La Musique du hasard, 1991 ; Babel n° 83.
Le Conte de Noël d'Auggie Wren, hors commerce, 1991.
L'Art de la faim, 1992.
Le Carnet rouge, 1993.
Le Carnet rouge / L'Art de la faim, Babel n° 133.
Léviathan, 1993 ; Babel n° 106.
Disparitions, coédition Unes / Actes Sud, 1994.
Mr Vertigo, 1994 ; Babel n° 163.
Smoke / Brooklyn Boogie, 1995 ; Babel n° 255.
Le Diable par la queue, 1996 ; Babel n° 379.
La Solitude du labyrinthe (entretien avec Gérard de Cortanze),
   1997 ; Babel n° 662, édition augmentée.
Lulu on the bridge, 1998.
Tombouctou, 1999 ; Babel n° 460.
Laurel et Hardy vont au paradis suivi de *Black-Out* et *Cache-Cache*, Actes Sud-Papiers, 2000.
Le Livre des illusions (coéd. Leméac), 2002 ; Babel n° 591.
Constat d'accident (coéd. Leméac), 2003 ; Babel n° 630.
La Nuit de l'oracle (coéd. Leméac), 2004.

En collection Thesaurus :
   Œuvre romanesque, t. I, 1996.
   Œuvre romanesque et autres textes, t. II, 1999.

Titre original :
Brooklyn Follies
Editeur original :
Henry Holt, New York
© Paul Auster, 2005

© ACTES SUD, 2005
pour la traduction française
ISBN 2-7427-5648-5

© Leméac Editeur Inc., 2005
pour la publication en langue française au Canada
ISBN 2-7609-2506-4

Illustration de couverture :
© Richard Estes, courtesy,
Marlborough Gallery, New York

PAUL AUSTER

Brooklyn Follies

roman traduit de l'américain
par Christine Le Bœuf

ACTES SUD / LEMÉAC

à ma fille
Sophie

OUVERTURE

Je cherchais un endroit tranquille où mourir. Quelqu'un me conseilla Brooklyn et, dès le lendemain matin, je m'y rendis de Westchester afin de reconnaître le terrain. Il y avait cinquante-six ans que je n'étais pas revenu là et je ne me souvenais de rien. Je n'avais que trois ans lorsque mes parents avaient quitté la ville, et pourtant je m'aperçus que je retournais d'instinct au quartier que nous avions habité, à la manière d'un chien blessé qui se traîne vers le lieu de sa naissance. Un agent immobilier du coin me fit visiter six ou sept appartements dans des maisons de pierre brune et à la fin de l'après-midi j'avais loué un trois-pièces avec jardin dans la Première Rue, non loin de Prospect Park. J'ignorais tout de mes voisins et ça m'était bien égal. Tous travaillaient de neuf à dix-sept heures, aucun n'avait d'enfants et l'immeuble serait donc relativement silencieux. Plus qu'à toute autre chose, c'était à cela que j'aspirais. Une fin silencieuse à ma vie triste et ridicule.

La maison de Bronxville avait déjà trouvé preneur et, dès la signature de l'acte définitif, à la fin du mois, l'argent ne représenterait plus un problème. Nous avions l'intention, mon ex-femme et moi, de nous partager le produit de la vente et quatre cent mille dollars en banque subviendraient largement à mes besoins jusqu'à mon dernier souffle.

Au début, je ne savais à quoi m'occuper. J'avais passé trente et un ans à faire la navette entre les faubourgs et les bureaux de la Mid-Atlantic Accident and Life, à Manhattan, et, à présent que je n'avais plus de boulot, les heures du jour étaient trop nombreuses. Une semaine environ après mon installation, ma fille mariée, Rachel, vint du New Jersey me rendre visite. Elle me dit que j'avais besoin de m'engager dans quelque chose, qu'il fallait que je m'invente un projet. Rachel n'est pas une sotte. Elle est docteur en biochimie de l'université de Chicago et travaille comme chercheuse pour une grosse société pharmaceutique des environs de Princeton mais, en digne fille de sa mère, rare est le jour où elle s'exprime autrement que par des platitudes – ces expressions usées et ces idées de seconde main qui remplissent les décharges de la sagesse contemporaine.

Je lui expliquai que je serais vraisemblablement mort avant que l'année soit écoulée et que des projets, je n'en avais rien à branler. Pendant un instant, Rachel parut sur le point de pleurer, et puis elle ravala ses larmes pour me traiter d'égoïste et de brute. Pas étonnant que "mom" ait fini par divorcer, ajouta-t-elle, pas étonnant qu'elle n'ait pas pu en encaisser davantage. Etre marié à un homme tel que moi devait être une torture continuelle, un enfer quotidien. *Un enfer quotidien*. Hélas, pauvre Rachel – elle n'y peut rien. Ma fille unique habite cette terre depuis vingt-neuf ans et pas une seule fois elle n'a pondu une observation originale, quelque chose qui fût absolument et irréductiblement à elle.

Oui, je suppose que j'ai par moments un côté odieux. Mais pas tout le temps – ni par principe. Dans mes bons jours, je suis aussi aimable et cordial que n'importe qui. On ne peut pas réussir comme je l'ai fait dans la vente d'assurances vie en s'aliénant la clientèle, en tout cas pas pendant trente longues années. Il faut manifester de la sympathie. Il faut être capable d'écouter. Il faut savoir comment charmer. Toutes ces qualités, je les possède, et d'autres encore. Je ne nierai pas que j'ai eu aussi mes mauvais jours, mais chacun sait quels dangers sommeillent derrière les portes closes de la vie de famille. Cela peut empoisonner tous les intéressés, surtout si vous vous apercevez que, dès le départ, vous n'étiez pas fait pour le mariage. J'ai adoré faire l'amour avec Edith et puis, au bout de quatre ou cinq ans, la passion est arrivée en bout de course et dès lors je suis devenu un mari plutôt imparfait. A ce que raconte Rachel, je ne valais pas grand-chose non plus au registre parental. Je ne voudrais pas contredire ses souvenirs mais la vérité, c'est que je les aimais toutes les deux à ma façon et que si je me suis parfois retrouvé entre les bras d'autres femmes, je n'ai jamais pris aucune de ces aventures au sérieux. Ce n'est pas moi qui ai pensé au divorce. Malgré tout, j'avais l'intention de rester avec Edith jusqu'à la fin. C'est elle qui a voulu me quitter et, compte tenu du nombre de mes péchés et transgressions depuis des années, je n'aurais pas vraiment pu le lui reprocher. Pendant trente-trois années, nous avons vécu sous le même toit et, venu le moment où nous sommes partis chacun de notre côté, notre couple ne correspondait pratiquement plus à rien.

Quand j'avais lancé à Rachel que mes jours étaient comptés, ce n'était qu'une réplique énervée à ses conseils indiscrets, une rafale de pure hyperbole. Mon cancer du poumon était en rémission et, selon ce que m'avait dit le cancérologue après mes derniers examens, un optimisme prudent paraissait justifié. Cela ne signifiait pas, toutefois, que je m'y fiais. Me savoir atteint d'un cancer avait été un tel choc que je ne croyais toujours pas à la possibilité d'y survivre. Je m'étais donné pour mort et après avoir été débarrassé de la tumeur et être passé par ces épreuves débilitantes que sont la radio et la chimiothérapie, après avoir subi les longues attaques de nausées et de vertiges, la perte de mes cheveux, la perte de ma volonté, la perte de mon emploi et la perte de ma femme, j'imaginais mal comment continuer. D'où Brooklyn. D'où mon retour inconscient au lieu des débuts de mon histoire. J'avais près de soixante ans et j'ignorais combien de temps il me restait. Peut-être vingt ans encore ; peut-être quelques mois seulement. Quel que fût le pronostic médical concernant mon état, l'essentiel consistait à ne rien prendre pour acquis. Du moment que je restais vivant, il me fallait trouver le moyen de me remettre à vivre mais, même si je n'en avais plus pour longtemps, je devais faire davantage que me contenter d'attendre la fin. Comme à l'ordinaire, ma scientifique de fille avait eu raison, même si je m'étais montré trop entêté pour en convenir. Il fallait que je m'active. Il fallait que je me bouge le train et que je fasse quelque chose.

C'était le début du printemps quand j'emménageai et pendant les premières semaines j'occupai mon temps à explorer les environs, à faire de longues promenades dans le parc et à planter des fleurs dans mon jardin – un bout de terrain exigu et encombré de bric-à-brac, à l'abandon depuis des années. Je fis couper mes cheveux fraîchement repoussés chez le coiffeur de Park Slope, Septième Avenue, je louai des vidéos dans une boutique intitulée *Le Paradis du Cinéma* et je fis des haltes fréquentes au Grenier de Brightman, une bouquinerie encombrée et désorganisée appartenant à un homosexuel flamboyant nommé Harry Brightman (davantage sur lui plus loin). Presque tous les matins, je me préparais le petit-déjeuner chez moi mais, comme je n'aimais pas cuisiner et n'avais aucun talent en ce domaine, j'avais tendance à manger au restaurant midi et soir – toujours seul, toujours avec un livre ouvert devant moi, mâchant toujours le plus lentement possible afin de faire traîner le repas autant que je le pouvais. Après avoir tâté de plusieurs possibilités dans le voisinage, je choisis le Cosmic Diner pour mes repas de midi. La cuisine y était, au mieux, médiocre, mais l'une des serveuses était une adorable Portoricaine du nom de Marina, et j'avais très vite eu le béguin pour elle. Elle avait la moitié de mon âge et elle était mariée, ce qui signifiait qu'une aventure était hors de question, mais elle était si délicieuse à regarder, si gentille dans ses rapports avec moi, si prête à rire de mes piètres plaisanteries que je me languissais d'elle, littéralement, lors de ses jours de congé. D'un strict point de vue anthropologique, je découvris que, de toutes les tribus que j'ai rencontrées, les habitants de Brooklyn sont les gens les plus disposés à converser avec des inconnus. Ils se mêlent sans façon des affaires d'autrui (vieilles femmes réprimandant de jeunes mamans pour n'avoir pas habillé leurs enfants assez chaudement, passants reprochant à des promeneurs de chiens de tirer trop brutalement sur la laisse) ;

ils se disputent des places de stationnement avec la hargne d'enfants de quatre ans ; ils vous sortent des traits d'esprit éblouissants comme si ça allait de soi. Un dimanche matin, j'étais entré dans un *deli* encombré qui porte le nom absurde de *La Bagel Delight*. Je voulais demander un bagel raisins-cannelle mais ma langue a fourché et je me suis entendu prononcer *reagan-cannelle*. Du tac au tac, le jeune gars derrière le comptoir répondit : "Désolé, nous n'en avons pas. Que diriez-vous d'un simple nixon, à la place ?" Vif. Si bougrement vif que j'ai failli en pisser dans mon froc.

A la suite de ce lapsus involontaire, j'ai fini par trouver une idée que Rachel aurait approuvée. Ce n'était pas une idée de génie, sans doute, mais au moins c'était quelque chose et si je m'y appliquais avec toute la rigueur et l'assiduité dont je me promettais de faire preuve, je tiendrais alors mon projet, le petit cheval de bataille que je cherchais pour me sortir de mon indolence routinière et soporifique. Si humble qu'il fût, je décidai d'attribuer à ce projet un titre grandiose, voire pompeux – afin de me donner l'illusion que je m'étais lancé dans une œuvre importante. Je l'appelai *Le Livre de la folie humaine*, et j'avais l'intention d'y noter dans un langage aussi simple et clair que possible toutes les gaffes, tous les lapsus, tous les embarras, toutes les stupidités, toutes les faiblesses et toutes les actions ineptes que j'avais commis durant ma carrière longue et accidentée. Quand je n'aurais plus d'histoire à raconter sur moi-même, j'en écrirais qui étaient arrivées à des gens que je connaissais, et quand cette source aussi serait tarie, passant aux événements historiques, je rapporterais les folies de mes frères humains à travers les âges, des civilisations disparues d'autrefois aux premiers mois du XXIe siècle. A tout le moins, je pensais que cela pourrait donner à rire. Je n'avais nul désir de mettre mon âme à nu ni de me laisser aller à une introspection morose. Le ton serait léger et drôle de bout en bout, et mon seul but consistait à me distraire tout en occupant autant d'heures que je pourrais de mes journées.

J'appelais cela un livre mais, en réalité, ce n'en était pas un. Sur de grands blocs de papier rayé jaune, sur des feuilles volantes, sur des dos d'enveloppes et d'imprimés publicitaires vantant des cartes de crédit ou des prêts immobiliers, j'entrepris la compilation de ce qui n'était en somme qu'une série de notations désordonnées, un pot-pourri d'anecdotes sans rapport les unes avec les autres, que je fourrais dans un carton chaque fois que j'avais terminé une nouvelle histoire. Il n'y avait guère de méthode dans cette manie. Certains des sujets tenaient en peu de lignes et quelques-uns, tout spécialement les contrepèteries ou impropriétés qui me plaisaient tant, en peu de mots. *Moque-graisseux* au lieu de *croque-monsieur*, par exemple, qui m'a échappé quand j'étais en troisième à l'école secondaire, ou cette déclaration involontairement profonde, quasi mystique, que j'ai lancée à Edith au cours de l'une de nos amères prises de bec conjugales : *Je le verrai quand je le croirai.* Chaque fois que je me disposais à écrire, je commençais par fermer les yeux en laissant mes pensées vagabonder à leur gré. En m'obligeant ainsi à me détendre, je réussis à récupérer dans un passé lointain une quantité considérable de données, des choses que je croyais perdues à jamais. Comme ce moment, en sixième primaire (pour ne citer

qu'un de ces souvenirs), où l'un de mes condis-
ciples, un certain Dudley Franklin, lâcha un long
pet sonore en plein milieu d'une pause silencieuse en classe de géographie. Tout le monde
rit, évidemment (rien ne paraît plus comique à
une bande de gamins de onze ans qu'un vent
intempestif), mais ce qui dissocia cet incident
de la catégorie des embarras mineurs pour l'élever au statut d'un classique, d'un chef-d'œuvre
durable dans les annales de la honte et de l'hu-
miliation, ce fut que Dudley, pauvre innocent,
commit la fatale balourdise de s'excuser. "Oh,
pardon", balbutia-t-il, le nez sur son pupitre et
en piquant un tel fard que ses joues ressemblaient à un camion de pompiers flambant neuf.
Il ne faut jamais s'accuser publiquement d'un
pet. Telle est la loi non écrite, la règle impérieuse
de l'étiquette américaine. Les pets ne sont le fait
de personne et ne viennent de nulle part ; émanations anonymes, ils appartiennent au groupe
dans son ensemble et même lorsque chacun
des occupants de la pièce saurait désigner le
coupable, la seule attitude sensée est la dénégation. Le naïf Dudley Franklin était trop honnête
pour cela, et il ne s'en remit jamais. A partir de
ce jour, on ne l'appela plus qu'Oh-Pardon Franklin et ce sobriquet lui resta attaché jusqu'à la
fin de l'école secondaire.

Les histoires semblaient se partager en rubri-
ques variées et, au bout d'environ un mois consacré à mon entreprise, je changeai de méthode,
préférant au carton unique un système à boîtes
multiples qui me permettait de conserver de
façon plus cohérente les textes rédigés. Une
boîte pour les maladresses verbales, une autre
pour les mésaventures matérielles, une pour les
idées non abouties, une pour les gaffes en société,

et ainsi de suite. Petit à petit, je me découvris un intérêt particulier pour la narration des instants de pantalonnade dans la vie quotidienne. Pas uniquement les innombrables orteils écrasés et coups sur la tête que j'avais subis au cours des années, pas uniquement les chutes fréquentes de mes lunettes glissant de la poche de ma chemise quand je me penchais pour lacer mes chaussures (suivies de l'indignité supplémentaire de trébucher et d'écraser les verres sous mes semelles), mais les calamités hautement improbables dont j'avais été victime depuis ma plus tendre enfance. Lors d'un pique-nique, en 1952, le jour de la fête du Travail, j'ouvre la bouche pour bâiller et je laisse entrer une abeille que, pris de panique et d'un dégoût soudain, j'avale au lieu de la recracher ; plus invraisemblable encore, en voyage d'affaires il y a juste sept ans, alors que je m'apprête à monter dans l'avion en tenant entre le pouce et le majeur le talon de ma carte d'embarquement, on me bouscule par-derrière, le talon m'échappe et je le vois voleter de ma main à la fente entre la rampe et le seuil de l'avion – la plus étroite des fentes étroites, pas plus d'un millimètre et demi, au maximum – et là, à mon ahurissement total, je le regarde passer par cet espace impossible et atterrir sur le tarmac, à six mètres sous moi.

Ce ne sont là que des exemples. J'écrivis pendant les deux premiers mois des dizaines d'histoires de ce genre et, en dépit de ma volonté de garder un ton frivole et léger, je m'aperçus que ce n'était pas toujours possible. Tout le monde a ses humeurs noires et j'avoue qu'il y eut des moments où je succombais à un sentiment de solitude et à des accès de déprime. J'avais passé l'essentiel de ma vie professionnelle à traiter de la mort, et j'avais sans doute entendu trop d'histoires sinistres pour pouvoir éviter de me les rappeler quand mon moral était bas. Tous ces gens auxquels j'avais rendu visite des années durant, toutes ces polices que j'avais vendues, toutes ces craintes et tous ces désespoirs dont j'avais eu connaissance en conversant avec mes clients. Finalement, j'ajoutai une boîte à mon assemblage. Je l'intitulai *Destins cruels*, et la première histoire que j'y rangeai était celle d'un certain Jonas Weinberg. Je lui avais vendu en 1976 une police d'Universal Life d'une valeur d'un million de dollars, une somme considérable pour l'époque. Je me souviens qu'il venait de célébrer son soixantième anniversaire, qu'il était docteur en médecine interne affilié à l'hôpital presbytérien de Columbia et qu'il parlait anglais avec un léger accent allemand. La vente d'assurances vie n'est pas une affaire dénuée de passion et un bon agent doit être capable de garder son sang-froid dans des discussions avec ses clients qui deviennent souvent délicates et tortueuses. La perspective de la mort oriente inévitablement les pensées vers des questions graves et, même si ce boulot n'est en partie qu'affaire d'argent, il concerne aussi les interrogations métaphysiques les plus sérieuses. A quoi bon la vie ? Combien de temps vivrai-je encore ? Comment puis-je protéger ceux que j'aime lorsque je ne serai plus là ? Du fait de sa profession, le Dr Weinberg avait un sens aigu de la fragilité de l'existence humaine, du peu qu'il en faut pour rayer nos noms du livre des vivants. Nous nous étions rencontrés dans son appartement de Central Park Ouest, et lorsque je lui eus exposé le pour et le contre des différentes polices que j'avais à lui proposer, il se mit à évoquer son passé. Il était né à Berlin en 1916, me raconta-t-il, et après la mort de son père dans les tranchées de la Première Guerre mondiale, il avait été élevé par sa mère, une actrice – enfant unique d'une femme farouchement indépendante et parfois rebelle qui n'avait jamais manifesté la moindre envie de se remarier. Si je n'interprète pas abusivement ses propos, je crois que le Dr Weinberg suggérait que sa mère préférait les femmes aux hommes et que, dans ces années chaotiques de la république de Weimar, elle devait avoir affiché ouvertement cette préférence. En contraste avec cette forte tête, le jeune Jonas était un garçon tranquille et studieux, excellent élève qui rêvait de devenir homme de science ou médecin. Il avait dix-sept ans lorsque Hitler s'empara du pouvoir et, en l'espace de quelques mois, sa mère se débrouilla pour lui faire quitter l'Allemagne. Des parents de son père habitaient à New York et ils acceptèrent de se charger de lui. Il partit au printemps 1934 mais sa mère, bien qu'elle eût démontré la conscience qu'elle avait des dangers qui menaçaient les non-aryens sous le Troisième Reich, rejeta obstinément toute possibilité de s'en aller aussi. Sa famille était allemande depuis des siècles, dit-elle à son fils, et pour rien au monde elle ne permettrait à un tyran de quatre sous de l'envoyer en exil. Enfer ou déluge, quoi qu'il pût arriver, elle était décidée à tenir bon.

Miraculeusement, c'est ce qu'elle fit. Le Dr Weinberg ne me donna guère de détails (il est possible que lui-même n'ait jamais su toute l'histoire), mais il semble que sa mère ait bénéficié à différents moments critiques de l'aide d'un groupe d'amis non juifs et qu'en 1938 ou 1939 elle ait pu obtenir de faux papiers d'identité. Elle avait radicalement modifié son apparence – pas difficile pour une actrice spécialisée dans les rôles de composition – et sous son nouveau nom chrétien, déguisée en blonde à lunettes mal fagotée, elle décrocha un emploi de comptable dans un magasin de tissus et d'articles de mercerie d'une petite ville aux abords de Hambourg. A la fin de la guerre, en 1945, il y avait onze ans qu'elle n'avait plus vu son fils. Jonas Weinberg approchait alors de la trentaine, il était docteur en médecine et terminait son internat à l'hôpital Bellevue, et sitôt qu'il apprit que sa mère avait survécu, il fit les démarches nécessaires pour qu'elle pût venir lui rendre visite en Amérique.

Tout fut organisé dans le moindre détail. L'avion devait atterrir à telle heure, il s'arrêterait devant telle porte et Jonas Weinberg s'y trouverait pour accueillir sa mère. A l'instant précis où il allait partir à l'aéroport, toutefois, on l'appela de l'hôpital pour une opération urgente. Avait-il le choix ? Il était médecin, et si impatient qu'il fût de revoir sa mère après tant d'années, il avait le devoir de faire passer d'abord ses patients. Un nouveau plan s'élabora précipitamment. Il téléphona à la compagnie d'aviation et demanda qu'on envoie quelqu'un pour accueillir sa mère dès son arrivée à New York et lui expliquer qu'il avait été appelé à la dernière minute et qu'elle devait prendre un taxi pour Manhattan. Il aurait confié une clé à son intention au concierge de l'immeuble, et elle devait monter chez lui et l'attendre dans l'appartement. Frau Weinberg fit ce qu'on lui disait et trouva sans délai un taxi. Le chauffeur partit à grande vitesse vers la ville et dix minutes plus tard il perdait le contrôle de son volant et tamponnait de plein fouet une autre voiture. Lui et sa passagère furent gravement blessés.

A ce moment-là, le Dr Weinberg se trouvait déjà à l'hôpital, sur le point d'opérer. L'acte chirurgical dura un peu plus d'une heure et lorsqu'il eut terminé son travail, le jeune médecin se lava les mains, changea de vêtements et sortit en hâte du vestiaire, impatient de rentrer chez lui pour ces retrouvailles tardives avec sa mère. En arrivant dans le couloir, il vit qu'on amenait un nouveau patient vers la salle d'opération.

C'était sa mère. A ce que m'a raconté Jonas Weinberg, elle est morte sans avoir repris connaissance.

UNE RENCONTRE
INATTENDUE

Voilà des pages et des pages que je bavarde, mais je n'ai eu d'autre objet jusqu'ici que de me présenter au lecteur et de dresser le décor de l'histoire que je vais raconter. Je ne suis pas le personnage principal de cette histoire. Le privilège de porter le titre de héros du livre appartient à mon neveu, Tom Wood, fils unique de feu ma sœur June. La petite Juju, comme nous l'appelions, est née quand j'avais trois ans et c'est son arrivée qui a précipité le départ de mes parents d'un appartement minuscule à Brooklyn vers une maison à Garden City, Long Island. Nous avons toujours été grands amis, elle et moi, et quand elle s'est mariée, vingt-quatre ans plus tard (six mois après la mort de notre père), c'est moi qui l'ai conduite devant l'autel pour la confier à son mari, un certain Christopher Wood, chroniqueur économique au *New York Times*. Ils ont eu deux enfants (mon neveu Tom et ma nièce Aurora) et puis, au bout de quinze ans, ils se sont séparés. Quelques années plus tard, June s'est remariée, et je l'ai de nouveau accompagnée à l'autel. Son second mari était un agent de change prospère du New Jersey, Philip Zorn, qui trimballait dans ses bagages deux ex-épouses et une fille presque adulte, Pamela. Et alors, à l'âge scandaleusement jeune de quarante-neuf ans, June a été victime d'une violente hémorragie cérébrale tandis qu'elle travaillait dans son jardin pendant un après-midi torride de la mi-août, et elle est morte le lendemain avant le lever du soleil. Pour son grand frère, ce fut de très loin le coup le plus rude qu'il eût jamais reçu et même son propre cancer et la perspective de sa mort ne lui causèrent pas, quelques années plus tard, une douleur comparable à celle qu'il ressentit alors.

Après ses funérailles, j'ai perdu tout contact avec la famille et quand j'ai rencontré Tom, le 23 mai 2000, dans la librairie de Harry Brightman, il y avait près de sept ans que je ne l'avais pas vu. Il avait toujours été mon préféré et, dès son âge le plus tendre, il m'avait fait l'effet de quelqu'un qui sort de l'ordinaire, d'un individu destiné à accomplir de grandes choses. Mis à part le jour de l'enterrement de sa mère, notre dernière conversation avait eu lieu dans la maison de June à South Orange, dans le New Jersey. Tom venait de passer brillamment sa licence à Cornell et il allait partir à l'université du Michigan avec une bourse de quatre ans pour étudier la littérature américaine. Toutes mes prédictions le concernant se réalisaient et je me souviens de ce repas en famille comme d'une occasion chaleureuse où nous avons levé nos verres pour boire ensemble aux succès de Tom. Moi aussi, à son âge, j'avais espéré suivre une voie semblable à celle qu'avait choisie mon neveu. Comme lui, j'avais obtenu une licence d'anglais, avec l'ambition secrète de poursuivre des études de littérature ou, peut-être, de m'essayer au journalisme, mais je n'avais eu le courage de faire ni l'un ni l'autre. La vie y avait fait obstacle – deux ans à l'armée, le travail, le mariage, les responsabilités familiales, la nécessité de gagner de plus en plus d'argent, toute cette merde qui nous empêtre quand nous manquons de couilles pour nous défendre – mais je n'avais jamais cessé de m'intéresser aux livres. La lecture était ma liberté et mon réconfort, ma consolation, mon stimulant favori : lire pour le pur plaisir de lire, pour ce beau calme qui vous entoure quand vous entendez dans votre tête résonner les mots d'un auteur. Tom avait toujours partagé ce goût avec moi et, dès ses cinq ou six ans, j'avais pris l'habitude de lui envoyer des livres plusieurs fois par an, non seulement pour son anniversaire ou à Noël, mais aussi chaque fois que je tombais sur quelque chose qui me semblait devoir lui plaire. Je lui avais fait découvrir Poe quand il avait onze ans et, Poe étant l'un des écrivains dont il avait traité dans son mémoire, il était bien naturel qu'il veuille me parler de son travail – et bien naturel que je désire l'écouter. Le repas était terminé, tous les autres étaient allés s'installer au jardin, et nous restâmes dans la salle à manger, Tom et moi, à boire ce qui restait de vin.

"A ta santé, oncle Nat, dit Tom en levant son verre.

— A la tienne, Tom, répondis-je. Et aux *Paradis imaginaires : la vie de l'esprit dans l'Amérique d'avant la guerre de Sécession.*

— Un titre prétentieux, je l'avoue. Mais je n'ai rien trouvé de mieux.

— Prétentieux, c'est très bien. Ça interpelle les professeurs, ça attire leur attention. Tu as eu un A plus, n'est-ce pas ?"

Modeste à son habitude, Tom fit un geste de la main, comme pour balayer l'importance de la note. Je continuai : "En partie sur Poe, disais-tu. Et en partie quoi d'autre ?

— Thoreau.

— Poe et Thoreau.

— Edgar Allan Poe et Henry David Thoreau. Une rime malencontreuse, tu ne trouves pas ? Tous ces *o*, on en a plein la bouche. Je pense toujours à quelqu'un qui serait sous le choc d'une éternelle surprise : Oh, oh ! Oh Poe ! Oh Thoreau !

— Inconvénient mineur, Tom. Mais ô malheur à qui lit Poe et oublie Thoreau. Pas vrai, mon beau ?"

Avec un large sourire, Tom leva de nouveau son verre. "A ta santé, oncle Nat.

— A la tienne, Dr Pouce", dis-je. Nous bûmes tous deux une gorgée de bordeaux. En reposant mon verre sur la table, je lui demandai de m'ébaucher les grandes lignes de sa thèse.

"C'est à propos des mondes sans existence, m'expliqua mon neveu. Une étude des refuges intérieurs, une carte des lieux où vont les hommes quand la vie dans le monde réel n'est plus possible.

— L'esprit.

— Exactement. D'abord Poe, et une analyse de trois de ses œuvres les plus négligées : *La Philosophie de l'ameublement, Le Cottage Landor* et *Le Domaine d'Arnheim*. Prises séparément, elles ne sont que curieuses, excentriques. Ensemble, elles proposent un système pleinement élaboré des aspirations humaines.

— Je n'ai lu aucun de ces textes. Je crois que je n'en ai même jamais entendu parler.

— Ce qu'ils apportent, c'est une description de la chambre idéale, de la maison idéale et du paysage idéal. Après ça, je saute chez Thoreau et j'examine la chambre, la maison et le paysage présentés dans *Walden*.

— Ce qu'on appelle une étude comparative.

— Personne ne parle jamais de Poe et de Thoreau dans le même souffle. On les situe aux deux extrêmes de la pensée américaine. Mais c'est ce qui fait la beauté de la chose. Un alcoolique du Sud – réactionnaire en politique, aristocrate dans ses attitudes, spectral par son imagination ; et un abstinent du Nord – radical d'opinions, puritain de comportement, lucide dans ses écrits. Poe, c'était l'artifice et les ténèbres à minuit dans un lieu clos. Thoreau, la simplicité et la clarté rayonnante du dehors. Si différents qu'ils fussent, ils étaient nés à huit ans l'un de l'autre, ce qui fait d'eux des contemporains presque exacts. Et ils sont morts jeunes, l'un et l'autre : quarante et quarante-cinq ans. A eux deux, ils n'ont même pas réussi à vivre la vie d'un seul vieillard, et aucun des deux n'a laissé de descendance. Selon toute probabilité, Thoreau est allé vierge au tombeau. Poe a épousé sa cousine adolescente, mais on ignore encore si le mariage a été consommé avant la mort de Virginia Clemm. Qu'on les dise parallèles, qu'on les qualifie de coïncidences, ces éléments extérieurs sont moins importants que la vérité intérieure de la vie de ces deux hommes. Chacun à sa façon farouchement personnelle, ils ont pris sur eux de réinventer l'Amérique. Dans ses recensions et ses articles critiques, Poe bataillait pour une littérature indigène d'un genre nouveau, une littérature américaine libre des influences anglaises et européennes. L'œuvre de Thoreau représente un combat incessant contre le statu quo, une lutte pour trouver une nouvelle façon de vivre ici. Les deux hommes avaient foi en l'Amérique, et tous deux croyaient que l'Amérique s'en allait au diable, qu'elle allait mourir étouffée par une montagne de plus en plus énorme de machines et d'argent. Comment un homme pouvait-il réfléchir au milieu d'une telle clameur ? Ils voulaient se retirer, l'un et l'autre. Thoreau l'a fait aux environs de Concord, prétendant s'exiler dans les bois – sans autre raison que la volonté de démontrer que c'était possible. Du moment qu'un homme avait le courage de rejeter ce que la société lui imposait, il pouvait vivre comme il l'entendait. Dans quel but ? Pour être libre. Mais libre dans quel but ? Dans le but de lire des livres, d'en écrire, de penser. Libre d'écrire un livre tel que *Walden*. Poe, quant à lui, s'est réfugié dans un rêve de perfection. Si tu jettes un coup d'œil à sa *Philosophie de l'ameublement*, tu t'apercevras que sa chambre imaginaire est conçue exactement dans le même esprit. Comme un endroit où lire, écrire et penser. C'est une chambre forte destinée à la contemplation, un sanctuaire silencieux où l'âme peut enfin trouver une certaine paix. Impossible utopie ? Oui. Mais aussi alternative sensée aux conditions de l'époque. Car la réalité, c'était que l'Amérique filait bel et bien du mauvais coton. Le pays était coupé en deux, et on sait ce qui allait se passer dix ans plus tard. Quatre années de morts et de destructions. Un bain de sang humain provoqué par ces mêmes machines qui étaient supposées nous rendre tous heureux et riches."

Ce garçon était si intelligent, il s'exprimait si clairement, il avait une telle culture que je me sentais honoré de me compter comme un membre de sa famille. Les Wood avaient connu leur lot de tourments au cours des dernières années, mais Tom paraissait avoir réchappé de la calamiteuse rupture de ses parents – de même qu'aux tempêtes adolescentes de sa jeune sœur, qui s'était rebellée contre le second mariage de sa mère et enfuie de la maison à dix-sept ans – avec une attitude sobre, réfléchie, un peu étonnée devant la vie, et je l'admirais d'avoir si fermement gardé les pieds sur terre. Il n'avait guère conservé de liens avec son père, lequel était parti aussitôt après le divorce vivre en Californie où il travaillait au *Los Angeles Times*, et à l'instar de sa sœur (quoique de façon plus sourde), il n'éprouvait que peu d'affection ou de respect pour le second mari de June. De sa mère, il était très proche, néanmoins, et tous deux avaient vécu le drame de la disparition d'Aurora en partenaires égaux, affectés par les mêmes alternances d'espoir et de désespoir, les mêmes sombres attentes, les mêmes angoisses incessantes. Rory avait été l'une des gamines les plus drôles et les plus charmantes que j'aie jamais connues : un tourbillon d'audace et de brio, une Miss Je-sais-tout, une source inépuisable de spontanéité et de malice. Depuis l'époque de ses deux ou trois ans, nous l'avions toujours appelée la Joyeuse, Edith et moi, et elle avait grandi au sein de la famille Wood dans le rôle de l'amuseur maison, un clown astucieux et exubérant. Tom n'avait que deux ans de plus qu'elle, mais il s'était toujours senti responsable de sa sœur et, après la disparition de leur père, sa seule présence avait eu sur elle une influence stabilisatrice. Et puis il était parti au collège et Rory avait pris le large – une première escapade à New York avait été suivie, après une brève réconciliation avec sa mère, par sa disparition dans des régions inconnues. A l'époque de ce repas en l'honneur de la licence de Tom, elle avait déjà mis au monde un enfant né hors mariage (une fille appelée Lucy), elle était revenue au bercail juste le temps de fourrer le bébé dans les bras de ma sœur et elle avait redisparu. Quand June mourut, quatorze mois plus tard, Tom m'apprit lors de ses funérailles qu'Aurora était revenue peu de temps auparavant pour reprendre l'enfant – et repartie au bout de deux jours. Elle n'assista pas à l'enterrement de sa mère. Elle serait sans doute venue, me dit Tom, mais personne ne savait comment ni où la joindre.

En dépit de ces déboires familiaux, et en dépit de la perte de sa mère quand il n'avait que vingt-trois ans, je n'ai jamais douté du brillant avenir qui attendait Tom. Il avait trop d'atouts pour échouer, une personnalité trop solide pour que les vents imprévisibles du chagrin et de la malchance fassent dévier sa course. Aux funérailles de June, il errait comme un somnambule dans une stupeur hébétée, écrasé de douleur. J'aurais dû sans doute lui parler davantage mais j'étais trop choqué et secoué, moi aussi, pour avoir grand-chose à lui offrir. Quelques étreintes, quelques larmes partagées, guère plus. Ensuite il est reparti à Ann Arbor et nous nous sommes perdus de vue. Je me le reproche, mais Tom était en âge de prendre l'initiative et il aurait pu m'envoyer un mot n'importe quand s'il en avait eu envie. Ou, sinon à moi, au moins à sa cousine Rachel qui, à cette époque, vivait également dans le Middle West, à Chicago, où elle travaillait à sa thèse. Ils se connaissaient depuis leur tendre enfance et s'étaient toujours bien entendus, mais il ne lui donna pas signe de vie, à elle non plus. Les années s'écoulaient et, régulièrement, je ressentais de petits pincements de remords, mais je traversais une mauvaise passe, de mon côté (problèmes conjugaux, problèmes de santé, problèmes d'argent), et j'étais trop préoccupé pour penser beaucoup à lui. Chaque fois que cela m'arrivait, je l'imaginais poursuivant ses études, gravissant systématiquement, l'un après l'autre, les échelons d'une carrière académique. Au printemps 2000, j'étais convaincu qu'il avait obtenu un poste dans une université prestigieuse comme Berkeley ou Columbia – jeune star intellectuelle, déjà au travail sur son deuxième ou troisième livre.

Imaginez donc ma surprise quand, en entrant dans le Grenier de Brightman ce mardi matin de mai, je vis mon neveu assis derrière le comptoir, en train de rendre la monnaie à une cliente. Par chance, je l'aperçus avant qu'il ne me vît. Dieu sait quelles paroles regrettables m'auraient échappé si je n'avais eu ces dix ou douze secondes pour encaisser le choc. Je ne fais pas seulement allusion au fait improbable de le trouver là, occupé à un emploi subalterne dans une bouquinerie, mais aussi à la transformation radicale de son aspect physique. Tom n'avait jamais été mince. Il avait hérité d'un de ces corps de paysan à l'ossature puissante, faite pour supporter la masse d'un poids considérable – cadeau génétique de son père absent et semi-alcoolique – mais, néanmoins, la dernière fois que je l'avais vu, il m'avait paru en assez bonne forme : massif, oui, mais aussi solide et musclé, avec une démarche d'une énergie athlétique. A présent, sept ans plus tard, il avait grossi d'au moins une quinzaine de kilos et il avait l'air lourd et gras. Un double menton s'était formé sous sa mâchoire et même ses mains avaient désormais les rondeurs et l'épaisseur que l'on associe en général aux plombiers d'âge mûr. C'était un triste spectacle. L'étincelle avait disparu du regard de mon neveu et toute son apparence suggérait la défaite.

Lorsque la cliente eut fini de payer son livre, je me glissai à la place qu'elle venait de quitter, posai les mains sur le comptoir et me penchai en avant. Il se trouve qu'à ce moment-là Tom regardait par terre, cherchant une pièce de monnaie qui y était tombée. Je me raclai la gorge et dis : "Salut, Tom. Ça fait un bail."

Mon neveu releva les yeux. Pendant un instant, il parut complètement perdu et je craignis qu'il ne m'eût pas reconnu. Et puis il se mit à sourire, et tandis que son sourire s'épanouissait, je constatai avec bonheur que c'était le bon vieux sourire du Tom d'autrefois. Avec un soupçon de mélancolie en plus, sans doute, mais pas au point de l'avoir transformé aussi profondément que je l'avais craint.

"Oncle Nat ! s'écria-t-il. Qu'est-ce que tu fabriques à Brooklyn ?"

Sans me laisser le temps de lui répondre, il sortit précipitamment de derrière le comptoir et m'entoura de ses bras. A ma grande surprise, mes yeux se remplirent de larmes.

ADIEU A LA COUR

Plus tard, le même jour, je l'emmenai déjeuner au Cosmic Diner. La merveilleuse Marina nous servit nos sandwiches club à la dinde et nos cafés glacés, et je lui fis du gringue avec un peu plus d'agressivité que d'habitude, peut-être parce que j'avais envie d'impressionner Tom ou peut-être, simplement, parce que j'étais de bonne humeur. Je ne m'étais pas rendu compte à quel point mon cher Dr Pouce me manquait, et voilà que nous étions voisins – habitant, par le plus grand des hasards, à deux pas l'un de l'autre dans l'ancien royaume de Brooklyn, New York.

Il y avait cinq mois qu'il travaillait au Grenier de Brightman, me dit-il, et si je ne l'y avais pas encore rencontré, c'était parce qu'il se tenait toujours à l'étage, où il rédigeait les catalogues mensuels des livres et manuscrits rares qui occupaient, dans le commerce de Harry Brightman, une part nettement plus lucrative que la vente de livres d'occasion au rez-de-chaussée. Tom n'était pas un employé et il ne se chargeait jamais de la caisse, mais l'employé habituel s'était rendu ce matin-là à un rendez-vous chez son médecin et Harry avait demandé à Tom de le remplacer jusqu'à son retour.

C'était une situation modeste, continua Tom, mais au moins cela valait mieux que de conduire un taxi, comme il l'avait fait depuis qu'il avait renoncé à son doctorat et qu'il était revenu à New York.

"C'était quand, ça ? demandai-je.

— Il y a deux ans et demi, dit-il. J'avais terminé tous mes cours et passé les oraux, et puis je me suis retrouvé en panne sur ma thèse. J'avais visé un peu trop haut, oncle Nat.

— Laisse tomber l'«oncle», Tom. Appelle-moi Nathan, comme tout le monde. Maintenant que ta mère est morte, je n'ai plus l'impression d'être un oncle.

— D'accord, Nathan. Mais tu es toujours mon oncle, que ça te plaise ou non. Tante Edith n'est sans doute plus ma tante, j'imagine, mais même si elle a été reléguée dans la catégorie des ex, Rachel est encore ma cousine, et tu es encore mon oncle.

— Appelle-moi Nathan, Tom.

— C'est ce que je ferai, oncle Nat, je te le promets. A partir de maintenant, je t'appellerai toujours Nathan. En échange, je voudrais que tu m'appelles Tom. Plus de Dr Pouce, d'accord ? Ça me met mal à l'aise.

— Mais je t'ai toujours appelé comme ça. Même quand tu étais tout petit.

— Et je t'ai toujours appelé oncle Nat.

— C'est juste. Je baisse les armes.

— Nous entrons dans une ère nouvelle, Nathan. L'âge post-famille, post-études et post-passé de Glass et Wood.

— Post-passé ?

— Le *maintenant*. Et aussi le *plus tard*. Mais on ne s'appesantit plus sur l'*alors*.

— L'eau sous les ponts, Tom."

L'ex-Dr Pouce ferma les yeux, inclina la tête en arrière et pointa un index en l'air, comme s'il tâchait de se rappeler une chose oubliée depuis longtemps. Et alors, d'une voix sombre et délibérément théâtrale, il récita les premiers vers de l'*Adieu à la cour*, de Raleigh :

Tels des rêves menteurs, mes joies sont évanouies
et mes jours de bonheur sont partis sans retour.
L'amour s'est fourvoyé, et les plaisirs ont fui ;
De tout ce passé-là, seul le chagrin demeure.

PURGATOIRE

Personne ne s'imagine, dans sa jeunesse, avoir pour destin de devenir chauffeur de taxi mais, dans le cas de Tom, ce boulot avait représenté une forme de pénitence particulièrement sévère, une façon de porter le deuil de ses ambitions les plus chères. Ce n'était pas qu'il eût jamais attendu grand-chose de la vie, et pourtant le peu qu'il en attendait – terminer son doctorat, trouver une place dans le département d'anglais d'une université et puis passer quarante ou cinquante années à enseigner et à écrire – s'était révélé hors de son atteinte. Là s'étaient toujours limitées ses aspirations, avec, sans doute, une épouse par-dessus le marché et un ou deux gamins en corollaire. Il n'avait jamais pensé que c'était trop demander et pourtant, après s'être acharné pendant trois ans sur sa thèse, Tom avait fini par comprendre qu'il n'avait pas en lui ce qu'il fallait pour en venir à bout ou que, s'il l'avait, il ne parvenait plus à se persuader que cela en valait la peine. Il était donc parti d'Ann Arbor et revenu à New York, has been à vingt-huit ans, sans la moindre idée d'où aller ni du tour qu'allait prendre sa vie.

Au début, le taxi n'avait été qu'une solution provisoire, une mesure d'urgence lui permettant de payer son loyer pendant qu'il cherchait autre chose. Il chercha pendant plusieurs semaines mais tous les postes d'enseignants dans le privé étaient pourvus à ce moment-là et, au fur et à mesure qu'il s'installait dans la routine de ses douze heures quotidiennes, il se sentit de moins en moins motivé par la quête d'un autre emploi. Le provisoire commençait à lui paraître permanent et bien que, d'un côté, Tom se rendît compte qu'il se laissait filer à vau-l'eau, d'un autre côté il pensait que ce travail pourrait lui être profitable, que s'il restait attentif à ce qu'il faisait et aux raisons pour lesquelles il le faisait, le taxi pourrait lui enseigner des choses qu'on ne pouvait apprendre nulle part ailleurs.

Il n'avait pas toujours une idée très nette de ce qu'étaient ces choses mais lorsque, de cinq heures du soir à cinq heures du matin et six jours par semaine, il parcourait les avenues dans sa Dodge jaune brinquebalante, il ne fait aucun doute qu'il les apprenait bien. Les inconvénients de ce travail étaient si évidents, si omniprésents, si écrasants qu'à moins de réussir à les ignorer, on était condamné à une existence d'amertume et de récriminations sans fin. Les longues heures, la paie médiocre, les dangers matériels, le manque d'exercice – telles étaient les données de base et on ne pouvait pas plus songer à les modifier qu'on ne songerait à modifier le temps qu'il fait. Combien de fois n'avait-il pas entendu sa mère prononcer ces mots lorsqu'il était enfant ? "On ne changera rien au temps qu'il fait, Tom", lui disait June, signifiant par là que certaines choses sont ce qu'elles sont, tout simplement, et qu'on ne peut que les accepter. S'il comprenait le principe, ça ne l'avait jamais empêché de pester contre les tempêtes de neige et les vents glacés qui soufflaient sur son petit corps grelottant.

A présent, la neige tombait de nouveau. La vie de Tom était devenue un long combat contre les éléments et s'il y avait jamais eu lieu de grommeler contre le mauvais temps, c'était bien maintenant. Mais Tom ne grommelait pas. Tom ne s'apitoyait pas sur son sort. Il avait trouvé une méthode pour expier sa stupidité et s'il parvenait à survivre à cette expérience sans se décourager complètement, il lui restait peut-être un peu d'espoir, après tout. En s'obstinant à faire le taxi, il n'essayait pas de tirer le meilleur parti possible d'une situation désagréable. Il cherchait un moyen de provoquer des événements et tant qu'il n'aurait pas compris lesquels, il n'aurait pas le droit de se libérer de ce servage.

Il habitait un studio au coin de la Huitième Avenue et de la Troisième Rue, une sous-location à long terme que lui avait repassée un ami d'un ami, parti de New York pour aller travailler dans une autre ville – Pittsburgh ou Plattsburgh, Tom ne se rappelait jamais laquelle. C'était une cellule miteuse avec une douche en métal dans le cabinet de toilette, deux fenêtres donnant sur un mur de briques et un minuscule coin cuisine équipé d'un frigo-bar et d'un réchaud à gaz à deux brûleurs. Une bibliothèque, une chaise, une table et un matelas par terre. Cet appartement était le plus exigu qu'il eût jamais habité mais, à quatre cent vingt-sept dollars de loyer par mois, Tom considérait qu'il avait de la chance. Pendant la première année, il n'y passa de toute façon pas beaucoup de temps. Il avait tendance à se balader, à rechercher de vieux amis de l'école secondaire et du collège qui avaient abouti à New York, à se faire de nouvelles connaissances par l'intermédiaire des anciennes et à dépenser son argent dans des bars, en sortant avec des femmes quand il en avait l'occasion et, d'une manière générale, en essayant de se refaire une vie – ou quelque chose qui y ressemblât. Le plus souvent, ces tentatives de sociabilité se terminaient en silences inconfortables. Ses amis d'autrefois, qui gardaient de lui le souvenir d'un étudiant brillant à la conversation férocement drôle, étaient consternés de ce qui lui était arrivé. Tom n'avait plus sa place au nombre des élus, et sa chute semblait ébranler leur confiance en eux-mêmes, ouvrir la porte à un pessimisme nouveau quant à leurs propres perspectives. Que Tom eût grossi, que son embonpoint d'au-trefois eût évolué en rondeurs embarrassantes, cela n'arrangeait rien, mais le plus troublant était de constater qu'il semblait n'avoir aucun projet, qu'il n'évoquait jamais la manière dont il allait réparer le tort qu'il s'était fait et se remettre sur pied. Lorsqu'il parlait de son nouveau gagne-pain, il le décrivait en termes étranges, quasi religieux, en s'interrogeant sur des questions telles que l'énergie spirituelle et l'importance de trouver sa voie par la patience et l'humilité, et tout cela les perturbait et les mettait mal à l'aise. Bien que l'intelligence de Tom n'eût pas été affaiblie par cet emploi, plus personne n'avait envie d'entendre ce qu'il avait à dire, et surtout pas les femmes auxquelles il s'adressait, qui attendaient des jeunes gens qu'ils fussent pleins de grandes idées et de combines astucieuses concernant la façon dont ils allaient conquérir le monde. Tom les déconcertait avec ses doutes et ses examens de conscience, ses dissertations obscures sur la nature de la réalité, ses manières hésitantes. C'était déjà assez moche qu'il gagnât sa vie en faisant le taxi mais un chauffeur de taxi philosophe qui s'habillait aux surplus de l'armée et de la marine et qui arborait un ventre énorme, elles trouvaient ça un peu trop. Tom était un type bien, certes, et aucune n'éprouvait pour lui d'antipathie active, mais nulle ne voyait en lui un candidat valable – ni au mariage, ni même à une brève folie.

Il se mit à fréquenter de moins en moins de monde. Une deuxième année s'écoula, et l'isolement de Tom était alors devenu si total qu'il en vint à passer seul son trentième anniversaire. La vérité, c'est qu'il n'y avait pas du tout pensé et, comme personne ne l'avait appelé pour le féliciter ou lui présenter des vœux, il ne s'en souvint que le lendemain à deux heures du matin. Il se trouvait alors quelque part dans le Queens, où il venait de déposer deux hommes d'affaires éméchés devant une boîte de strip-tease intitulée *Le Jardin des Délices*, et afin de célébrer le commencement de sa quatrième décennie d'existence, il roula jusqu'au Metropolitan Diner, sur le Northern Boulevard, s'installa au comptoir et se commanda un milk-shake au chocolat, deux hamburgers et une portion de frites.

Sans Harry Brightman, rien ne permet d'évaluer le temps qu'il aurait encore passé dans ce purgatoire. La boutique de Harry était située sur la Septième Avenue, à quelques rues de l'endroit où Tom habitait, et Tom avait pris l'habitude quotidienne d'entrer au Grenier de Brightman. Il était rare qu'il achetât quelque chose, mais il aimait bien passer l'heure ou la demi-heure avant le travail à flâner parmi les vieux livres du rez-de-chaussée. Des milliers de volumes s'entassaient là sur les étagères – il y avait de tout : depuis des dictionnaires obsolètes ou des best-sellers oubliés jusqu'à des collections reliées pleine peau des œuvres de Shakespeare, et Tom s'était toujours senti chez lui dans ce genre de mausolée de papier, à feuilleter des piles d'ouvrages mis au rebut tout en respirant les odeurs de la poussière accumulée. Lors d'une de ses premières visites, il avait interrogé Harry au sujet d'une certaine biographie de Kafka et les deux hommes avaient entamé une conversation. Ce fut le premier de nombreux petits échanges et, bien que Harry ne fût pas toujours présent quand Tom arrivait (il passait à l'étage le plus clair de son temps), ils se parlèrent assez souvent au cours des mois suivants pour que le libraire ait appris le nom de la ville où Tom était né, connaisse le sujet de la thèse avortée de Tom (*Clarel* – le gargantuesque et illisible poème épique de Melville) et ait digéré le fait que Tom n'était pas intéressé par des relations amoureuses avec un homme. En dépit de ce dernier désappointement, Harry eut tôt fait de comprendre que Tom ferait un assistant rêvé pour son affaire de livres rares et manuscrits précieux, à l'étage. Ce n'est pas une fois, c'est une douzaine de fois qu'il lui offrit cet emploi et, bien que Tom s'obstinât à refuser, Harry ne perdit jamais l'espoir qu'il accepte un jour ou l'autre. Il comprenait que Tom se trouvait en hibernation, en train de lutter dans les ténèbres contre l'ange du désespoir, et que cette situation finirait par changer. Cela, c'était une certitude, même si Tom l'ignorait encore. Mais dès qu'il le saurait, toute cette sotte histoire de taxi ne serait plus que linge sale de la veille.

Tom aimait bien discuter avec Harry parce que Harry était un type tellement curieux et direct, à la volubilité si piquante et aux contradictions si extravagantes qu'on ne savait jamais ce qu'il allait proférer. A le voir, on l'aurait pris simplement pour une foldingue new-yorkaise vieillissante comme il y en a tant. Tout ce galimatias de surface était calculé dans le but de créer précisément cet effet – cheveux et sourcils teints, foulards de soie et blazers de yachtman, intonations efféminées – et pourtant, dès qu'on le connaissait un peu, on découvrait en lui un homme astucieux et stimulant. Il y avait quelque chose de provocant dans sa façon de s'en prendre à vous, une forme d'intelligence vive et percutante qui vous donnait envie de fournir les bonnes réponses lorsqu'il se mettait à vous débiter ses questions retorses et trop personnelles. Avec Harry, une réaction simple ne suffisait jamais. Il fallait qu'une flamme anime ce que vous disiez, une effervescence démontrant que vous étiez autre chose qu'un simple lourdaud de plus sur les chemins de la vie. Etant donné que, dans les grandes lignes, c'était ainsi que se voyait Tom, il devait faire des efforts tout spéciaux pour tenir sa partie face à Harry. Ces efforts étaient ce qui lui plaisait le plus dans ces conversations. Tom aimait se sentir obligé de réfléchir vite, et il trouvait vivifiant de forcer son intelligence à se tourner, pour changer, dans des directions inhabituelles, de devoir rester en éveil. Trois ou quatre mois après leur premier échange, à une époque où ils se connaissaient à peine – pas question encore d'amitié ni d'association –, Tom se rendit compte que de tous les gens qu'il fréquentait à New York, il n'y avait personne, homme ou femme, avec qui il parlait aussi librement qu'avec Harry Brightman.

Et pourtant Tom continuait à refuser l'offre de Harry. Pendant plus de six mois, il repoussa la proposition du libraire de travailler pour lui et, au cours de cette période, il inventa tant d'excuses différentes, un si grand nombre de raisons pour Harry de chercher quelqu'un d'autre que sa réticence devint entre eux un sujet permanent de plaisanterie. Au début, Tom se donnait un mal fou pour défendre les vertus de sa profession actuelle, en improvisant des théories élaborées sur la valeur ontologique de la vie d'un chauffeur de taxi. "Elle ouvre une voie directe sur le caractère informel de l'existence, disait-il en s'efforçant de ne pas sourire de son imitation du jargon de son passé académique, un point d'accès unique aux infrastructures chaotiques de l'univers. On roule toute la nuit à travers la ville, et on ne sait jamais où on va aller. Un client s'installe sur la banquette arrière de votre taxi, il vous demande de vous conduire ici ou là, et on y va. Riverdale, Fort Greene, Murray Hill, Far Rockaway, la face cachée de la lune. Chaque destination est arbitraire, chaque décision dépend du hasard. On flotte, on va et vient, on y court aussi vite qu'on peut, mais on n'a pas vraiment son mot à dire. On est un jouet des dieux, on n'a pas de volonté personnelle. On n'a d'autre raison d'être là que de servir les caprices d'autrui.

— Et ces caprices, glissait Harry avec, dans l'œil, une lueur malicieuse, quels vilains caprices ce doit être. Je parie que vous en avez surpris un paquet dans votre rétroviseur.

— Citez-m'en n'importe lequel, Harry, je l'ai vu. Masturbation, fornication, toutes les formes d'ivresse. Bile et sperme, merde et pisse, sang et larmes. A un moment ou à un autre, chacun des fluides humains a été répandu sur le siège arrière de mon taxi.

— Et qui nettoie ?

— Moi. Ça fait partie du boulot.

— Eh bien rappelez-vous, jeune homme, déclarait Harry en appuyant le dos de sa main contre son front, mimant une diva qui tourne de l'œil, quand vous viendrez travailler pour moi, vous vous apercevrez que les livres ne saignent pas. Et ils ne *défèquent* certainement pas.

— Il y a aussi de bons moments, protestait Tom, ne voulant pas laisser le dernier mot à Harry. Des instants de grâce inoubliables, de minuscules ravissements, des miracles inespérés. Dériver doucement dans Times Square à trois heures et demie du matin et, tout à coup, se sentir seul au centre du monde, sous une pluie de néon venue de tous les coins du ciel. Ou bien pousser le compteur au-delà de soixante-dix miles sur le Belt Parkway juste avant l'aube et sentir par la vitre baissée l'odeur de l'océan. Ou encore traverser le pont de Brooklyn juste quand la pleine lune arrive dans l'ogive et ne plus rien voir d'autre que cette rondeur jaune et lumineuse de la lune, si grosse qu'elle fait peur, et oublier qu'on habite ici en bas sur cette terre, imaginer qu'on vole, que le taxi a des ailes et qu'on vole pour de bon dans l'espace. Aucun livre ne peut reproduire des choses pareilles. C'est d'une réelle transcendance que je parle, Harry. D'abandonner son corps et d'entrer dans la plénitude et l'épaisseur du monde.

— Pas besoin de conduire un taxi pour faire ça, mon garçon. N'importe quelle bagnole fait l'affaire.

— Non, il y a une différence. Avec une voiture ordinaire, vous perdez l'aspect corvée de la chose, et il est essentiel à toute l'expérience. L'épuisement, l'ennui, l'abrutissante monotonie de tout ça. Et puis, tout à coup, on perçoit soudain une petite bouffée de liberté, un instant ou deux de béatitude authentique, ineffable. Mais il faut payer. Sans corvée, pas de béatitude."

Tom ne savait pas du tout pourquoi il résistait ainsi à Harry. Il ne croyait pas un dixième des choses qu'il lui disait et pourtant, chaque fois que le sujet de son changement de métier revenait sur le tapis, il se butait et recommençait à dévider ses arguments et autojustifications absurdes. Tom savait qu'il vaudrait mieux pour lui travailler avec Harry mais la perspective de devenir l'assistant d'un libraire ne lui paraissait guère enthousiasmante, bien loin de ce qu'il avait en tête lorsqu'il rêvait de reprendre sa vie en main. C'était un progrès trop faible, en quelque sorte, une solution trop médiocre pour s'y résoudre après avoir tant perdu. L'entreprise de séduction se poursuivit donc et plus Tom en arrivait à mépriser son gagne-pain, plus il défendait obstinément sa propre inertie ; et plus il cédait à l'inertie, plus il se méprisait. Le choc d'avoir eu trente ans en ces circonstances sinistres l'impressionna, mais pas au point de le pousser à l'action et, même si son repas au Metropolitan Diner s'était achevé sur la résolution de trouver un autre emploi dans un délai maximum d'un mois, lorsque ce mois fut écoulé il travaillait encore pour la société de taxis Trois D. Tom s'était toujours demandé ce que représentaient ces trois D et, à présent, il croyait le savoir. Déprime, Désespoir et Décès. Il annonça à Harry qu'il allait considérer sa proposition, après quoi, à son habitude, il ne fit rien. Sans le camé bégayant et surexcité qui lui fourra un revolver sur la gorge au coin de la Quatrième Rue et de l'Avenue B par une nuit glaciale de janvier, qui sait combien de temps aurait encore duré cette situation ? Mais Tom comprit enfin et lorsque, le lendemain matin, il entra chez Harry et lui annonça qu'il acceptait son offre, son existence de chauffeur de taxi avait pris fin.

"J'ai trente ans, déclara-t-il à son nouveau patron, et vingt kilos de trop. Il y a plus d'un an que je n'ai pas couché avec une femme, et voilà douze matins que je rêve d'embouteillages dans douze quartiers de la ville. Je peux me tromper, mais je crois que je suis prêt à changer de vie."

UN MUR TOMBE

Tom alla donc travailler pour Harry Brightman, sans se douter que Harry Brightman n'existait pas. Ce nom n'était qu'un nom, et la vie qui allait avec n'avait jamais été vécue. Cela n'empêchait pas Harry de raconter des histoires de son passé mais, ce passé n'étant qu'une invention, presque tout ce que Tom croyait savoir à propos de Harry était faux. Oubliés, l'enfance à San Francisco, la mère mondaine et le père médecin. Oubliés, Exeter et Brown. Oubliés, le déshéritement et la fuite à Greenwich Village dans l'été 1954. Oubliées, les années de vagabondage en Europe. Harry était originaire de Buffalo, dans l'Etat de New York, et jamais il n'avait été peintre à Rome, jamais il n'avait dirigé un théâtre à Londres, jamais il n'avait été expert immobilier à Paris. Il n'y avait jamais eu d'autre argent dans sa famille que le chèque hebdomadaire ramené par le père de son travail au centre de tri de la poste principale, et quand Harry était parti de Buffalo à dix-huit ans, ce n'était pas pour aller à l'université mais pour s'engager dans la marine. Après sa démobilisation, quatre ans plus tard, il réussit bien à obtenir certains succès universitaires – à l'université De Paul, à Chicago – mais il se sentait alors trop vieux pour poursuivre des études et il renonça au bout de trois semestres.

Ce fut à Chicago qu'il s'installa, néanmoins, et l'histoire de sa venue à New York, il y avait neuf ans (après avoir perdu son argent dans une fraude boursière à Londres), était encore une fiction. Il était vrai, néanmoins, qu'il vivait depuis neuf ans à New York et il était vrai aussi qu'il ne connaissait rien au commerce des livres quand il y était arrivé. Mais il ne s'appelait pas Harry Brightman, à ce moment-là. Il s'appelait Harry Dunkel. Et il n'avait pas atterri à New York en provenance de Londres. Il avait pris l'avion à O'Hare Airport et, pendant deux ans et demi, son adresse postale avait été le pénitencier fédéral de Joliet, dans l'Illinois.

Voilà qui expliquerait la réticence de Harry à dire la vérité. Ce n'est pas une mince affaire que de recommencer sa vie à cinquante-sept ans et quand un homme a pour seuls atouts un cerveau dans le crâne et une langue dans la bouche, il a intérêt à bien réfléchir avant d'ouvrir cette bouche pour se raconter. Harry n'avait pas honte de ce qu'il avait fait (il avait été pris, voilà tout, et depuis quand considérait-on la malchance comme un délit ?), mais il n'avait assurément nulle intention d'en parler. Il s'était donné trop de mal, trop longtemps, pour façonner le petit univers dans lequel il vivait à présent, et il ne laisserait personne soupçonner ce qu'il avait souffert. Par conséquent, Tom fut maintenu dans l'ignorance en ce qui concernait la carrière de Harry à Chicago, laquelle comprenait une ex-épouse, une fille de trente et un ans et une galerie d'art dans Michigan Avenue que Harry avait gérée pendant dix-neuf ans. Si Tom avait été au courant de l'escroquerie et de l'arrestation de Harry, aurait-il néanmoins accepté l'emploi que lui proposait celui-ci ? C'est possible. Et en même temps, il se pouvait que non. Harry n'en avait aucune certitude et c'est la raison pour laquelle il tint sa langue et ne dit pas un mot.

Et alors, par un matin trempé de pluie au début d'avril, moins d'un mois après mon installation dans le quartier, c'est-à-dire environ trois mois et demi après que Tom avait commencé à travailler au Grenier de Brightman, le grand mur du secret s'écroula.

Cela commença par une visite inopinée de la fille de Harry. Tom se trouvait justement au rez-de-chaussée quand elle entra dans la boutique – ruisselante, les vêtements et les cheveux dégoulinants d'eau, étrange créature dépenaillée, aux yeux hagards, autour de qui flottait une odeur âcre et fétide. Tom reconnut l'odeur des êtres qui ne se lavent jamais, l'odeur de la démence.

"Je veux voir mon père", déclara-t-elle en croisant les bras et en se tenant les coudes serrés entre ses doigts tremblants et tachés de nicotine.

Ignorant tout de la vie antérieure de Harry, Tom n'avait aucune idée de ce dont elle parlait. "Vous devez faire erreur, lui dit-il.

— Non, répliqua-t-elle avec violence – agitée tout à coup, frémissante de colère –, je suis Flora.

— Eh bien, Flora, dit Tom, je crois que vous vous êtes trompée d'endroit.

— Je peux vous faire arrêter, vous savez. Comment vous appelez-vous ?

— Tom, dit Tom.

— Bien sûr. Tom Wood. Je suis au courant. Au milieu du chemin de notre vie, je me trouvai dans une forêt obscure. Mais tu es trop ignorant pour connaître ça. Tu es un de ces petits hommes à qui les arbres cachent la forêt.

— Ecoutez, fit Tom, en lui parlant d'une voix douce et apaisante. Vous savez peut-être bien qui je suis, mais je ne peux rien faire pour vous aider.

— Prends pas tes grands airs avec moi, mec. T'as beau être wood, ça ne veut pas dire que t'es good. Comprendo ? Je suis ici pour voir mon père et je veux le voir *tout de suite* !

— Je pense qu'il n'est pas là, fit Tom, changeant brusquement de tactique.

— Je t'en fous qu'il est pas là. Le gibier de potence habite là-haut, dans l'appartement. Tu me prends pour une idiote ?"

Passant les doigts dans ses cheveux mouillés, Flora aspergea d'eau une pile de livres récemment acquis posée sur une table près du comptoir. Après quoi, en toussant d'une toux caverneuse, elle tira d'une poche de son vêtement trop large et déchiré un paquet de Marlboro. Après avoir allumé une cigarette, elle jeta par terre l'allumette enflammée. Dissimulant sa surprise, Tom l'écrasa calmement avec son pied. Il ne prit pas la peine de lui dire que fumer était interdit dans la librairie.

"De qui parlons-nous ? demanda-t-il.

— Harry Dunkel. Qui d'autre ?

— Dunkel ?

— Ça veut dire *obscur*, au cas où tu le saurais pas. Mon père est un homme obscur, et il vit dans une forêt obscure. Il prétend qu'il est un homme brillant, maintenant – *Bright*man ! –, mais c'est qu'un truc. Il est quand même obscur. Il sera toujours obscur – jusqu'à la fin de ses jours."

RÉVÉLATIONS TROUBLANTES

Il fallut à Harry soixante-douze heures pour persuader Flora de recommencer à prendre ses remèdes – et une semaine entière pour la convaincre de retourner chez sa mère à Chicago. Le lendemain de son départ, il invita Tom à dîner chez Mike & Tony, un *steak house* de la Cinquième Avenue, et, pour la première fois depuis sa sortie de prison, neuf ans auparavant, il vida le sac de son passé – déballant devant son assistant incrédule, en alternant du rire aux larmes, toute l'histoire inepte et brutale de sa vie mal barrée.

Il avait fait ses débuts à Chicago comme vendeur au département parfumerie chez Marshall Fields. Au bout de deux ans, il était monté au grade un peu plus prestigieux de décorateur et c'est selon toute probabilité là qu'il en serait resté sans son invraisemblable union avec Bette Dombrowski, la plus jeune fille du milliardaire Karl Dombrowski, connu dans tout le Middle West comme le roi du service à domicile des couches pour bébés. La galerie d'art que Harry ouvrit l'année suivante fut fondée entièrement avec l'argent de Bette mais, si cet argent lui apporta une aisance et une position sociale inimaginables jusque-là, il serait faux d'en déduire qu'il ne l'avait épousée que pour sa fortune, ou qu'il s'était engagé dans sa nouvelle existence sous des faux-semblants. Il fut toujours avec elle d'une franchise totale quant à ses penchants sexuels et, pourtant, même ceux-ci n'auraient pu empêcher Bette de voir en Harry l'homme le plus désirable qu'elle eût jamais rencontré. Elle avait déjà bien dépassé la trentaine à cette époque, c'était une femme sans beauté ni expérience qui se sentait filer rapidement vers un célibat définitif, et elle savait que si elle ne parvenait pas à s'affirmer vis-à-vis de Harry, elle était destinée à vivre le restant de ses jours dans la maison de son père, vieille fille en butte aux moqueries, tante godiche des enfants de ses frères et sœurs, échouée en exil au cœur de sa propre famille. Heureusement, le sexe l'intéressait moins que l'affection et elle rêvait de partager la vie d'un homme qui lui conférerait un peu de la vivacité et de la confiance en soi dont elle manquait. Si Harry voulait se permettre un badinage occasionnel ou quelques ébats clandestins, elle n'y verrait pas d'objection. Du moment qu'ils étaient mariés, disait-elle, et du moment qu'il comprenait à quel point elle l'aimait.

Il y avait déjà eu des femmes dans la vie de Harry. Dès les premières années de son adolescence, l'histoire de sa sexualité avait été un catalogue indistinct d'appétits et de désirs situés de part et d'autre de la frontière. Harry était heureux d'être ainsi fait, heureux de n'être pas soumis au préjugé qui l'aurait contraint de répudier pendant toute sa vie les charmes d'une moitié de l'humanité mais, avant que Bette ne lui eût demandé de l'épouser, en 1967, l'idée ne l'avait jamais effleuré qu'il pourrait s'engager dans un arrangement domestique fixe ni, surtout, se retrouver transformé en mari. Harry avait été souvent amoureux dans le passé, mais il avait rarement été aimé en retour et l'ardeur de Bette l'étonnait. Non contente de s'offrir à lui sans réserve, elle lui accordait en même temps une liberté totale.

Il y avait aussi, bien sûr, certains inconvénients à surmonter. La famille de Bette, d'abord, et les interventions despotiques d'un père imbu de son importance qui, régulièrement, menaçait de déshériter sa fille si elle ne divorçait pas d'avec "cette folle immonde". Et puis, question plus perturbante peut-être, il y avait Bette. Ni la personne de Bette, ni son âme, mais son corps, son aspect physique, avec ses petits yeux louches et les poils noirs qui déparaient ses avant-bras potelés. Harry avait un goût instinctif et très développé pour le beau, et il ne s'était jamais senti attiré par quelqu'un qui manquât de charme. Si une chose le faisait hésiter à épouser Bette, c'était son apparence. Elle était si gentille, néanmoins, toujours si désireuse de lui faire plaisir, que Harry se lança, sachant que sa première tâche d'homme marié consisterait à modeler son épouse à l'image d'une femme capable – sous un éclairage approprié et dans des circonstances favorables – d'éveiller en lui une étincelle de désir. Certaines de ces améliorations furent assez faciles à réaliser. Des verres de contact remplacèrent les lunettes de la jeune femme ; sa garde-robe changea de style ; ses bras et ses jambes subirent, à intervalles réguliers, de pénibles traitements épilatoires. Restaient d'autres facteurs que Harry ne pouvait maîtriser, des efforts que sa nouvelle épouse était seule à pouvoir accomplir. Et Bette les accomplit. Avec la discipline et l'abnégation d'une bonne sœur, elle réussit à maigrir de près d'un cinquième de son poids pendant la première année de leur mariage, passant de soixante-dix et quelques kilos mal fagotés à un svelte cinquante-sept. Harry fut ému par le courage et l'obstination de sa Galatée et au fur et à mesure que Bette s'épanouissait, aidée et surveillée par le regard attentif de son mari, leur admiration l'un pour l'autre grandit, se transformant en une amitié solide et durable. La naissance de Flora, en 1969, ne fut pas le résultat d'une performance exceptionnelle et préarrangée. Harry et Bette couchèrent ensemble assez souvent pendant les premières années de leur mariage pour rendre une grossesse quasi inévitable, un fait accompli *a priori*. Qui, parmi les amis de Harry, aurait prédit pareille volte-face ? Il avait épousé Bette parce qu'elle lui avait promis sa liberté et puis, une fois installé avec elle, il s'était aperçu que cette liberté n'offrait plus guère d'intérêt à ses yeux.

La galerie ouvrit ses portes en février 1968. C'était pour Harry, alors âgé de trente-quatre ans, l'accomplissement d'un vieux rêve et il fit tout ce qu'il pouvait pour que l'opération réussît. Chicago n'était pas le centre du monde des arts, mais ce n'était pas non plus un trou perdu de province et il flottait de par la ville une richesse assez opulente pour qu'un homme habile pût en persuader une partie d'aboutir dans sa poche. Après mûre réflexion, il décida d'intituler sa galerie Dunkel *Frères**. Harry n'avait pas de frère, mais il estimait que ce nom conférait à son entreprise un caractère d'Ancien Monde, suggérant une longue tradition professionnelle familiale dans la vente et l'achat d'œuvres d'art.

* En français dans le texte. *(Toutes les notes sont de la traductrice.)*

A son idée, le mariage entre le patronyme allemand et l'épithète française susciterait dans l'esprit de ses clients une confusion intéressante et, dans l'ensemble, agréable. Pour certains, le mélange de langues signifierait une origine alsacienne. D'autres lui prêteraient une famille judéo-allemande émigrée en France. D'autres encore n'auraient pas la moindre idée de ce qu'il fallait penser de lui. Personne ne serait jamais certain des origines de Harry – et dès lors qu'il peut s'entourer d'une aura de mystère, un homme a toujours l'avantage dans ses rapports avec le public.

Il se spécialisa dans les œuvres de jeunes artistes – surtout dans la peinture, mais aussi dans la sculpture et les installations et, également, quelques-uns de ces happenings dont la mode durait encore à la fin de ces années soixante. La galerie présentait lectures de poésie et soirées musicales et, parce que Harry s'intéressait à la beauté sous toutes ses formes, Dunkel Frères ne s'enfermait pas dans les limites d'une position esthétique étroite. Pop et op, minimalisme et abstraction, *pattern painting* et photographie, art vidéo et néo-expressionnisme – au cours des ans, Harry et son frère fantôme exposèrent des œuvres qui incarnaient toutes les tendances et tous les courants de l'époque. La plupart des expositions furent des échecs. Il fallait s'y attendre, mais ce qui représenta le plus grand danger pour l'avenir de la galerie, ce fut la défection de la demi-douzaine de véritables artistes que Harry découvrit en chemin. Il donnait à un ou à une jeune sa première occasion de se faire connaître, assurait sa promotion avec son flair et son panache habituels, lui créait un marché, commençait à en tirer un profit confortable et alors, après deux ou trois expositions, l'artiste le quittait pour une galerie à New York. Le problème, c'était d'être basé à Chicago, et Harry comprenait que, pour ceux qui avaient un talent authentique, ce départ était une obligation.

Pourtant, la chance sourit à Harry. En 1976, un peintre âgé de trente-deux ans du nom d'Alec Smith entra dans la galerie avec un lot de diapositives. Harry était absent ce jour-là mais le lendemain après-midi, quand la réceptionniste lui remit l'enveloppe, il en retira une série de diapos et les tint devant la fenêtre pour y jeter un coup d'œil rapide – sans s'attendre à rien, prêt à la déception –, et se rendit compte que ce qu'il voyait était grand. Smith avait tout pour lui. Audace, couleur, énergie et lumière. Des figures tourbillonnaient entre des coups de brosse sauvages, vibrantes d'un rugissement incandescent d'émotion, d'un cri humain si profond, si vrai et si passionné qu'il semblait exprimer à la fois la joie et le désespoir. Les toiles ne ressemblaient à rien de ce que Harry avait déjà vu et elles eurent sur lui un effet si puissant que ses mains se mirent à trembler. Il s'assit, examina les quarante-sept diapositives sur une table lumineuse portable et puis décrocha immédiatement son téléphone pour appeler Smith et lui proposer une exposition.

A la différence des autres jeunes artistes que Harry avait soutenus, Smith ne voulait rien avoir à faire à New York. Il y avait déjà passé six ans et, après avoir été rejeté par toutes les galeries de la ville, il était revenu à Chicago plein d'amertume et de colère, débordant de mépris pour le monde de l'art et son peuple de prostitués assoiffés de sang et avides d'argent. Harry l'appelait son "génie revêche" mais, en dépit de son caractère rude et souvent combatif, Smith était, au fond, un pur-sang. Il savait ce qu'est la loyauté et dès lors qu'il avait sa place dans l'écurie Dunkel Frères, il n'avait aucune intention de s'en échapper. Harry était l'homme qui l'avait sauvé de l'oubli et, par conséquent, Harry demeurerait son marchand jusqu'à la fin de ses jours.

Harry avait trouvé son premier et son seul grand artiste et, huit années durant, l'œuvre de Smith assura la solvabilité de la galerie. Après le succès de l'exposition de 1976 (les dix-sept tableaux et trente et un dessins vendus avant la fin de la deuxième semaine), Smith quitta la ville avec sa femme et son petit garçon et acheta une maison au Mexique, à Oaxaca. Après quoi l'artiste refusa de bouger de là et ne remit plus les pieds aux Etats-Unis – même pas pour assister à l'exposition annuelle de son œuvre à Chicago et moins encore aux rétrospectives qui furent organisées dans les musées de différentes villes quand sa réputation commença à s'étendre. Si Harry voulait le voir, il devait prendre l'avion pour Mexico – ce qu'il faisait à peu près deux fois par an – mais ils gardaient surtout le contact par lettres et, à l'occasion, par téléphone. Rien de tout cela ne représentait un problème pour le directeur de Dunkel Frères. La production de Smith était fabuleuse et tous les mois de nouvelles caisses de toiles et de dessins arrivaient à la galerie, à Chicago, pour y être vendus à des prix de plus en plus délicieusement élevés. C'était une organisation idéale et il ne fait aucun doute que ça aurait pu continuer ainsi pendant des dizaines d'années si, trois nuits avant son quarantième anniversaire, Smith, bourré de tequila, n'avait sauté du toit de sa maison. Son épouse affirma qu'il s'agissait d'une blague qui avait mal tourné ; sa maîtresse prétendit que c'était un suicide. De toute façon, Alec Smith était mort et le navire Harry Dunkel allait faire naufrage.

Entre en scène un jeune artiste du nom de Gordon Dryer. Harry lui avait organisé sa première exposition six mois avant la fin catastrophique de Smith – non qu'il fût impressionné par son travail (des abstractions sévères et exagérément rationnelles qui ne suscitèrent pas une seule vente ni une critique positive) mais parce que Dryer était lui-même une présence irrésistible, un homme de trente ans qui n'en paraissait pas plus de dix-huit, avec un délicat visage féminin, des mains fines d'une blancheur de marbre et une bouche que Harry eut envie d'embrasser dès le premier instant. Après seize années de vie conjugale avec Bette, le futur employeur de Tom avait enfin succombé. Non pas à un simple coup de folie, mais à une passion profonde et délirante, un amour brûlant, improbable. Et Dryer, ambitieux, brûlant de l'envie d'exposer chez Dunkel Frères, se laissa séduire par le quinquagénaire trapu. A moins que ce ne fût, au contraire, Dryer qui ait pris l'initiative. En tout cas, cela se passa quand le galeriste se rendit à l'atelier du peintre pour voir ses toiles les plus récentes. Le bel homme-enfant ne tarda pas à deviner les intentions de Harry et après vingt minutes de propos sans conséquence sur les vertus du minimalisme géométrique, il se laissa mine de rien tomber sur les genoux et débraguetta le marchand d'art.

En suite de la tiédeur de la réaction à l'exposition de Dryer, les débraguettages se multiplièrent et ce fut bientôt plusieurs fois par semaine que Harry vint à l'atelier. Dryer s'inquiétait à l'idée que Harry pût l'éliminer de son catalogue

et il n'avait que son corps à offrir en compensation. Harry était trop épris pour se rendre
compte qu'il se laissait exploiter mais, même s'il
l'avait compris, cela n'aurait sans doute rien
changé. Tant est grande la folie du cœur humain.
Il garda le secret vis-à-vis de Bette et, parce que
Flora, qui avait alors quinze ans, commençait à
manifester les premiers signes avant-coureurs
de sa schizophrénie naissante, il passait chez lui
avec sa famille tous les instants que lui laissait
son emploi du temps. Les après-midi étaient
pour Gordon et, le soir, il réintégrait son rôle
d'époux et de père dévoué. Et puis tomba, écra-
sante, l'annonce de la mort de Smith, et Harry
fut pris de panique. Il restait quelques œuvres à
vendre, mais dans six mois, dans un an, le stock
serait épuisé. Et alors ? Dunkel Frères équilibrait à
peine ses comptes dans les conditions actuelles,
et Bette avait déjà mis tant d'argent dans l'affaire
que Harry ne pouvait plus se tourner vers elle
pour l'appeler encore à l'aide. Smith disparu, la
galerie ne pouvait que couler. Sinon aujourd'hui,
alors demain et sinon demain, alors le jour suivant. Car la vérité, c'était que Harry n'avait rien
compris à l'art de gérer une affaire. Il avait compté
sur Smith l'atrabilaire pour subvenir à ses folles
dépenses et à son manque de rigueur (les récep-
tions et dîners de deux cents convives, les avions
privés et les voitures avec chauffeur, les paris im-
béciles sur des talents de deuxième ou troisième
rang, les rentes mensuelles à des artistes dont
les œuvres ne se vendaient pas), mais la poule
avait fait le saut de l'ange au Mexique et désormais il n'y aurait plus d'œufs d'or.

C'est alors que Dryer proposa à Harry un plan
de sauvetage. Sucer et baiser, ça pouvait aller
jusqu'à un certain point, mais il avait compris

que s'il réussissait à se rendre réellement indispensable, sa carrière artistique était garantie. Quel que fût l'intellectualisme glacial de son travail, Dryer avait des talents naturels considérables en tant que dessinateur et coloriste. Il les avait mis en veilleuse au nom d'une idée, d'une conception de l'art qui valorisait par-dessus tout la rigueur et l'exactitude. Il détestait le romantisme bouillonnant de Smith, ses gesticulations extravagantes et ses élans pseudo-héroïques, mais cela ne signifiait pas qu'il n'était pas capable d'imiter ce style s'il le voulait. Pourquoi ne pas continuer à créer l'œuvre de Smith après la mort de l'artiste ? Les ultimes tableaux et dessins du jeune maître fauché à la fleur de l'âge. Une exposition publique représenterait un risque excessif, bien sûr (la veuve de Smith en entendrait parler et révélerait le pot aux roses), mais Harry pourrait vendre les œuvres directement de son arrière-boutique aux plus fervents collectionneurs de Smith et, du moment que Valerie Smith n'était pas au courant, la combine rapporterait un bénéfice net de cent pour cent.

Harry commença par résister. Il savait que Gordon tenait là une idée lumineuse, mais cette idée l'effrayait – non qu'il fût contre, mais parce qu'il ne croyait pas le jeune homme capable de la mener à bien. Et le moindre manquement à la perfection absolue dans le clonage de l'œuvre de Smith risquait de lui valoir la prison. Dryer haussa les épaules, prétendit que ce n'avait été qu'une idée, comme ça, et parla d'autre chose. Cinq jours après, quand Harry revint à l'atelier passer un bout d'après-midi, Dryer dévoila le premier de ses Alec Smith et le galeriste étonné ne put que reconnaître qu'il avait sous-estimé les talents de son jeune protégé. Dryer s'était réinventé en double de Smith, il s'était purgé des moindres bribes de sa propre personnalité afin de se glisser dans l'esprit et le cœur d'un mort. C'était un numéro théâtral remarquable, un acte de sorcellerie psychologique qui provoqua dans le cerveau du pauvre Harry une terreur émerveillée. Dryer ne s'était pas contenté de dupliquer l'aspect et la texture d'une toile de Smith, en reproduisant la violence des traits appliqués au couteau, la densité de la coloration et, çà et là, les dégoulinades accidentelles ; il avait poussé Smith un rien au-delà de ce que Smith avait jamais fait. C'était le *prochain tableau* de Smith, Harry le comprenait, celui que Smith aurait entrepris le matin du 12 janvier s'il ne s'était pas tué le 11 au soir en sautant du toit de sa maison.

Au cours des six mois suivants, Dryer produisit vingt-sept autres toiles, de même que plusieurs douzaines de dessins à l'encre et de croquis au fusain. Alors, lentement, méthodiquement, en muselant son enthousiasme avec une discrétion qui lui ressemblait peu, Harry commença à fourguer les faux à des collectionneurs aux quatre coins du monde. Le jeu dura plus d'une année, pendant laquelle vingt des toiles furent placées, ramassant près de deux millions de dollars. Parce que Harry se trouvait en façade – et que c'était donc lui qui risquait sa réputation –, les faussaires étaient convenus de partager à un taux de soixante-dix à trente. Quinze ans après, lorsqu'il fit à Tom cette longue confession au cours d'un repas à Brooklyn, il décrivit ces mois-là comme la période la plus enivrante et la plus terrible de sa vie. Il se sentait piégé, dans un état de terreur constante, raconta-t-il, et pourtant, malgré l'horreur, malgré la conviction qu'il finirait par être pris, il était heureux, plus heureux qu'il ne l'avait jamais été. Chaque fois qu'il réussissait à vendre un faux Smith de plus à un chef d'entreprise japonais ou à un promoteur immobilier argentin, son cœur surmené, battant la chamade, bondissait au travers de quarante-sept cerceaux de joie.

Au printemps 1986, Valerie Smith vendit sa maison d'Oaxaca et vint se réinstaller aux Etats-Unis avec ses trois enfants. Malgré le caractère tempétueux, souvent violent, de son mariage avec l'homme à femmes qu'était Smith, elle avait toujours été un ardent défenseur de son œuvre et connaissait chacun des tableaux qu'il avait peints de ses vingt ans jusqu'à sa mort, en 1984. A la suite de la première exposition chez Dunkel Frères, elle et son mari s'étaient liés d'amitié avec un chirurgien esthétique du nom d'Andrew Levitt, un collectionneur fortuné qui avait acheté deux toiles à Harry en 1976 et avait amassé un total de quatorze Smith lorsque Valerie vint dîner chez lui à Highland Park dix ans plus tard. Comment Harry se serait-il douté qu'elle reviendrait à Chicago ? Comment se serait-il douté que Levitt l'inviterait chez lui – ce même Levitt à qui il avait vendu trois mois auparavant un magnifique pseudo-Smith ? Inutile de dire que le riche médecin montra fièrement sa nouvelle acquisition au mur de son salon et inutile de dire que la veuve perspicace reconnut aussitôt l'œuvre pour ce qu'elle était. Elle n'avait jamais aimé Harry, mais, à cause d'Alec, elle lui avait laissé le bénéfice du doute, sachant que le directeur de Dunkel Frères était le principal responsable du démarrage de la carrière de son mari. Mais à présent son mari était mort, Harry trafiquait des affaires louches et Valerie Denton Smith, enragée, était décidée à le perdre.

Harry nia tout. Avec sept des faux Smith encore enfermés dans la réserve de la galerie, la police n'eut aucune difficulté, toutefois, à le mettre en accusation. Il continua à feindre l'ignorance mais alors Gordon se tira de la ville et, à la suite de cette désertion, Harry perdit courage. Dans un moment de désespoir et d'apitoiement sur lui-même, il finit par craquer et avouer la vérité à Bette. Autre erreur, autre maladresse dans une longue série de bévues et de fautes de jugement. Pour la première fois, depuis des années qu'ils se connaissaient, elle explosa de colère contre lui – en une tirade d'invectives contenant des mots tels que *malsain*, *avide*, *répugnant* et *pervers*. Bette s'excusa aussitôt, mais le mal était fait et elle eut beau engager pour le défendre l'un des meilleurs avocats de la ville, Harry comprit que sa vie était en ruine. L'enquête dura dix mois, longue récolte de preuves en provenance d'endroits aussi distants les uns des autres que New York et Seattle, Amsterdam et Tokyo ou Londres et Buenos Aires, et puis le procureur général du comté de Cook dressa contre Harry une liste de trente-neuf chefs d'accusation. La presse annonça la nouvelle en grosses manchettes. Harry devait s'attendre à une peine de dix à quinze ans si un tribunal le condamnait. Suivant le conseil de son avocat, il décida de plaider coupable, après quoi, pour réduire encore sa peine, il impliqua Gordon Dryer dans la combine, soutenant que c'était lui qui avait d'abord eu l'idée et que lui-même (Harry) s'était vu contraint de lui prêter son concours quand Dryer avait menacé de tout révéler. Une telle coopération eut pour récompense une condamnation à un maximum de cinq ans, avec la garantie d'une réduction de peine considérable en cas de bonne

conduite. La police suivit la trace de Dryer jusqu'à
New York et l'arrêta pendant un réveillon de
Nouvel An dans un saloon de Christopher Street,
quelques minutes après le début de l'année 1988.
Il plaida coupable, lui aussi, mais n'ayant ni noms
à donner ni rien à négocier, l'ex-amant de Harry
fut condamné à sept ans de prison.

Mais le pis restait à venir. Juste au moment où
Harry se préparait à aller en prison, le père Dombrowski parvint enfin à persuader Bette de
demander le divorce. Il eut recours aux mêmes
tactiques d'intimidation que par le passé – menace de la déshériter, menace de lui couper les
vivres – mais, cette fois, il était sérieux. Bien
qu'elle ne fût plus amoureuse de Harry, Bette
n'avait aucune intention de le quitter. Malgré le
scandale, malgré la honte dont il s'était couvert,
il ne lui était jamais venu à l'idée de mettre un
terme à leur mariage. Le problème, c'était Flora.
A la veille de ses dix-neuf ans, elle avait déjà fait
de brefs séjours dans deux institutions psychia-
triques privées et ses perspectives de guérison
même partielle étaient nulles. Les soins, à ce
niveau, entraînaient des dépenses considérables,
des sommes de plus de cent mille dollars par
séjour, et si Bette perdait le chèque mensuel de
son père, elle n'aurait d'autre possibilité la prochaine fois que sa fille ferait une crise que de la
confier à une institution publique – idée qu'elle
refusait tout simplement d'envisager. Harry comprenait son déchirement et, n'ayant pour sa part
nulle solution à proposer, il donna à contrecœur
sa bénédiction au divorce, tout en jurant qu'il
tuerait le père de Bette dès sa sortie de prison.

Il n'était plus qu'un indigent, un taulard sans
le sou, privé de ressources comme de projets et,
une fois qu'il aurait purgé sa peine à Joliet, il se

retrouverait éparpillé aux quatre vents, telle une poignée de confettis. Curieusement, ce fut ce beau-père exécré dont l'intervention le sauva – mais à quel prix ! Un prix si exorbitant, une exigence si impitoyable que Harry ne se remit jamais de la honte et du dégoût qui l'accablèrent lorsqu'il accepta la proposition du vieil homme. Il l'accepta, pourtant. Il était trop faible, trop terrifié par son avenir pour refuser, mais à l'instant où il apposait sa signature au bas du contrat, il sut qu'il avait vendu son âme et que sa damnation serait éternelle.

Il y avait près de deux ans qu'il était en prison, à ce moment-là, et les conditions posées par Dombrowski n'auraient pu être plus simples. Harry devait partir s'installer dans un autre coin du pays et, en échange d'une somme suffisante pour s'établir à nouveau, il devait s'engager à ne jamais revenir à Chicago et à ne jamais tenter de revoir ni Bette, ni Flora. Dombrowski considérait Harry comme un être moralement dégénéré, un spécimen de quelque sous-espèce avilie d'un organisme qui ne méritait pas tout à fait l'épithète d'humain, et il le tenait pour personnellement responsable de l'affliction de sa fille. Flora était folle parce que Harry avait imprégné Bette de son sperme malsain et mutant, et à présent qu'il avait donné la preuve de sa nature frauduleuse et criminelle, il serait condamné, après la prison, à une vie de pauvreté et de souffrance à moins de renoncer définitivement à revendiquer sa paternité. Harry renonça. Il céda aux exigences odieuses de Dombrowski et, à partir de cette capitulation, une nouvelle vie devint possible pour lui. Il choisit Brooklyn parce que c'était New York sans être tout à fait New York et qu'il n'y risquait guère de tomber sur l'un ou l'autre de ses anciens confrères du monde de l'art. Il y avait une librairie à vendre dans la Septième Avenue, à Park Slope, et, bien que Harry ne connût rien au commerce des livres, la boutique lui plut par son côté bric-à-brac et fouillis de brocante. Dombrowski acheta pour lui tout l'immeuble avec ses trois étages, et en juin 1991, le Grenier de Brightman était né.

Arrivé là, Harry pleurait, raconta Tom, et pendant le restant du repas il parla de Flora, évoquant la dernière journée tourmentée qu'il avait passée avec elle avant de partir en prison. Elle était en pleine crise, une fois encore, en train de plonger dans l'obsession morbide qui finirait par entraîner son troisième séjour à l'hôpital, mais elle était encore assez lucide pour reconnaître Harry comme son père et pour lui parler en phrases cohérentes. Elle était tombée, Dieu sait où, sur une série de statistiques calculant le nombre d'individus qui naissent et meurent à chaque seconde dans le monde un jour donné. Les chiffres étaient faramineux et Flora, qui avait toujours été bonne en maths, eut tôt fait d'extrapoler les totaux en ensembles de dix : dix naissances toutes les quarante et une secondes, dix morts toutes les cinquante-huit secondes (ou selon ce qu'étaient les chiffres). Telle était la réalité de l'univers, avait-elle déclaré à son père au petit-déjeuner, ce matin-là, et afin d'avoir prise sur cette réalité, elle avait décidé de passer la journée assise dans le fauteuil à bascule de sa chambre, en criant le mot *joie* toutes les quarante et une secondes et le mot *douleur* toutes les cinquante-huit, afin de marquer le départ de dix âmes disparues et de célébrer l'arrivée des dix nouveau-nés.

Le cœur de Harry avait été brisé bien des fois mais à présent il n'en restait qu'un petit tas de cendres obstruant un trou dans sa poitrine. Pendant cette dernière journée de liberté, il passa douze heures assis sur le lit de sa fille à la regarder se balancer dans son fauteuil en criant alternativement les mots *joie* et *douleur* tout en suivant des yeux l'arc de cercle décrit par la petite aiguille du réveil sur sa table de chevet. "Joie ! criait-elle. Joie pour les dix qui naissent, qui vont naître, qui sont nés toutes les quarante et une secondes. Joie pour eux et sans borne. Joie incessante, car ceci est certain, ceci est vrai, et ceci ne permet aucun doute : dix personnes vivent qui ne vivaient pas auparavant. Joie !"

Et alors, agrippant les accoudoirs du fauteuil en même temps qu'elle accélérait le rythme de ses balancements, elle regardait son père dans les yeux en criant : "Douleur ! Douleur pour les dix qui ont disparu. Douleur pour les dix dont les vies ne sont plus, qui commencent leur voyage dans le vaste inconnu. Douleur sans fin pour les morts. Douleur pour les hommes et les femmes qui ont fait le bien. Douleur pour les hommes et les femmes qui ont fait le mal. Douleur pour les vieux lâchés par leurs corps. Douleur pour les jeunes morts avant l'âge. Douleur pour un monde qui permet à la mort de nous ravir au monde. Douleur !"

OÙ IL EST QUESTION
DE VOYOUS

Avant mes retrouvailles avec Tom au Grenier de Brightman, je ne crois pas que j'avais parlé plus de deux ou trois fois avec Harry – et seulement en passant, rien que les plus brefs des échanges brefs et superficiels. Entendre Tom me raconter le passé de son patron me rendit curieux d'en savoir davantage sur ce personnage singulier, de me trouver face à cette fripouille et de l'observer de mes yeux dans ses œuvres. Tom déclara qu'il serait heureux de me le présenter et lorsque au bout de deux heures notre repas au Cosmic Diner s'acheva, je décidai d'accompagner mon neveu à la librairie et de satisfaire mon désir l'après-midi même. Je payai l'addition à la caisse et puis, revenant à notre table, j'y laissai vingt dollars de pourboire à l'intention de Marina. Qu'une telle somme fût excessive, absurde – près de deux fois le prix de notre déjeuner –, cela m'était bien égal. Reconnaissante, la chérie de mon cœur m'adressa un sourire radieux et la voir heureuse me mit de si excellente humeur que je décidai sur-le-champ de téléphoner à Rachel le soir même pour lui annoncer la réapparition de son cousin. Depuis la regrettable querelle qui avait marqué sa visite chez moi au début d'avril, j'étais resté sur la liste noire de ma fille mais à présent que j'avais renoué avec Tom, et à présent que Marina Gonzalez, tout sourire, m'avait envoyé un baiser au moment où je sortais du restaurant, je voulais que tout soit de nouveau pour le mieux dans le monde. J'avais déjà appelé Rachel une fois pour m'excuser de lui avoir parlé si rudement, mais elle m'avait raccroché au nez au bout de trente secondes. Maintenant j'allais la rappeler et cette fois je ne cesserais de m'écraser devant elle que lorsque l'atmosphère entre nous serait définitivement éclaircie.

La librairie se trouvait à cinq rues du restaurant et tout en remontant la Septième Avenue, Tom et moi, nous continuâmes à parler de Harry, le ci-devant Dunkel de Dunkel Frères, qui avait fui la forêt obscure de sa personnalité précédente pour émerger tel un soleil éclatant au firmament de la duplicité.

"J'ai toujours eu un faible pour les voyous, dis-je. Ce ne sont sans doute pas les plus fiables des amis, mais pense un peu combien la vie serait terne sans eux.

— Je ne suis pas certain que Harry soit encore un voyou, protesta Tom. Il est trop bourrelé de regrets.

— Voyou un jour, voyou toujours. On ne change pas.

— Question d'opinion. Je dis que ça se peut.

— Tu n'as jamais travaillé dans les assurances. La passion de tricher est universelle, mon garçon, et dès lors qu'un homme y a goûté, sa guérison n'est plus possible. L'argent facile, il n'est pas de tentation plus grande. Pense à tous les petits malins avec leurs accidents de voiture mis en scène et leurs dommages personnels bidon, les commerçants qui incendient leurs propres magasins et entrepôts, les gens qui simulent leur propre mort. J'ai observé tout ça pendant trente années, sans jamais m'en lasser. La grande comédie de la fourberie humaine. Ça n'arrête pas, de toutes parts, et, que ça te plaise ou non, c'est le plus intéressant des spectacles."

Tom émit un son bref, une bouffée d'air à mi-chemin entre petit ricanement et gros rire. "J'adore t'entendre déconner, Nathan. Je ne m'en étais pas rendu compte jusqu'ici, mais ça m'a manqué. Ça m'a énormément manqué.

— Tu crois que je plaisante, répliquai-je, mais je te dis ça sans détour. Les perles de ma sagesse. Quelques tuyaux après toute une vie de labeur dans les tranchées de l'expérience. Les escrocs et les imposteurs règnent sur le monde. Le pouvoir aux voyous. Et tu sais pourquoi ?

— Dites-le-moi, maître. Je suis tout ouïe.

— Parce qu'ils ont plus d'appétit que nous. Parce qu'ils savent ce qu'ils veulent. Parce qu'ils croient plus que nous en la vie.

— Parle pour toi, Socrate. Si je n'avais pas tout le temps un tel appétit, je ne trimballerais pas cette énorme panse.

— Tu aimes la vie, Tom, mais tu n'y crois pas. Et moi non plus.

— Là, je ne te suis plus.

— Pense à Jacob et Esaü. Tu te rappelles ?

— Ah. Oui. Maintenant je t'entends.

— C'est une histoire affreuse, hein ?

— Oui, vraiment affreuse. Elle me préoccupait infiniment quand j'étais gosse. J'étais un petit personnage si moral, si vertueux en ce temps-là. Je ne mentais jamais, je n'ai jamais volé, jamais dit un mot cruel à quiconque. Et voilà Esaü, un simplet balourd juste comme moi. En toute équité, la bénédiction d'Isaac devrait être pour lui. Mais Jacob la détourne en trichant – avec l'aide de sa mère, encore bien !

— Et le pire, c'est que Dieu paraît approuver l'arrangement. Jacob le malhonnête, le resquilleur, va devenir le leader du peuple juif, et Esaü est laissé pour compte, oublié, rayé des rôles.

— Ma mère m'a toujours recommandé d'être sage. Dieu veut que tu sois sage, me disait-elle, et comme j'étais encore assez jeune pour croire en Dieu, je croyais ce qu'elle disait. Et puis je suis tombé sur cette histoire dans la Bible et je n'y comprenais plus rien. Le méchant gagne, Dieu ne le punit pas. Ça n'avait pas l'air juste. Ça n'a toujours pas l'air juste.

— Bien sûr que si. Jacob avait en lui l'étincelle de la vie, et Esaü était un lourdaud. Il avait bon cœur, oui, mais c'était un lourdaud. Si tu dois en choisir un des deux pour conduire ton peuple, tu vas préférer le battant, celui qui est rusé et intelligent, celui qui a assez d'énergie pour surmonter les handicaps et se retrouver en tête. Tu choisiras le type fort et malin plutôt que le faible et gentil.

— C'est plutôt violent, tout ça, Nathan. Un pas de plus en ce sens, et tu vas me dire qu'on devrait révérer Staline comme un grand homme.

— Staline était une brute, un assassin psychotique. Ce dont je te parle, c'est de l'instinct de survie, Tom, du désir de vivre. Donne-moi un voyou retors plutôt qu'un pieux benêt chaque jour de la semaine. Il ne respecte peut-être pas toujours les règles, mais il a du caractère. Et quand on trouve un homme de caractère, il y a encore de l'espoir pour le monde."

EN CHAIR ET EN OS

Comme nous approchions de la librairie, il me vint soudain à l'esprit que la visite de Flora à Brooklyn signifiait que Harry avait repris contact avec son ex-femme et sa fille – en violation manifeste du contrat signé avec Dombrowski. Dans ce cas, pourquoi le vieux n'avait-il pas fondu sur lui pour récuser la donation de l'immeuble de la Septième Avenue ? Si j'avais bien compris leur marché, le père de Bette aurait eu pleinement le droit de prendre le contrôle du Grenier de Brightman et d'envoyer Harry bouler au diable. Avais-je laissé échapper quelque chose, demandai-je à Tom, ou l'histoire comportait-elle un autre rebondissement que Tom avait oublié de me raconter ?

Non, Tom n'avait rien omis. Le contrat n'était plus valable, pour la simple raison que Dombrowski était mort.

"Il est mort de causes naturelles, demandai-je, ou bien c'est Harry qui l'a tué ?

— Très drôle, fit Tom.

— C'est toi qui as suggéré ça, tu as oublié ? Tu as dit que Harry avait juré qu'il tuerait Dombrowski dès sa sortie de prison.

— On dit des tas de choses et ça ne signifie pas qu'on a l'intention de les réaliser. Dombrowski a passé l'arme à gauche il y a trois ans. Il en avait quatre-vingt-dix-neuf, et il est mort d'une attaque.

— Selon Harry."

Tom rit de cette boutade, mais en même temps je sentais que mon ton amusé et sarcastique commençait à l'agacer. "Arrête ça, Nathan. Oui, selon Harry. Tout ça, c'est selon Harry, tu le sais aussi bien que moi.

— N'aie pas de remords, Tom. Je ne te donnerai pas.

— Me donner ? Qu'est-ce que tu racontes ?

— Tu regrettes de m'avoir révélé les secrets de Harry. Il t'a confié son histoire et maintenant tu as trahi sa confiance en me la racontant. T'en fais pas, camarade. Je peux me comporter comme un âne, parfois, mais je reste bouche cousue. Tu piges ? Je ne sais rien de rien de Harry Dunkel. Le seul individu à qui je vais serrer la main aujourd'hui, c'est Harry Brightman."

Nous le trouvâmes à l'étage, assis à un grand bureau d'acajou et en train de parler à quelqu'un au téléphone. Il portait un veston de velours pourpre, je m'en souviens, avec un mouchoir de soie multicolore dépassant de sa poche de poitrine. On eût dit une espèce rare de fleur tropicale, une efflorescence qui attirait immédiatement le regard dans l'environnement brun grisâtre de la pièce tapissée de livres. Les autres détails vestimentaires m'échappent aujourd'hui, car la façon dont Harry était habillé m'intéressait moins alors que l'examen de son visage : sa mâchoire épaisse, ses yeux bleus exagérément ronds, quelque peu exorbités, et la curieuse configuration de sa denture – les dents du dessus en éventail, séparées par de petits espaces, évoquant une lanterne creusée dans une citrouille. Un homme étrange, pensai-je, avec cette tête de potiron, un poseur aux mains et aux doigts totalement glabres et dont seule la voix, un baryton moelleux et sonore, contredisait la préciosité de l'allure générale.

Pendant que j'écoutais cette voix parler au téléphone, Harry salua Tom de la main et puis leva un doigt en l'air, indiquant en silence qu'il serait à nous dans une minute. Le sujet de la conversation m'échappait, Brightman y prenant moins part que son interlocuteur, mais je devinai qu'il discutait avec un client ou un confrère de la vente d'une édition originale du XIXe siècle. Le titre de l'œuvre n'était pas mentionné, toutefois, et mon attention s'égara bientôt. Pour passer le temps, je fis le tour de la pièce en examinant les livres sur les étagères. A vue de nez, j'estimai qu'il devait y avoir sept ou huit cents volumes dans cet espace bien ordonné, un choix d'œuvres allant de l'assez ancien (Dickens et Thackeray) au relativement moderne (Faulkner et Gaddis). Les livres les plus vieux étaient pour la plupart reliés cuir, tandis que les contemporains avaient tous une protection transparente par-dessus leur couverture. Comparé au fouillis chaotique de la boutique du rez-de-chaussée, l'étage était un paradis d'ordre et de tranquillité, et la valeur globale de la collection devait être affaire de six gros chiffres. Pour un homme qui, moins de dix ans auparavant, n'avait pas un sou vaillant, l'ex-Mr Dunkel avait assez joliment réussi, assez joliment, en vérité.

La conversation téléphonique prit fin et, comme Tom lui expliquait qui j'étais, Harry Brightman se leva pour me serrer la main. Parfaitement amical, m'accueillant d'un large sourire de toutes ses dents en éventail, modèle de décorum et de bonnes manières.

"Ah, fit-il, le fameux oncle Nat. Tom m'a souvent parlé de vous.

— Je suis juste Nathan, maintenant, dis-je. Nous avons laissé tomber l'oncle voici quelques heures.

— *Juste Nathan*, demanda Harry, les sourcils froncés par une feinte consternation, ou *Nathan* tout court ? J'hésite un peu.

— Nathan, dis-je. Nathan Glass."

Harry appuya un doigt sur son menton, prenant la pose d'un homme perdu dans ses réflexions. "Comme c'est intéressant. Tom Wood et Nathan Glass. *Wood* et *Glass*. Bois et verre. Si je changeais mon nom en Steel, nous pourrions fonder un bureau d'architecture et nous intituler Wood, Glass & Steel : Bois, verre et acier. Ha, ha. Ça me plaît, ça. *Vous le voulez ? Nous vous le construisons*.

— Ou si je changeais mon nom en Dick, suggérai-je, on pourrait nous appeler Tom, Dick et Harry*.

— Le mot *dick* n'est jamais utilisé dans la bonne société, déclara Harry en affectant un air scandalisé. On dit organe mâle. A la rigueur, le terme neutre de pénis est acceptable. Mais *dick*, ça ne va pas, Nathan. C'est beaucoup trop vulgaire."

Je me tournai vers Tom en disant : "Ce doit être amusant de travailler pour un homme comme ça.

— Jamais un instant d'ennui, répondit Tom. C'est un authentique boute-en-train."

Harry sourit et lança à Tom un coup d'œil affectueux. "Oui, oui, approuva-t-il. Le commerce

* *Tom, Dick and Harry*, expression courante signifiant "n'importe qui" (comme nous dirions "Pierre ou Paul") ; d'autre part, *dick* est une des appellations familières du pénis.

des livres est si amusant que nous attrapons des crampes d'estomac à force de rire. Et vous, Nathan, dans quelle branche êtes-vous ? Non, je retire ça. Tom me l'a déjà dit. Vous êtes assureur.

— Ex-assureur, dis-je. J'ai pris une retraite anticipée.

— Encore un ex, soupira Harry, mélancolique. Arrivé à nos âges, Nathan, un homme n'est guère plus qu'une série d'ex. *Non è vero ?* Pour ma part, je pourrais sans doute en énumérer au moins une douzaine. Ex-mari. Ex-marchand d'art. Ex-marin. Ex-décorateur de vitrines. Ex-vendeur de parfums. Ex-millionnaire. Ex-habitant de Buffalo. Ex-citoyen de Chicago. Ex-taulard. Oui, oui, vous m'avez bien entendu. Ex-taulard. J'ai eu mes petites difficultés en chemin, comme la plupart des gens. Je n'ai pas peur de le reconnaître. Tom connaît tout de mon passé et ce que Tom sait, je veux que vous le sachiez aussi. Tom est pour moi comme ma famille et puisque vous êtes son parent, vous êtes de ma famille, vous aussi. Vous, l'ex-oncle Nat, répondant désormais au nom de Nathan tout court. J'ai payé mon dû à la société et j'ai la conscience nette. *X marks the spot**, mon ami. Maintenant et à jamais, je suis marqué d'une croix."

Je ne m'attendais pas de la part de Harry à un aveu de culpabilité aussi franc. Tom m'avait averti que son patron était un homme plein de contradictions et de surprises mais, dans le contexte d'une conversation aussi bouffonne et exubérante, je trouvais ahurissant qu'il eût soudain

---

* En anglais, le nom de la lettre *x* se prononce "ex". Dans l'expression *X marks the spot*, courante elle aussi, le signe *x* correspond à la croix qui, sur une carte ou un plan, désigne un point précis.

jugé bon de se confier à un parfait inconnu. Cela avait sans doute un rapport avec sa récente confession à Tom, pensai-je. Il avait trouvé le courage de vendre la mèche, pour ainsi dire, et dès lors qu'il l'avait fait une fois, il lui était peut-être moins difficile de remettre ça. Je ne pouvais en être sûr mais, pour l'instant, cela me paraissait la seule hypothèse sensée. J'aurais préféré réfléchir un peu plus longtemps à la question, mais les circonstances ne me le permirent pas. La conversation se poursuivait à grand train, avec les mêmes observations absurdes, les mêmes facéties burlesques, la même pitrerie délibérément cabotine et, tout compte fait, il me fallait reconnaître que je me sentais favorablement impressionné par mon voyou à tête de potiron. Il était un peu épuisant, certes, mais pas décevant. Quand je m'en allai enfin de la librairie, j'avais invité Tom et Harry à se joindre à moi pour dîner le samedi soir.

Il était un peu plus de seize heures quand je rentrai chez moi. J'avais toujours Rachel sur la conscience mais il était trop tôt pour l'appeler (elle ne rentrait pas de son travail avant dix-huit heures) et lorsque je m'imaginai en train de saisir le téléphone et de composer son numéro, je me rendis compte que ce n'était sans doute pas plus mal. Nos relations étaient devenues si amères qu'il y avait, me semblait-il, de fortes chances pour qu'elle me raccroche au nez cette fois encore, et la perspective d'une nouvelle rebuffade de ma fille m'effrayait. Au lieu de lui téléphoner, je décidai de lui écrire. Une lettre serait moins risquée, et si j'évitais de mettre sur l'enveloppe mon nom et mon adresse, il y avait des chances qu'elle ouvre la lettre et qu'elle la lise au lieu de la déchirer et de la jeter à la poubelle.

Je croyais que ce serait simple, mais je dus m'y reprendre à six ou sept fois avant d'avoir l'impression que j'avais trouvé le ton. C'est compliqué de demander pardon, c'est un geste délicat, en équilibre entre raideur orgueilleuse et contrition larmoyante, et si l'on n'arrive pas à s'ouvrir à l'autre en toute honnêteté, toutes les excuses paraissent creuses et fausses. Pendant que je travaillais aux brouillons successifs de la lettre (de plus en plus déprimé de l'un à l'autre, en me reprochant tout ce qui avait mal tourné dans ma vie, en flagellant ma pauvre âme piteuse à la façon d'un pénitent médiéval), je repensai à un livre que Tom m'avait envoyé pour mon anniversaire huit ou neuf ans auparavant, en cet âge d'or, avant la mort de June, où Tom était encore le brillant et prometteur Dr Pouce. C'était une biographie de Ludwig Wittgenstein, un philosophe dont j'avais entendu parler sans jamais l'avoir lu – ce qui n'avait rien d'étonnant car dans l'ensemble mes lectures se limitaient à la fiction, sans la moindre incursion dans d'autres domaines. Dans ce livre que j'avais trouvé absorbant et bien écrit, une histoire m'avait frappé plus que toutes les autres, et je ne l'avais jamais oubliée. Selon Ray Monk, l'auteur, Wittgenstein avait eu, après avoir écrit son *Tractatus* lorsqu'il était soldat pendant la Première Guerre mondiale, la conviction d'avoir résolu tous les problèmes de la philosophie et épuisé le sujet une fois pour toutes. Il devint instituteur dans un village perdu des montagnes autrichiennes, mais il s'avéra qu'il n'était pas fait pour ce travail. Sévère, acariâtre, voire brutal, il réprimandait sans cesse les enfants et les battait lorsqu'ils ne savaient pas leurs leçons. Pas seulement la fessée rituelle, mais des coups à la tête et au visage, de furieuses raclées qui entraînèrent chez plusieurs enfants des lésions graves. Cette conduite inadmissible fut révélée et Wittgenstein dut renoncer à son poste. Les années passèrent, au moins vingt, si je ne me trompe, et à Cambridge, où il avait repris l'étude de la philosophie, Wittgenstein était devenu un homme célèbre et respecté. Pour des raisons dont je ne me souviens pas, il passa par une crise spirituelle et souffrit d'une dépression nerveuse. Comme il commençait à s'en remettre, il décida que la seule façon de recouvrer la santé était de remonter dans son passé et de demander humblement pardon à tous ceux qu'il pouvait avoir lésés ou offensés. Il souhaitait se purger des remords qui lui restaient sur le cœur, libérer sa conscience afin de prendre un nouveau départ. Une telle voie le ramena tout naturellement dans ce petit village de montagne en Autriche. Ses anciens élèves étaient devenus des adultes, des hommes et des femmes proches de la trentaine, et pourtant le souvenir de leur violent instituteur ne s'était pas atténué avec le temps. Chez tous, l'un après l'autre, Wittgenstein frappa à la porte pour demander qu'on lui pardonne son intolérable cruauté de vingt ans auparavant. Devant certains d'entre eux, il alla jusqu'à tomber à genoux en suppliant, en implorant l'absolution des péchés qu'il avait commis. On pourrait penser qu'une personne confrontée à la manifestation d'une contrition aussi sincère prendrait en pitié le pauvre pèlerin et lui accorderait ce qu'il demande mais, de tous les anciens élèves de Wittgenstein, il n'y en eut pas un, ni homme ni femme, qui voulût lui pardonner. La souffrance qu'il avait causée était trop profonde et leur haine à son égard transcendait toute possibilité de miséricorde.

Malgré tout, je me sentais raisonnablement certain que Rachel ne me haïssait pas. Elle était furieuse contre moi, elle m'en voulait, je la décevais, mais je ne croyais pas son animosité de taille à provoquer entre nous une rupture permanente. Je ne pouvais pas prendre de risques, néanmoins, et lorsque j'en arrivai à la rédaction de la version finale de ma lettre, je me sentais en état de contrition pleine et entière. "Pardonne à ton idiot de père ses paroles inconsidérées, commençai-je, ces choses qu'il regrette mortellement d'avoir dites. Personne au monde ne compte pour moi autant que toi. Tu es le cœur de mon cœur, le sang de mon sang, et l'idée que mes stupidités puissent être cause d'une brouille entre nous me torture. Sans toi, je ne suis rien. Sans toi, je ne suis personne. Ma chérie, ma Rachel que j'aime, donne à ton imbécile de paternel une chance de se racheter."

Je poursuivis dans cette veine pendant plusieurs paragraphes avant de terminer la lettre par la bonne nouvelle de la réapparition quasi magique, ici, à Brooklyn, de son cousin Tom, lequel se réjouissait à l'idée de la revoir et de rencontrer Terence (son mari de souche anglaise, qui enseignait la biologie à Rutgers). Nous pourrions peut-être dîner tous ensemble en ville un de ces soirs. Bientôt, je l'espérais. Dans les jours ou les semaines à venir – dès qu'elle serait libre.

Il m'avait fallu plus de trois heures pour venir à bout de cette entreprise et je me sentais épuisé, mentalement et physiquement vidé. Cette lettre ne devait pas traîner dans l'appartement, toutefois, et je sortis sans attendre pour l'envoyer en la glissant dans l'une des boîtes aux lettres qui se trouvaient devant le bureau de poste de la Septième Avenue. Il était alors l'heure du dîner, mais je n'avais pas du tout faim. Je continuai à marcher au-delà de plusieurs carrefours et j'allai chez Shea, le marchand de spiritueux du quartier, m'acheter une bouteille de scotch et deux de vin rouge. Je ne suis pas un gros buveur mais il y a des circonstances dans la vie d'un homme où l'alcool est plus nourrissant que les aliments. C'était le cas. Bien que renouer avec Tom m'eût considérablement remonté le moral, j'étais soudain frappé, à présent que je me retrouvais seul, de voir quel personnage isolé et pathétique j'étais devenu – une masse de chair humaine déconnectée et sans but. Je n'ai pas normalement tendance à me prendre en pitié et pourtant, pendant plus d'une heure, je me laissai aller à m'apitoyer sur mon sort avec tout l'abandon d'un adolescent maussade. Finalement, après deux verres de scotch et une demi-bouteille de vin, ma morosité commença à se dissiper et je m'assis à ma table pour ajouter un chapitre au *Livre de la folie humaine*, une anecdote de premier choix à propos d'une cuvette de W.-C. et d'un rasoir électrique. Elle datait du temps où Rachel était à l'école secondaire et habitait encore avec nous, un jeudi glacé de Thanksgiving, vers trois heures et demie de l'après-midi, avec une douzaine d'invités attendus à la maison à quatre heures. A un coût non négligeable, nous venions, Edith et moi, de faire refaire la salle de bains de l'étage et tout y était flambant neuf : les carrelages, les placards, l'armoire à pharmacie, le lavabo, la baignoire et la douche, les W.-C., tout le tremblement. Je me trouvais dans notre chambre, debout devant le miroir du dressing, en train de nouer ma cravate ; en bas, dans la cuisine, Edith arrosait la dinde et s'occupait des détails de dernière minute ; et Rachel, seize ou dix-sept ans, après avoir passé la matinée et le début de l'après-midi à rédiger le compte rendu d'un travail en laboratoire de physique, était occupée dans la salle de bains à s'apprêter en hâte avant l'arrivée des invités. Elle venait de prendre sa douche dans la nouvelle installation et maintenant, debout devant le nouveau cabinet, le pied droit perché au bord de la cuvette, elle se rasait la jambe à l'aide d'un rasoir Schick fonctionnant avec une pile. A un moment donné, le rasoir lui glissa des mains et tomba dans l'eau. Elle y plongea la main pour tenter de le récupérer mais le rasoir s'était coincé dans le trou de la chasse et elle ne parvenait pas à le saisir. C'est alors qu'elle ouvrit la porte et cria : "Papa (elle m'appelait papa, en ce temps-là), j'ai besoin d'aide."

Papa arriva. Ce qui me préoccupait le plus, dans cette affaire, c'était que le rasoir continuait à vrombir et à vibrer dans l'eau. C'était un bruit étrangement insistant et irritant, un accompagnement sonore pervers à ce qui était déjà une situation bizarre, peut-être sans précédent. Ajoutez-y ce bruit, elle devenait à la fois bizarre et hilarante. Je ris en voyant ce qui était arrivé et dès qu'elle eut compris que je ne riais pas d'elle, Rachel se mit à rire aussi. Si j'avais à choisir un moment, un souvenir à conserver dans ma mémoire parmi tous les moments que j'ai passés avec elle depuis vingt-neuf ans, je crois que ce serait celui-là.

Rachel avait de beaucoup plus petites mains que moi. Si elle ne parvenait pas à attraper le rasoir, il y avait peu d'espoir que je fasse mieux mais je voulus essayer pour la forme. J'ôtai mon veston, roulai mes manches, lançai ma cravate par-dessus mon épaule gauche et plongeai la main. L'instrument vrombissant était si bien coincé que je n'avais pas une chance.

Un furet de plombier aurait fait l'affaire, mais nous n'avions pas de furet de plombier et je dépliai donc un cintre métallique pour m'en servir à la place. Si mince qu'il fût, le fil était trop épais.

On sonna à la porte à ce moment, je m'en souviens, et les premiers des nombreux parents d'Edith arrivèrent. Rachel était encore en peignoir éponge, à genoux, en train d'observer mes efforts futiles pour décrocher le rasoir à l'aide du fil de fer, et comme le temps passait, je lui dis qu'elle devrait sans doute s'habiller. "Je vais démonter la cuvette et la retourner, dis-je. Je pourrai peut-être débloquer ce petit bonhomme par l'autre bout." Rachel sourit, me tapota l'épaule comme si elle pensait que j'étais devenu fou et se leva. Au moment où elle sortait de la salle de bains, je lui dis : "Préviens ta mère que je descends dans quelques minutes. Si elle demande ce que je fais, réponds-lui que ça ne la regarde pas. Si elle te le demande de nouveau, dis-lui que je suis occupé ici, en haut, à lutter pour la paix dans le monde."

Il y avait une boîte à outils dans l'armoire à linge près de notre chambre et, après avoir coupé l'arrivée d'eau aux W.-C., je pris des pinces et détachai la cuvette du sol. J'ignore quel était le poids de ce truc-là. Je réussis à la soulever, mais elle était trop lourde pour que je me sente capable de la retourner sans la laisser tomber, surtout dans un espace aussi exigu. Il fallait que je la sorte de là et, comme je craignais d'abîmer le plancher si je la posais dans le corridor, je décidai de la descendre et de l'emporter au jardin.

A chaque pas que je faisais, la cuvette me semblait prendre quelques kilos. Quand j'atteignis le bas de l'escalier, j'avais l'impression de tenir dans mes bras un petit éléphant. Heureusement, l'un des frères d'Edith venait d'entrer dans la maison et, en voyant ce que je faisais, il vint à ma rescousse.

"Qu'est-ce qui se passe, Nathan ? demanda-t-il.

— Je transporte un cabinet, dis-je. Nous allons sortir avec et le déposer dans le jardin."

Tous les invités étaient arrivés à ce moment-là, et tous étaient bouche bée devant le spectacle inattendu de ces deux hommes en chemise blanche et cravate en train de transporter un cabinet musical d'une pièce à l'autre d'une villa de banlieue un jour de Thanksgiving. L'odeur de la dinde flottait partout. Edith servait à boire. On entendait en bruit de fond une chanson de Frank Sinatra (*My Way*, si je me souviens bien), et ma Rachel chérie, prenant tout ça excessivement au sérieux, nous regardait d'un air consterné, se sentant responsable de la pagaille semée dans la réception si bien organisée par sa mère.

Nous parvînmes à sortir l'éléphant et à le retourner sur l'herbe brunie de l'automne. Je ne sais plus combien d'outils différents je suis allé prendre dans le garage, mais aucun ne fut du moindre secours. Ni le manche du râteau, ni le tournevis, ni le poinçon, ni le marteau – rien. Et toujours le rasoir bourdonnait, chantait son interminable aria monocorde. Quelques-uns des invités s'étaient joints à nous sur la pelouse mais ils commençaient à avoir faim et froid et à s'ennuyer et, l'un après l'autre, ils rentrèrent dans la maison. Mais pas moi, pas l'opiniâtre, le jusqu'au-boutiste Nathan Glass. Quand je finis par comprendre que tout espoir était perdu, j'assénai sur la cuvette un formidable coup de masse qui la réduisit en morceaux. L'indomptable rasoir glissa sur l'herbe. Je l'éteignis, le mis dans ma poche, rentrai dans la maison et le donnai à ma fille rougissante. Pour autant que je sache, ce foutu machin marche encore.

Après avoir jeté cette histoire dans la boîte intitulée *Mésaventures*, je vidai l'autre moitié de la bouteille de vin et puis me mis au lit. A dire vrai (et comment pourrai-je écrire ce livre si je ne dis pas ce qui est vrai ?), je m'endormis en me masturbant. Tout en m'efforçant de mon mieux d'imaginer Marina Gonzalez complètement nue, j'essayai de me faire croire qu'elle était sur le point d'entrer dans ma chambre et de se glisser près de moi sous la couette, impatiente de serrer sa chair tiède et douce contre la mienne.

SURPRISE
A LA BANQUE DU SPERME

Par le plus grand des hasards, il se trouva que la masturbation fut l'un de nos sujets de conversation, à Tom et à moi, au cours de notre déjeuner du lendemain (dans un restaurant japonais, cette fois, car c'était le jour de congé de Marina). Cela commença quand je lui demandai s'il avait réussi à rétablir le contact avec sa sœur. A ma connaissance, la dernière fois qu'un membre de la famille l'avait vue, c'était avant la mort de June, quand elle était venue chez sa mère dans le New Jersey réclamer la petite Lucy. C'était en 1992, il y avait de ça huit bonnes années et, du fait que Tom ne m'en avait rien dit la veille, je déduisais que ma nièce avait en quelque sorte disparu de la surface du globe et qu'on n'en entendrait plus parler.

C'était faux. Fin 1993, moins d'un an après les funérailles de ma sœur, Tom et deux de ses camarades d'études eurent l'idée d'une combine pour se faire de l'argent rapide. Il y avait dans les faubourgs d'Ann Arbor une clinique où l'on pratiquait l'insémination artificielle et nos trois gaillards décidèrent de proposer leurs services en tant que donneurs à la banque du sperme. Au début, ils n'avaient entrepris ça que pour rigoler, me dit Tom, et aucun d'eux n'avait pris le temps de réfléchir aux conséquences de ce qu'ils faisaient : remplir des éprouvettes de semence éjaculée dans le but de féconder, sans jamais les voir ni les tenir dans leurs bras, des femmes qui à leur tour donneraient naissance à des enfants – *leurs* enfants – dont les noms, les vies et les destinées leur resteraient à jamais inconnus.

Chacun d'eux fut introduit dans une petite chambre privée où, afin de mettre les donneurs dans de bonnes dispositions, la clinique avait eu la prévoyance de fournir à chacun un paquet de revues pornos – une collection d'images de jeunes femmes nues prenant des poses aguichantes. Etant donné la nature de la bête mâle, il est rare que des images de ce genre ne provoquent pas des érections raides et palpitantes. Toujours sérieux au travail, Tom s'assit sur le lit et, avec diligence, se mit à feuilleter les revues. Au bout d'une ou deux minutes, le pantalon et le slip autour des chevilles, la verge serrée dans la main droite et continuant à tourner les pages de la gauche, il sentait que le succès de l'opération n'était plus qu'une question de temps. Et alors, dans une publication qu'il identifia plus tard sous le nom de *Midnight Blue*, il vit sa sœur. Il ne faisait aucun doute que c'était Aurora – Tom la reconnut du premier coup d'œil. Elle n'avait même pas jugé bon de déguiser son nom. La séquence de six pages totalisant plus d'une douzaine de photos était intitulée "Rory la Magnifique", et on l'y voyait à différents degrés de nudité et de provocation : parée d'une nuisette transparente sur l'une, en porte-jarretelles et bas noirs sur une autre et puis, à partir de la quatrième page, ce n'était plus que Rory intégrale, de la tête aux pieds, cajolant ses seins menus, se caressant le sexe, pointant le cul, écartant les jambes au point de ne rien laisser à l'imagination, et sur chacune de ces images elle souriait, riait même parfois, les yeux illuminés par une bouffée exubérante de joie de vivre et de candeur, sans la moindre trace de réticence ni d'anxiété, paraissant s'amuser comme une folle.

"Ça m'a quasiment tué, raconta Tom. En deux secondes, ma queue était molle comme de la guimauve. Je me suis reculotté, j'ai bouclé ma ceinture et je suis sorti de là le plus vite possible. Ça m'avait lessivé, Nathan. Ma petite sœur, posant dans une revue porno. Et découvrir ça d'une façon aussi terrible – la foudre tombant d'un ciel bleu, dans cette foutue clinique, à l'instant même où j'allais éjaculer. J'en étais malade, malade d'écœurement. Pas seulement l'horreur de voir Rory comme ça, mais aussi parce qu'il y avait deux ans que je n'avais plus eu de ses nouvelles et que ces images me paraissaient confirmer mes pires cauchemars à propos de ce qui avait pu lui arriver. Elle n'avait que vingt-deux ans et, déjà, elle était tombée au plus bas, réduite au genre de travail le plus déshonorant : vendre son corps pour de l'argent. Tout ça était si triste que pendant un mois j'ai eu envie de pleurer."

Quand on a vécu aussi longtemps que moi, on a tendance à croire qu'on a tout entendu, que plus rien ne peut nous choquer. On devient un peu trop satisfait de notre prétendue connaissance de la vie et puis, de temps en temps, quelque chose surgit et nous expulse tout à coup du cocon douillet de notre sentiment de supériorité, nous rappelle une fois de plus qu'on ne comprend rien à rien. Ma pauvre nièce. La loterie génétique lui avait été trop favorable, elle était née avec tous les numéros gagnants. A la différence de Tom, qui avait hérité sa carrure des

Wood, Aurora était Glass à cent pour cent et dans la famille nous sommes universellement grands, minces et anguleux. Elle était devenue une copie conforme de sa mère – une beauté aux longues jambes, aux cheveux noirs, aussi souple et gracieuse que l'était June. Natacha, dans *Guerre et Paix*, contrastant avec Pierre, embarrassé comme son frère de son grand corps. Il va sans dire que tout le monde aimerait être beau mais, chez une femme, la beauté peut devenir parfois une malédiction, surtout chez une jeune femme telle qu'Aurora, qui a abandonné ses études avant la fin du secondaire, qui n'a pas de mari mais une gosse de trois ans à élever – une jeune femme à la nature sauvage et rebelle, prête à faire un pied de nez au monde et à prendre tous les risques qui se présenteront à elle. Si elle n'a pas d'argent, et si sa beauté est ce qu'elle a de mieux à vendre, pourquoi hésiterait-elle à se déshabiller et à se montrer à l'objectif ? A condition de pouvoir maîtriser la situation, céder à une offre comme celle-là peut faire la différence entre manger et ne pas manger, entre vivre convenablement ou ne vivre qu'à peine.

"Elle ne l'a peut-être fait qu'une seule fois, suggérai-je, tentant faiblement de réconforter Tom. Tu sais, elle a du mal à payer ses factures et s'amène un photographe qui vient lui proposer ce boulot. Une journée de travail en échange d'un petit pactole."

Tom secoua la tête et, en voyant l'expression maussade de son visage, je compris que ma suggestion n'était qu'un exercice futile dans l'art de prendre ses désirs pour des réalités. Tom ne savait pas tout, mais il était certain que cette série de photos dans *Midnight Blue* n'était ni le début ni la fin de l'histoire. Aurora avait dansé les seins nus dans une boîte du Queens (*Le Jardin des Délices*, justement, cette boîte devant laquelle Tom avait déposé les hommes d'affaires saouls le soir de son trentième anniversaire), elle avait figuré dans plus d'une douzaine de films pornos et avait posé six ou sept fois dans des magazines de nus. Sa carrière dans l'entreprise du sexe avait duré dix-huit bons mois et, comme elle était bien payée, elle l'aurait sans doute poursuivie longtemps encore si un événement ne s'était produit neuf ou dix semaines après que Tom l'avait découverte dans *Midnight Blue*.

"Rien de grave, j'espère, lui dis-je.

— Pis que grave, répondit Tom, soudain au bord des larmes. Elle a subi un viol en série sur le plateau d'un film. Le réalisateur, le caméraman et la moitié de l'équipe.

— Bon Dieu !

— Ils l'ont vraiment malmenée, Nathan. A la fin, elle saignait tellement qu'elle a dû aller à l'hôpital.

— Je tuerais volontiers les fumiers qui lui ont fait ça.

— Moi aussi. Ou au moins qu'on les mette en prison, mais elle n'a pas voulu porter plainte. Tout ce qu'elle voulait, c'était partir, se tirer de New York à tout prix. C'est alors que j'ai eu de ses nouvelles. Elle m'a adressé une lettre au département d'anglais de l'université et quand j'ai vu dans quel pétrin elle se trouvait, je lui ai téléphoné et je lui ai proposé de venir habiter chez moi dans le Michigan avec Lucy. C'est une fille bien, Nathan. Tu le sais. Je le sais. Toute personne qui l'a un jour approchée le sait. Il n'y a rien de mauvais en elle. Un peu indisciplinée, sans doute, un peu cabocharde, mais complètement innocente et confiante, c'est la personne la moins cynique au monde. C'est tant mieux pour elle, j'imagine, si elle n'avait pas honte de travailler dans le porno. Elle trouvait ça marrant. Marrant ! Tu te rends compte ? Elle ne comprenait pas que cette profession est remplie de crapules, des pires ordures de l'univers."

Aurora et Lucy, qui avait alors trois ans, vinrent donc s'installer dans le Middle West où elles habitèrent avec Tom les deux étages supérieurs d'une maison en location. Aurora avait bien gagné sa vie avant sa mésaventure, mais presque tout était parti en loyer, vêtements et salaire d'une nounou à temps plein pour Lucy, ce qui signifie qu'il ne lui restait pratiquement rien de ses économies. Tom avait sa bourse, mais il vivait avec un budget réduit d'étudiant et ne parvenait à nouer les deux bouts qu'en travaillant à temps partiel à la bibliothèque universitaire. Ils envisagèrent d'appeler leur père en Californie pour lui demander un prêt, et puis à la fin ils y renoncèrent. Même chose en ce qui concernait Philip Zorn, leur beau-père, dans le New Jersey. Les révoltes spectaculaires de Rory adolescente avaient bouleversé la maisonnée pendant des années et ils n'avaient pas envie de s'adresser à un homme qui avait fini par mépriser sa belle-fille à cause des bagarres de ces premiers temps. Tom n'en dit jamais un mot à sa sœur, mais il savait que Zorn tenait en secret Aurora pour responsable de la mort de leur mère. June avait été longtemps en butte à cause d'elle aux tourments et au désespoir, avec pour seule compensation à ces souffrances le privilège inattendu de pouvoir élever sa petite-fille. Et puis cela aussi lui avait été arraché et Zorn pensait que c'était l'angoisse de la séparation d'avec l'enfant qui l'avait tuée. C'était une lecture sentimentale des événements, sans doute, mais qui pourrait dire qu'il se trompait ? En toute honnêteté, le jour de l'enterrement, j'avais eu la même pensée.

Au lieu de quémander de l'aide, Rory se trouva un emploi de serveuse au restaurant français le plus chic de la ville. Malgré son manque d'expérience, elle avait charmé le patron avec son sourire, ses longues jambes et son joli visage et, étant intelligente, elle avait compris et maîtrisé le métier en quelques jours. Le contraste était rude, assurément, après l'existence survoltée qu'elle avait menée à New York mais la dernière chose qu'Aurora recherchât à présent, c'était la tension. Assagie et meurtrie, encore hantée par le traitement cruel qu'on lui avait fait subir, elle ne souhaitait plus qu'un répit terne et sans histoire, une possibilité de reprendre des forces. Tom se souvenait de mauvais rêves, de crises de larmes soudaines, de longs silences moroses. Tout ça ne l'empêchait pas de se rappeler les mois qu'ils avaient passés ensemble comme une période heureuse, une période de grande solidarité et d'affection réciproque durant laquelle le retour de sa sœur lui avait valu le plaisir inépuisable de jouer à nouveau le rôle du frère aîné. Il était son ami et son protecteur, son guide et son soutien, son roc.

Lentement, Aurora reprenait courage et retrouvait son dynamisme de jadis, et elle s'était mise à évoquer la possibilité d'obtenir l'équivalent d'un diplôme d'études secondaires afin de pouvoir ensuite s'inscrire à l'université. Tom l'encourageait à réaliser ce projet et lui promettait de l'aider dans son travail si elle le trouvait trop difficile. Il n'est jamais trop tard, lui répétait-il, jamais trop tard pour recommencer, mais en un sens ce n'était plus vrai. Les semaines passant,

Rory continuait à hésiter et Tom comprit que son cœur n'y était pas. Les jours où elle n'était pas de service au restaurant, elle se mit à participer à des soirées de karaoké dans un club du quartier, où elle chantait le blues en compagnie de trois musiciens dont elle avait fait la connaissance en leur servant à dîner, et le quatuor eut bientôt pris la décision de s'associer pour former un groupe. Ils se donnèrent pour nom Brave New World* et dès qu'il les vit se produire, Tom comprit que l'élan fugace qui avait poussé Rory à reprendre des études était mort-né. Sa sœur chantait bien. Elle avait toujours eu une bonne voix mais à présent qu'elle avait pris de l'âge, à présent que ses poumons s'étaient imprégnés des goudrons et émanations de cinquante mille cigarettes, une qualité nouvelle et séduisante s'y était ajoutée – quelque chose de profond, de rauque et de sensuel, une candeur douloureuse qui vous incitait à vous redresser sur votre siège et à écouter. Tom se sentait à la fois heureux et inquiet pour elle. Moins d'un mois après, elle s'était mise avec le bassiste et il comprit que ce n'était plus qu'une question de temps avant qu'elle et Lucy ne partent avec lui et les deux autres pour une ville plus importante – Chicago ou New York, Los Angeles ou San Francisco, n'importe quelle ville d'Amérique sauf Ann Arbor, Michigan. Qu'elle se fît ou non des illusions, Aurora se considérait comme une star, et elle ne trouverait jamais ni joie ni plénitude à moins que les yeux du monde ne fussent fixés sur elle. Tom comprenait cela désormais, et il ne tenta plus que faiblement, pour la forme, de la dissuader de

* *Brave New World*, titre d'un roman d'Aldous Huxley – en français *Le Meilleur des mondes*.

partir. Films pornos hier ; concerts de blues aujourd'hui ; Dieu savait quoi demain. Il espérait que le bassiste, qui s'appelait Tom, lui aussi, était moins bête qu'il n'en avait l'air.

Quand le moment inévitable arriva, Brave New World et leur petite mascotte s'embarquèrent dans un vieux break Plymouth qui avouait quatre-vingt mille miles et partirent pour Berkeley, en Californie. Sept mois passèrent avant que Tom eût à nouveau des nouvelles de sa sœur : un coup de téléphone au milieu de la nuit et, à l'autre bout, sa voix qui lui chantait *Happy Birthday*, aussi suave et innocente que jamais.

Et puis plus rien. Aurora avait disparu aussi complètement et mystérieusement qu'avant sa réapparition dans le Michigan et Tom avait beau faire, il ne parvenait pas à comprendre pourquoi. N'était-il pas son ami ? N'était-il pas quelqu'un sur qui elle pouvait compter quels que soient les ennuis qu'elle avait à affronter ? Il se sentit blessé, puis en colère, puis malheureux et, lorsque les longs mois de silence se furent prolongés pendant plus d'une année encore, sa tristesse se mua en un découragement de plus en plus profond, une conviction qu'il était arrivé quelque chose de terrible. A l'automne 1997, il finit par renoncer à sa thèse de doctorat. La veille de son départ d'Ann Arbor, il rassembla toutes ses notes, tous ses tableaux et ses listes, les innombrables brouillons de sa débâcle en treize parties et en brûla les pages, une par une, dans un fût à essence au fond de la cour. Dès que ce grand bûcher melvillien fut éteint, un de ses colocataires le conduisit à la gare routière et, une heure plus tard, il était en route vers New York. Trois semaines après y être arrivé, il commençait à travailler pour les taxis jaunes et puis, six semaines après cela, sans crier gare, Aurora lui téléphonait. Ni affolée, ni inquiète, me dit Tom – elle n'était pas dans une situation désespérée, elle ne demandait pas d'argent –, elle avait juste envie de le voir.

Ils déjeunèrent ensemble le lendemain et pendant les vingt ou trente premières minutes, il ne put la quitter des yeux. Elle avait alors vingt-six ans et elle était plus ravissante que jamais, aussi ravissante que n'importe quelle femme en ce monde, mais l'image qu'elle donnait d'elle-même avait complètement changé. Elle ressemblait toujours à Aurora et, pourtant, c'était une Aurora différente qui était à présent assise en face de lui, et Tom ne parvenait pas à décider s'il préférait la nouvelle version ou l'ancienne. Autrefois, elle avait porté longue sa luxuriante chevelure ; elle se maquillait, elle arborait de gros bijoux, des bagues à chaque doigt, et elle avait un instinct sûr pour se vêtir de façon inventive et peu orthodoxe : bottes de cuir vert ou pantoufles chinoises, vestes de motard et chemises de soie, gants en dentelle et foulards extravagants, un style mi-punk, mi-glamour qui paraissait exprimer sa jeunesse et son caractère courageux et je-m'en-foutiste. Là, en comparaison, elle avait carrément l'air rangé. Ses cheveux étaient coupés court, au carré ; elle n'était pas maquillée, à part un soupçon de rouge à lèvres ; et ses vêtements étaient aussi conventionnels que possible : jupe plissée bleue, pull-over blanc en cachemire, escarpins marron tout à fait quelconques. Pas de boucles d'oreilles, une seule bague à l'annulaire de la main droite et rien autour du cou. Tom hésitait à poser la question, mais il se demandait si le grand aigle tatoué sur son épaule gauche s'y trouvait encore – ou si, dans une tentative de se purifier, d'effacer toute trace de son existence antérieure, elle avait affronté la douloureuse procédure nécessaire pour supprimer le bel oiseau multicolore.

S'il ne faisait aucun doute qu'elle était heureuse de le voir, il sentait en même temps chez elle une grande réticence à parler d'autre chose que du présent. Elle n'avança aucune excuse pour son long silence et, lorsqu'il fut question de ses allées et venues depuis qu'elle avait quitté Ann Arbor, elle survola cette période en quelques phrases brèves. Brave New World s'était dispersé après moins d'un an ; elle avait chanté avec deux autres groupes dans le Nord de la Californie ; il y avait eu des hommes, et puis encore des hommes, et puis elle avait commencé à abuser de la drogue. Finalement, elle avait casé Lucy chez deux de ses amies – un couple de lesbiennes d'une quarantaine d'années qui habitaient à Oakland – et elle s'était inscrite dans une clinique spécialisée où elle était parvenue à se désintoxiquer au bout de six mois. Le récit de la saga entière prit moins de deux minutes et, à cause de cette rapidité, Tom se sentit trop abasourdi pour exiger plus de détails. Elle se mit alors à parler d'un dénommé David Minor, son chef de groupe à la clinique, qui avait déjà réussi sa conversion lorsqu'elle était sortie du service de désintoxication pour commencer le programme. C'était à lui exclusivement qu'elle devait sa guérison, disait-elle, et sans lui elle n'y serait jamais arrivée. Mieux encore, de tous les hommes qu'elle avait connus, il était le seul qui ne la crût pas idiote, qui n'eût pas le sexe en tête vingt-quatre heures sur vingt-quatre, qui ne la recherchât pas uniquement pour son corps. Sauf Tom, bien entendu, mais une sœur n'était pas autorisée à épouser son frère, pas vrai ? La loi l'interdisait, et elle allait donc épouser David. Ils s'étaient déjà installés à Philadelphie où ils habitaient chez la mère de David pendant qu'ils cherchaient tous les deux du travail. Lucy allait dans une bonne école et David avait l'intention de l'adopter dès qu'ils seraient mariés. C'était pour ça qu'elle était venue à New York : pour demander à Tom sa bénédiction et savoir s'il accepterait de l'escorter le jour de la cérémonie. Oui, fit Tom, bien sûr, il en serait très honoré. Mais pourquoi pas leur père, demanda-t-il, n'était-ce pas à lui de mener sa fille à l'autel ? C'est possible, répondit Aurora, mais leur père ne se souciait pas d'eux, n'est-ce pas ? Il était entièrement absorbé par sa nouvelle épouse et ses nouveaux gamins et, en outre, il était trop radin pour payer le billet d'avion de LA à Philadelphie. Non, conclut-elle, il fallait que ce soit Tom. Tom et personne d'autre.

Il lui demanda de lui en dire plus sur David Minor, mais elle ne le fit que d'une manière générale et très vague qui semblait suggérer qu'elle en savait moins qu'il n'eût fallu de son futur mari. David l'aimait, il la respectait, il était gentil avec elle, et ainsi de suite, mais il n'y avait dans toutes ces expressions rien d'assez solide pour que Tom pût se former une image de ce qu'était l'homme. Et alors, d'une voix presque réduite à un murmure, Aurora ajouta : "Il est très religieux.

— Religieux ? Quel genre de religion ? demanda Tom en s'efforçant de ne pas laisser paraître son inquiétude.

— Le christianisme. Tu sais, Jésus, ces trucs-là.

— Qu'est-ce que ça veut dire ? Il appartient à une Eglise particulière, ou il s'agit d'un de ces intégrismes fondés sur une révélation ?

— C'est plutôt ça, je pense.

— Et toi, Rory, tu crois à toutes ces choses ?

— J'essaie, mais je ne dois pas être très douée.
David dit qu'il faut que je sois patiente, qu'un
jour mes yeux s'ouvriront et que je verrai la
lumière.

— Mais tu es à moitié juive. Selon la loi juive,
tu l'es tout à fait.

— Je sais. Par maman.

— Et ?

— David dit que ça n'a pas d'importance.
Jésus était juif, lui aussi, et il était le fils de Dieu.

— David m'a l'air de dire plein de choses.
C'est lui qui t'a fait couper tes cheveux et changer ta façon de t'habiller ?

— Il ne m'oblige jamais à rien. Je l'ai fait
parce que j'en avais envie.

— Encouragée par David.

— La discrétion sied aux femmes. David dit
que ça favorise l'estime de soi.

— David dit.

— Je t'en prie, Tommy, essaie d'être gentil. Je
sais que tu n'approuves pas, mais j'ai enfin trouvé
une chance d'un peu de bonheur et je ne vais
pas la laisser me filer entre les doigts. Si ça plaît
à David que je m'habille comme ça, qu'est-ce que
ça peut bien faire ? Avant je me baladais avec
des allures de putain. Ceci vaut mieux pour
moi. Je me sens plus en sécurité, plus contenue.
Après toutes les conneries que j'ai faites, j'ai de
la chance d'être encore en vie."

Tom fit marche arrière et changea de ton, et
ils se séparèrent cet après-midi-là avec des embrassades passionnées et force baisers, en se
jurant de ne plus jamais perdre contact. Tom
était convaincu que cette fois Aurora était sincère, et pourtant la date du mariage approcha

sans qu'il reçût d'invitation de sa part – ni une lettre, ni un coup de fil, ni un message d'aucune espèce. Lorsqu'il appela le numéro de téléphone précédé du code de la zone de Philadelphie qu'elle avait griffonné pour lui sur une serviette en papier pendant leur déjeuner, une voix mécanique annonça que le numéro demandé n'était plus attribué. Il tenta alors de trouver sa trace en recourant aux services locaux de renseignements mais, des trois David Minor auxquels il parla, aucun n'avait entendu parler d'une nommée Aurora Wood. Conforme à sa nature, Tom se sentit coupable. Ses commentaires négatifs au sujet de la religiosité de Minor avaient sans doute blessé Rory, et si elle était allée parler à son fiancé de son frère athée, à New York, il lui avait peut-être interdit de l'inviter au mariage. D'après le peu que Tom avait entendu à propos de Minor, ce semblait être un type de ce genre : un de ces fanatiques autoritaires qui dictaient la loi aux autres, un vertueux connard.

"Et depuis, pas de nouvelles ? demandai-je.

— Rien, fit Tom. Ce déjeuner, c'était il y a près de trois ans, et je n'ai aucune idée de l'endroit où elle peut être.

— Et le numéro de téléphone qu'elle t'avait donné ? Tu crois qu'il était faux ?

— Rory a ses défauts, mais le mensonge n'est pas l'un d'eux.

— S'ils ont déménagé, alors tu aurais dû pouvoir la joindre en passant par la mère.

— J'ai essayé ; ça n'a rien donné.

— Etrange.

— Pas tellement. Suppose qu'elle ne s'appelle pas Minor. Des maris meurent, après tout. Des gens divorcent. Elle est peut-être remariée, elle vit peut-être sous le nom de son deuxième mari.

— Je suis désolé pour toi, Tom.

— Il ne faut pas. Ça n'en vaut pas la peine. Si Rory avait envie de me voir, elle me ferait signe. Je m'y suis à peu près résigné, maintenant. Elle me manque, c'est sûr, mais qu'est-ce que tu veux que j'y fasse ?

— Et ton père ? Quand l'as-tu vu pour la dernière fois ?

— Il y a deux ans environ. Il a dû venir à New York pour un article qu'il préparait, et il m'a invité à dîner.

— Et ?

— Eh bien, tu sais comment il est. Pas ce qui se fait de plus commode comme interlocuteur.

— Et les Zorn ? Tu les vois encore ?

— Un peu. Philip m'invite dans le New Jersey tous les ans pour Thanksgiving. Je ne l'aimais pas beaucoup du temps où il était le mari de ma mère mais, peu à peu, j'ai changé d'avis à son sujet. La mort de maman l'a vraiment déchiré et quand j'ai compris combien il l'aimait, je n'ai plus pu lui en vouloir. Nous avons à présent l'un pour l'autre une sorte d'amitié calme et respectueuse. Pareil avec Pamela. Elle m'a toujours fait l'effet d'une snob sans cervelle, de ces gens qui ont trop envie de savoir de quelle université tu sors et combien tu gagnes et puis, apparemment, elle s'est bonifiée avec le temps. Elle a trente-cinq ou trente-six ans maintenant, et elle vit dans le Vermont avec son mari avocat et deux gosses. Si tu veux venir dans le New Jersey avec moi au prochain Thanksgiving, je suis sûr qu'ils seraient contents de te voir.

— Faudrait que j'y pense, Tom. Pour le moment, Rachel et toi, vous êtes tout ce que je peux encaisser comme famille. Un ex-parent de plus et je risque d'étouffer.

— Comment va-t-elle, cette bonne cousine Rachel ? Je n'ai même pas demandé.

— Ah, voilà l'os, fiston. Pour sa part, je crois qu'elle va bien. Bon boulot, mari convenable, appartement confortable. Mais on a eu une petite bagarre il y a deux mois et on n'est pas près de se réconcilier. En un mot, il y a de fortes chances pour qu'elle n'accepte plus jamais de me parler.

— Je suis désolé pour toi, Nathan.

— Il ne faut pas. Pas la peine. Je préférerais que tu me laisses l'être pour toi."

LA REINE DE BROOKLYN

En nous retrouvant pour le déjeuner, le lendemain, nous comprîmes, Tom et moi, que nous
étions en train d'instaurer un petit rituel. Sans
que nous l'ayons formulé explicitement, et sauf
autres projets ou obligations, nous allions nous
arranger le plus souvent possible pour déjeuner
ensemble. J'avais deux fois son âge, il m'avait
jadis appelé oncle Nat, et alors ? Ainsi que l'a un
jour dit Oscar Wilde, à partir de vingt-cinq ans
tout le monde a le même âge, et à vrai dire nos
situations actuelles étaient presque identiques.
Nous vivions seuls, l'un et l'autre, nous n'avions
ni l'un ni l'autre de femme dans notre vie et nous
n'avions ni l'un ni l'autre beaucoup d'amis (dans
mon cas, aucun). Quelle meilleure façon de
rompre la monotonie de la solitude qu'une petite
bouffe avec son semblable, son frère, son Tom-
nasino enfin retrouvé, que de tailler une bavette
tout en se remplissant la panse ?
Marina était de service ce jour-là, belle comme
le jour en jean moulant et blouse orange. Délectable association, qui me donnait quelque
chose à admirer quand elle venait vers nous (la
vision de face de sa gorge ample et émouvante)
et aussi lorsqu'elle s'éloignait (la vue arrière de
son postérieur rond et quelque peu rebondi).
Après mon récent fantasme d'une nuit d'amour

avec elle, je me sentais un peu plus réservé que d'habitude à son égard mais le souvenir du pourboire extravagant que je lui avais laissé la dernière fois que j'étais venu n'était pas dissipé et elle était tout sourire avec nous en prenant nos commandes, sachant (j'imagine) qu'elle avait conquis mon cœur à jamais. Je ne me rappelle pas un traître mot de ce que nous nous sommes dit mais je dois m'être mis à sourire d'un air plutôt niais car lorsqu'elle fut repartie vers la cuisine, Tom me dit que j'avais l'air bizarre et me demanda ce qui n'allait pas. Je lui affirmai que j'étais en pleine forme et puis, du même souffle, je m'entendis lui avouer mon béguin fou et sans retour. "Je remuerais ciel et terre pour cette femme, dis-je, mais ça ne m'avancera à rien. Elle est mariée et, par-dessus le marché, cent pour cent catholique. Mais au moins elle me donne l'occasion de rêver."

Je me préparais à un éclat de rire de la part de Tom, mais il ne fit rien de tel. Avec une expression d'une solennité absolue, il tendit le bras par-dessus la table et me tapota la main. "Je sais exactement ce que tu ressens, Nathan, dit-il. C'est terrible."

C'était à Tom, à présent, de se confier, et j'écoutai mon neveu me raconter qu'il était, lui aussi, amoureux d'une femme inaccessible.

Il l'appelait la JMS. Ces initiales signifiaient la Jeune Mère Sublime et non seulement il n'avait jamais échangé un mot avec elle, mais il ne connaissait même pas son nom. Elle habitait dans un immeuble de pierre brune à mi-chemin entre l'appartement de Tom et la librairie de Harry, et chaque matin, quand il allait prendre son petit-déjeuner, il la voyait assise sur le perron de sa maison avec ses deux jeunes enfants, en train d'attendre l'arrivée du bus jaune qui devait les emmener à l'école. Avec ses longs cheveux noirs et ses yeux verts lumineux, elle était remarquablement jolie, disait Tom, mais ce qu'il lui trouvait de plus émouvant, c'était sa façon de tenir et de toucher ses enfants. Il n'avait jamais vu l'amour maternel exprimé avec autant d'éloquence et de simplicité, avec plus de tendresse et de joie évidente. Presque chaque matin, la JMS était là, assise entre ses deux petits, leur entourant la taille de ses bras tandis qu'ils se penchaient pour s'appuyer sur elle, les cajolant et les embrassant chacun à son tour, ou bien les faisant danser sur ses genoux, enserrés dans une double étreinte, un cercle enchanté de câlins, de chansons et de rires. "Je passe en marchant le plus lentement possible, continua Tom. Un spectacle pareil, il faut le savourer et, régulièrement, je fais semblant d'avoir laissé tomber quelque chose, ou bien je m'arrête et j'allume une cigarette – n'importe quoi pour prolonger le plaisir de quelques secondes. Elle est si belle, Nathan, que de la voir avec ses gosses, ça me ferait presque reprendre confiance en l'humanité. Je sais que c'est ridicule, et pourtant je dois penser à elle environ vingt fois par jour."

Je gardai ma réaction pour moi mais je n'aimais pas ça du tout. Tom avait à peine trente ans, il était dans la fleur de sa jeune virilité et néanmoins, en ce qui concernait les femmes et la quête de l'amour, il avait pratiquement renoncé. Avec sa dernière amie sérieuse, une camarade d'études qui s'appelait Linda Quelque-chose, il avait rompu six mois avant son départ d'Ann Arbor et, depuis lors, il avait eu tant de malchance qu'il s'était peu à peu retiré de la circulation. Deux jours avant, il m'avait confié qu'il n'était plus sorti avec une fille depuis plus d'un an, ce qui signifiait que son adoration silencieuse de la JMS constituait désormais la totalité de sa vie amoureuse. Cela me semblait pathétique. Ce garçon avait besoin de reprendre confiance en lui et de se remettre à faire des efforts. A tout le moins, il avait besoin de baiser – et de cesser de passer ses nuits à rêver d'une sorte de bienheureuse mère idéale. Je me trouvais dans le même bateau, c'est entendu, mais au moins je connaissais le nom de la femme de mes rêves et chaque fois que je retournais au Cosmic Diner et m'installais à ma table habituelle, je pouvais bel et bien lui parler. C'était suffisant pour un vieux débris comme moi. J'avais déjà dansé ma danse et pris mon plaisir, et ce qui m'arrivait n'importait plus guère. Si l'occasion se présentait de tracer une encoche de plus sur mon ceinturon, je ne dirais pas non, mais ce n'était pas une question de vie ou de mort. Pour Tom, tout dépendait de sa capacité de se lancer à nouveau dans la mêlée. S'il n'en avait pas le culot, il continuerait à se languir dans l'obscurité de son enfer personnel étriqué et au fil des ans il deviendrait lentement amer, il se transformerait lentement en quelqu'un qu'il n'aurait jamais dû être.

"J'aimerais la voir de mes yeux, cette créature, dis-je. Tu en parles comme d'une apparition venue d'un autre monde.

— Quand tu veux, Nathan. Viens chez moi un matin à huit heures moins le quart et nous pourrons passer ensemble devant chez elle. Tu ne seras pas déçu, je te le garantis."

Et c'est ainsi que le lendemain, après nous être retrouvés au petit matin, nous marchions ensemble dans la rue préférée de Tom à Brooklyn. Je pensais qu'il exagérait quand il se mettait à évoquer le "pouvoir hypnotique" de la Jeune Mère Sublime, mais il s'avéra que j'avais tort. Cette femme était bel et bien sublime, elle était bel et bien l'incarnation parfaite de la beauté des anges, et de la voir assise sur le perron de sa maison, tenant dans ses bras ses deux petits gosses, il y avait de quoi faire frémir un cœur de vieux grincheux. Nous étions, Tom et moi, de l'autre côté de la rue, discrètement arrêtés derrière le tronc d'un grand robinier, et ce qui m'émouvait le plus, chez la bien-aimée de mon neveu, c'était la complète liberté de ses gestes, un abandon inconscient qui lui permettait de vivre pleinement dans l'instant, dans un présent perpétuel, un maintenant en perpétuelle expansion. A vue de nez, je lui donnais une trentaine d'années, avec l'allure légère et sans prétention d'une jeune fille, et je trouvais réconfortant qu'une femme aussi ravissante se montrât en public vêtue d'une salopette blanche et d'une chemise de flanelle à carreaux. C'était un signe de confiance, pensais-je, une indifférence à l'opinion d'autrui que seules possèdent les âmes les plus sereines et les mieux ancrées. Je n'étais pas près de renoncer à mon béguin secret pour Marina Gonzalez mais, selon tous les canons objectifs de la beauté féminine, je savais que Marina n'arrivait pas à la cheville de la JMS.

"Je parie que c'est une artiste, dis-je à Tom.

— Qu'est-ce qui te fait penser ça ? demanda-t-il.

— La salopette. Les peintres portent volontiers des salopettes. Dommage que la galerie de Harry n'existe plus. On aurait pu lui organiser une exposition.

— Il se pourrait aussi qu'elle soit de nouveau enceinte. Je l'ai vue une ou deux fois avec son mari. Un grand blond avec des épaules larges et une barbichette. Elle est tout aussi affectueuse avec lui qu'avec les enfants.

— C'est peut-être les deux.

— Les deux ?

— Elle est enceinte et c'est une artiste. Une artiste enceinte dans sa salopette à double usage. D'autre part, remarque la sveltesse de sa silhouette. Si je dirige mon regard vers la région de son ventre, je ne discerne pas la moindre bosse.

— C'est pour ça qu'elle est en salopette. C'est assez large pour dissimuler sa taille."

Tandis que nous continuions, Tom et moi, à émettre des hypothèses sur la signification de la salopette, le bus scolaire vint s'arrêter de l'autre côté de la rue, devant la maison, nous cachant momentanément la JMS et ses enfants. Je me rendis compte que je n'avais pas un instant à perdre. Dans quelques secondes, le bus allait repartir et la JMS ferait demi-tour et rentrerait chez elle. Je n'avais pas l'intention de revenir épier cette femme (il y a des choses qui ne se font pas, tout simplement) et si ceci était ma seule chance, il me fallait agir vite. Au nom de la santé mentale de mon grand dadais de neveu malade d'amour, je me sentais obligé de casser l'envoûtement sous lequel il vivait, de démystifier l'objet de sa flamme, de la transformer en ce qu'elle était en réalité : une ménagère de Brooklyn, mariée et heureuse de l'être, avec deux enfants et peut-être un autre en préparation. Non pas quelque déesse inaccessible, mais une femme en chair et en os qui mangeait, chiait et baisait – comme n'importe qui.

Etant donné les circonstances, je n'avais pas le choix. Je ne pouvais que traverser la rue et parler avec elle. Echanger non seulement quelques mots, mais toute une conversation qui durerait assez longtemps pour que je puisse faire signe à Tom et l'obliger à s'y joindre. A tout le moins, je voulais qu'il lui serre la main, qu'il la touche, pour que pénètre enfin sous son crâne épais l'idée qu'elle était un être tangible et non pas un esprit désincarné vivant dans les nuages de son imagination. Je me lançai donc, témérairement, impulsivement, sans la moindre idée de ce que j'allais dire. Le bus se remettait en marche quand j'atteignis l'autre côté de la rue, et je la trouvai là, debout sur le trottoir juste devant moi, en train d'envoyer des baisers à ses deux chéris, lesquels avaient déjà pris place dans le bus et faisaient désormais partie d'une bande de trois douzaines de bambins exubérants. Arborant mon sourire de vendeur à domicile le plus amène et le plus rassurant, je fis un pas vers elle en disant : "Excusez-moi, je me demande si je peux vous poser une question.

— Une question ? répéta-t-elle, un peu désemparée, je crois, ou alors simplement surprise de voir un homme devant elle là où un instant plus tôt se trouvait le bus.

— Je viens de m'installer dans le quartier, repris-je, et je cherche un magasin d'articles pour les beaux-arts. En vous voyant là, en salopette, je me suis dit que vous étiez peut-être vous-même artiste. *Ergo*, l'idée m'est venue de vous interroger."

La JMS sourit. Je n'aurais pu dire si c'était parce qu'elle ne me croyait pas ou parce que la maladresse de mon entrée en matière l'amusait mais, en observant son visage et en voyant les petites rides qui se formaient autour de ses yeux et de sa bouche, je compris qu'elle était un rien plus âgée que je ne l'avais cru d'abord. Trente-quatre

107

ou trente-cinq ans, sans doute – ce qui ne faisait aucune différence et ne diminuait en rien son éclat juvénile. Elle ne m'avait encore adressé que deux mots – *une question ?* – et dans ces trois syllabes brèves j'avais entendu résonner la tonalité vocale des natifs de Brooklyn, cet accent reconnaissable entre tous et si ridiculisé partout ailleurs dans le pays, qui caractérise pour moi la plus accueillante, la plus humaine de toutes les voix américaines. Au son de cette voix, les rouages se mirent à tourner dans ma tête et lorsqu'elle me parla à nouveau, j'avais déjà ébauché l'histoire de sa vie. Née ici, m'étais-je dit, élevée ici également, peut-être dans cette maison devant laquelle je la rencontre. Parents ouvriers, car l'embourgeoisement de Brooklyn n'a pas commencé avant le milieu des années soixante-dix, ce qui signifie qu'à l'époque de sa naissance (deuxième moitié des années soixante), ce quartier était encore un quartier pauvre et délabré habité par des immigrants sans le sou et des familles de travailleurs (le Brooklyn de mon enfance, à moi aussi), et que la maison de pierre brune qui la dominait de ses trois étages, qui valait à présent au moins huit ou neuf cent mille dollars, devait avoir été achetée pour presque rien. Elle va en classe dans les écoles des environs, habite en ville quand elle entre à l'université, connaît plusieurs amours et brise plus d'un cœur, finit par se marier et, à la mort de ses parents, hérite de la maison où elle vivait quand elle était petite. Sinon cela exactement, alors quelque chose de très proche. La JMS me paraissait trop à l'aise dans son environnement pour avoir jamais été une étrangère, trop bien dans sa peau pour être venue d'ailleurs. Elle était chez elle, ici, et elle régnait sur ce pâté de maisons comme s'il avait été son royaume depuis la première minute de sa vie.

"Vous jugez toujours les gens à leur façon de s'habiller ? demanda-t-elle.

— Ce n'était pas un jugement, répliquai-je, une simple conjecture. Idiote, peut-être, mais si vous n'êtes ni peintre, ni sculpteur, ni artiste en aucun domaine, eh bien c'est la première fois que je me trompe en devinant qui sont les gens. C'est ma spécialité. J'observe les gens et je devine qui ils sont."

Son sourire s'élargit et elle rit. Quel est cet absurde individu, devait-elle se demander, et pourquoi me parle-t-il comme ça ? Je décidai que le moment était venu de me présenter. "A propos, je m'appelle Nathan, dis-je. Nathan Glass.

— Bonjour, Nathan. Moi c'est Nancy Mazzucchelli. Et je ne suis pas une artiste.

— Oh ?

— Je fabrique des bijoux.

— Là, vous trichez. Bien sûr que vous êtes une artiste.

— En général on parle d'artisanat.

— Ça dépend de la qualité de votre travail, je suppose. Vous vendez ce que vous faites ?

— Bien sûr. J'ai ma petite affaire à moi.

— Votre magasin est dans le quartier ?

— Je n'ai pas de magasin. Mais plusieurs boutiques de la Septième Avenue vendent mes trucs. J'en vends aussi ici, chez moi.

— Ah, je vois. Il y a longtemps que vous habitez ici ?

— Toute ma vie. Née et élevée sur place.

— Cent pour cent Park Slope.

— Ouais. Corps et âme."

Et voilà. Confession complète. Sherlock Holmes dans ses œuvres, une fois de plus, et je m'émerveillais si bien de mes capacités de déduction que j'aurais voulu être deux pour pouvoir me féliciter d'une bourrade dans le dos. Je sais que ça paraît arrogant, mais rencontre-t-on souvent un succès mental d'une telle ampleur ? Rien qu'à l'entendre prononcer ces deux mots, j'avais mis le doigt sur toute l'affaire. Si Watson s'était trouvé là, il aurait hoché la tête en marmonnant tout bas.

Pendant ce temps, Tom était resté planté de l'autre côté de la rue et je me dis qu'il était plus que temps de le faire participer à la conversation. Tout en me tournant pour lui faire signe de venir, j'appris à la JMS qu'il était mon neveu et qu'il s'occupait de la section livres rares et manuscrits du Grenier de Brightman.

"Je connais Harry, déclara Nancy. J'ai même travaillé pour lui pendant un été avant mon mariage. Un type formidable.

— Oui, un type formidable. On n'en fait plus, des comme ça."

Je savais que Tom était en rogne contre moi de l'avoir attiré dans une situation à laquelle il ne voulait pas prendre part, mais il vint néanmoins nous rejoindre – en rougissant, la tête basse, avec l'allure d'un chien qui vient prendre des coups. Je regrettai soudain ce que j'étais en train de lui faire mais il était trop tard pour arrêter, trop tard pour m'excuser et j'allai donc de l'avant et le présentai à la Reine de Brooklyn, tout en jurant sur la tombe de ma sœur de ne plus jamais, jamais me mêler des affaires d'autrui.

"Tom, dis-je, je te présente Nancy Mazzucchelli. Nous parlions ensemble des magasins de fournitures pour artistes du quartier, et puis nous avons dévié sur le thème de la fabrication de bijoux. Crois-le si tu veux, elle a vécu toute sa vie dans cette maison."

Sans oser quitter le sol des yeux, Tom tendit le bras droit et serra la main à Nancy. "Enchanté de faire votre connaissance, marmonna-t-il.

— Nathan me dit que vous travaillez pour Harry Brightman", répondit Nancy, dans une bienheureuse inconscience de l'événement majeur qui venait de se produire. Tom l'avait enfin touchée, il l'avait enfin entendue parler et, que cela pût ou non suffire à le délivrer de son ensorcellement, un contact avait été établi, ce qui signifiait que Tom devrait désormais l'affronter sur un terrain nouveau. Elle n'était plus la JMS, elle était Nancy Mazzucchelli et, si belle qu'elle fût, elle n'était qu'une femme ordinaire qui gagnait sa vie en fabriquant des bijoux.

"Oui, dit Tom. Depuis six mois, environ. Ça me plaît.

— Nancy a travaillé là aussi, dans la librairie, annonçai-je. Avant son mariage."

Au lieu de réagir à cette information, Tom regarda sa montre et déclara qu'il fallait qu'il y aille. Ne comprenant toujours rien, l'objet de son adoration lui dit calmement au revoir. "Ravie de vous connaître, Tom, dit-elle. On se reverra, j'espère.

— J'espère aussi, répondit-il et puis, à ma grande surprise, il se tourna vers moi et me serra la main. On déjeune toujours ensemble ?

— Absolument, fis-je, rassuré de constater qu'il n'était pas aussi bouleversé que je l'avais imaginé. Même heure, même endroit."

Et il s'en fut de sa démarche traînante et lourde, diminuant peu à peu à mesure qu'il s'éloignait.

Dès qu'il ne fut plus à portée de voix, Nancy observa : "Il est très timide, n'est-ce pas ?

— Oui, très timide. Mais c'est quelqu'un de bien et de noble. On n'en trouve pas de meilleur sur cette terre."

La JMS sourit. "Vous avez encore envie du nom d'un magasin de fournitures pour artistes ?

— Oui, s'il vous plaît. Mais ça m'intéresserait aussi de jeter un coup d'œil à vos bijoux. C'est bientôt l'anniversaire de ma fille, et je ne lui ai pas encore acheté de cadeau. Vous pourriez peut-être m'aider à lui choisir quelque chose.

— Peut-être. Si on rentrait pour aller voir ?"

DE LA STUPIDITÉ
DES HOMMES

Je finis par acheter un collier qui coûtait environ cent soixante dollars (trente dollars de moins que le prix original parce que je le payais en espèces). C'était un bel objet de facture délicate, avec des petits morceaux de topaze, de grenat et de verre taillé enfilés sur une fine chaîne d'or, et j'étais certain qu'il serait du plus joli effet posé autour du cou élancé de Rachel. J'avais menti en prétextant son anniversaire – il s'en fallait encore de trois mois – mais je pensais qu'il ne serait pas mauvais d'envoyer un gage de paix supplémentaire après la lettre que j'avais écrite le mardi. Quand rien d'autre ne marche, bombardez-les de témoignages d'amour.

L'atelier de Nancy se trouvait au rez-de-chaussée, à l'arrière de la maison, dans une pièce dont les fenêtres donnaient sur le jardin, lequel était moins un jardin qu'une plaine de jeux miniature, avec une balançoire dans un coin, un toboggan en plastique dans un autre et entre les deux une foule de jouets et de balles en caoutchouc. Pendant que je manipulais les bagues, colliers et autres boucles d'oreilles qu'elle avait à vendre, nous avions bavardé, très à l'aise, de choses et d'autres. J'avais trouvé agréable de parler avec elle – elle était très ouverte, très généreuse, tout à fait chaleureuse et amicale – mais, hélas, pas d'une bien grande intelligence, devais-je bientôt constater en apprenant qu'elle était une fervente adepte de l'astrologie, convaincue du pouvoir des cristaux et de toutes sortes de fariboles "New Age". Ah, bon. Personne n'est parfait, comme le rappelle une réplique fameuse – pas même la JMS, cette perfection faite femme. Dommage pour Tom, pensai-je. Il sera cruellement déçu s'il réussit jamais à avoir avec elle une conversation sérieuse. D'autre part, ce n'était peut-être pas plus mal.

J'avais deviné quelques-uns des points essentiels de sa vie, mais je restais curieux de savoir si mes autres théories holmésiennes étaient ou non valables. Je continuai donc à lui poser des questions – sans insister, en profitant des occasions qui se présentaient, en m'efforçant de m'y prendre avec un maximum de subtilité. Les résultats furent un peu inégaux. Si j'étais tombé juste en ce qui concerne ses études (école primaire n° 321, école secondaire : Midwood, deux années au collège de Brooklyn avant d'abandonner pour tenter sa chance comme comédienne, ce qui n'avait rien donné), je m'étais trompé en supposant qu'elle avait hérité la maison de ses parents défunts. Son père était mort, mais sa mère était encore bien de ce monde. Elle occupait la plus grande chambre à coucher au dernier étage, faisait du vélo tous les dimanches dans Prospect Park et, à cinquante-huit ans, était encore secrétaire d'un cabinet d'avocats au cœur de Manhattan. Bravo, mon génie souverain. Bravo, le coup d'œil infaillible de Glass.

Nancy était mariée depuis sept ans et parlait de son mari comme de Jim ou Jimmy. Quand je lui demandai s'il s'appelait Mazzucchelli ou si elle avait conservé son nom de jeune fille, elle me répondit en riant qu'il était un Irlandais de pure souche. "Eh bien, observai-je, au moins Italie et Irlande ont la même initiale." Cela la fit rire à nouveau et puis, toujours riant, elle me dit que le prénom de sa mère et le nom de famille de son mari étaient identiques.

"Ah ? fis-je. Et c'est quel nom ?

— Joyce.

— Joyce ?" Je restai un instant muet, ébloui et confus. "Vous êtes en train de me dire que vous êtes mariée avec un homme qui s'appelle James Joyce ?

— Mm. Juste comme l'écrivain.

— Incroyable.

— Le plus amusant, c'est que les parents de Jim ne connaissent rien à la littérature. Ils n'avaient jamais entendu parler de James Joyce. Ils ont donné à Jim le prénom du père de sa mère, James Murphy.

— Eh bien, j'espère que votre Jim n'est pas écrivain. Ce ne serait pas drôle d'essayer de publier quelque chose si on est marqué d'un nom pareil.

— En effet. Non, mon Jim n'écrit pas. Il est bruiteur.

— Il est quoi ?

— Bruiteur.

— Je n'ai aucune idée de ce que c'est.

— Il crée des effets sonores pour des films. Ça fait partie de la postproduction. Les micros ne saisissent pas toujours tout sur le plateau. Disons que le réalisateur veut avoir un bruit de pas sur des graviers, vous voyez ? Ou le bruit de quelqu'un qui tourne les pages d'un livre, ou qui ouvre une boîte de biscuits – c'est ça que fait Jimmy. C'est un chouette boulot. Très précis, très intéressant. On se donne vraiment beaucoup de mal pour obtenir les effets voulus."

Quand je retrouvai Tom, à une heure, pour le déjeuner, je lui rapportai consciencieusement toutes les bribes d'information que j'avais réussi à glaner durant ma conversation avec Nancy. Il était de particulièrement joyeuse humeur et me remercia à plusieurs reprises d'avoir pris l'initiative ce matin-là et de l'avoir amené de force à ce face-à-face avec la JMS.

"Je ne savais pas comment tu allais réagir, dis-je. Au moment où je suis arrivé de l'autre côté de la rue, j'étais à peu près certain que tu serais furieux contre moi.

— Tu m'as pris par surprise, c'est tout. C'est bien, ce que tu as fait, Nathan, c'est courageux et très bien.

— Je l'espère.

— Je ne l'avais encore jamais vue de près. Elle est absolument sensationnelle, tu ne trouves pas ?

— Oui, très jolie. La plus jolie fille du voisinage.

— Et gentille. Surtout gentille. On sent la bonté qui rayonne de chacun de ses pores. C'est pas une de ces beautés guindées et distantes. Elle aime les gens.

— Elle a les pieds sur terre, comme on dit.

— Oui, c'est ça… Elle ne m'intimide plus. La prochaine fois que je la verrai, je pourrai la saluer, lui parler. Peu à peu, nous pourrions même devenir amis.

— Désolé de te priver de tes illusions, mais après notre conversation de ce matin, je ne pense pas que vous ayez grand-chose en commun, elle et toi. Oui, c'est une fille adorable, mais il n'y a guère d'activité là-haut, Tom. Intelligence moyenne, au mieux. Pas d'études. Aucun intérêt pour les livres ni pour la politique. Si tu lui demandais qui est le secrétaire d'Etat, elle ne pourrait pas te répondre.

— Et alors ? J'ai sans doute lu plus de livres que n'importe qui dans ce restaurant, et qu'est-ce que ça m'a apporté ? Les intellectuels sont des emmerdeurs, Nathan. Les gens les plus assommants qui soient.

— Ça se peut. Mais la première chose qu'elle voudra savoir de toi, c'est quel est ton signe astrologique. Et puis tu devras passer vingt minutes à parler d'horoscopes.

— Ça m'est égal.

— Pauvre Tom. Tu es vraiment bien pris, hein ?

— Je n'y peux rien.

— Alors quelle est la prochaine étape ? Le mariage, ou une bonne petite liaison ?

— Si je ne me trompe, je crois qu'elle est mariée avec quelqu'un d'autre.

— Détail sans importance. Si tu veux qu'il disparaisse, tu n'as qu'un mot à dire. J'ai des relations, fils. Sauf que, pour toi, je me chargerais sans doute moi-même du boulot. Je vois déjà les manchettes : EX-AGENT D'ASSURANCES ASSASSINE JAMES JOYCE.

— Ha, ha.

— Je dois dire une chose à propos de ta Nancy, tout de même. Elle fait de très beaux bijoux.

— Tu l'as sur toi, ce collier ?"

Plongeant la main dans ma poche intérieure, j'en tirai la boîte longue et étroite qui contenait mon achat du matin. A l'instant précis où je soulevais le couvercle, Marina arriva à notre table avec nos sandwiches. Ne voulant pas l'exclure de l'événement, je poussai la boîte vers elle afin qu'elle puisse voir aussi. Le collier était disposé sur un lit de coton blanc et, s'étant penchée pour l'examiner, elle eut bientôt rendu son verdict : "*Ay, qué linda*, dit-elle, que c'est joli !" Tom confirma d'un hochement de tête silencieux, trop ému pour parler, sans doute, à la pensée de sa chère Nancy dont les mains célestes avaient fabriqué le petit objet étincelant qu'il avait sous les yeux.

Je soulevai le collier et le tendis à Marina. "Si vous le mettiez, proposai-je, pour que nous puissions voir de quoi il a l'air."

C'était là ma première intention – simplement le voir porté – mais sitôt que, prenant le collier à deux mains, elle l'eût présenté devant sa peau d'un brun pâle (cette petite zone exposée juste au-dessus du premier bouton ouvert de sa blouse turquoise), je changeai soudain d'idée. L'envie me prit de lui en faire cadeau. Je pourrais toujours acheter un autre collier pour Rachel, et celui-ci allait tellement bien à Marina qu'il semblait déjà lui appartenir. En même temps, si je donnais l'impression de lui faire des avances (ce qui était le cas, bien sûr, mais sans espoir), elle risquait d'estimer que je la mettais dans une situation embarrassante et de le refuser.

"Non, non, dis-je. Ne vous contentez pas de le tenir. Mettez-le, pour que nous soyons sûrs qu'il tombe bien." Tandis qu'elle tripotait le fermoir dans sa nuque, j'essayai de trouver rapidement un argument capable de vaincre sa résistance. "On m'a dit que c'est votre anniversaire aujourd'hui, inventai-je. C'est vrai, Marina, ou bien ce type me faisait marcher ?

— Pas aujourd'hui, répondit-elle. La semaine prochaine.

— Cette semaine, la semaine prochaine, quelle différence ? C'est bientôt, et ça veut dire que vous vivez déjà dans l'aura de votre anniversaire. C'est écrit en toutes lettres sur votre visage.

— L'aura de mon anniversaire ? Qu'est-ce que c'est que ça ?

— J'ai acheté ce collier aujourd'hui sans raison particulière. J'avais envie de l'offrir à quelqu'un et je ne savais pas à qui. Maintenant que je vois comme il vous va bien, je voudrais qu'il soit à vous. C'est ça, l'aura de l'anniversaire. C'est une force puissante qui pousse les gens à faire toutes sortes de choses étranges. Je ne le savais pas au moment même, mais c'est pour vous que je l'ai acheté."

Elle eut d'abord l'air content, et je pensai qu'il n'y aurait pas de problème. A sa façon de me regarder de ses yeux bruns si vivants, il paraissait évident qu'elle avait envie de garder le collier et qu'elle était touchée et flattée par mon geste ; et puis, passé la bouffée initiale de plaisir, elle se mit à réfléchir un peu et je vis le doute et la confusion apparaître dans ces mêmes yeux bruns. "Vous êtes un type formidable, Mr Glass, dit-elle, et, vraiment, j'apprécie. Mais je peux pas accepter un cadeau de vous. Ça se fait pas. Vous êtes un client.

— Ne vous en faites pas. Si j'ai envie d'offrir quelque chose à ma serveuse préférée, qui va m'en empêcher ? Je suis un vieux bonhomme, et quand on est vieux on est libre de faire ce qu'on veut.

— Vous connaissez pas Roberto, fit-elle. Il est très jaloux. Il aimera pas que j'accepte quelque chose d'un autre homme.

— Je ne suis pas un homme. Je suis juste un ami qui a envie de vous faire plaisir."

A ce moment-là, Tom vint enfin ajouter son grain de sel à la discussion. "Je suis certain qu'il n'a pas de mauvaise intention, dit-il. Vous connaissez Nathan, Marina. C'est un doux dingue – il a tout le temps de ces coups de folie.

— Il est fou, ça oui, renchérit-elle. Et aussi très gentil. C'est juste que je veux pas d'ennuis. Vous savez comment ça se passe. Une chose en entraîne une autre, et alors, boum.

— Boum ? fit Tom.

— Oui, boum, répéta-t-elle. Et me demandez pas d'expliquer ce que ça veut dire.

— Bon, dis-je, comprenant soudain que son mariage était loin d'être aussi paisible que je l'avais supposé. Je crois que j'ai une solution. Marina garde le collier, mais elle ne le ramène pas chez elle. Il reste tout le temps ici au restaurant. Elle le porte quand elle travaille, et puis elle le range pour la nuit dans la caisse enregistreuse. Nous venons tous les jours, Tom et moi, nous admirons le collier, et Roberto n'en saura jamais rien."

C'était une proposition si absurde et si tordue, un artifice d'une telle sournoiserie que Tom et Marina éclatèrent ensemble de rire.

"Ouf, s'exclama Marina. Vous êtes un sacré vieux tricheur, Nathan.

— Pas si vieux que ça, dis-je.

— Et qu'est-ce qui se passe si j'oublie que j'ai le collier autour du cou ? Si je rentre chez moi un soir sans l'avoir enlevé ?

— Vous ne feriez jamais ça, dis-je. Vous êtes trop futée."

Et c'est ainsi que j'imposai ce cadeau d'anniversaire à la jeune et candide Marina Luisa Sanchez Gonzalez et que je reçus pour ma peine un baiser sur la joue, un baiser tendre et prolongé dont je me souviendrai jusqu'à mon dernier jour. Telles sont les primes accordées aux hommes stupides. Et que suis-je d'autre qu'un stupide, stupide imbécile ? Je reçus mon baiser et un sourire radieux en remerciement, mais aussi quelque chose que je n'avais pas prévu. Cela s'appelait Ennuis, et quand j'arriverai dans mon histoire au moment où j'ai rencontré Mr Ennuis, je ferai le récit complet de ce qui s'est passé.

Mais nous n'en sommes encore qu'au vendredi après-midi, et nous avons à traiter d'autres choses plus urgentes. Le week-end va commencer et, moins de trente heures après être sortis du Cosmic Diner, nous nous retrouverons, Tom et moi, installés dans un autre restaurant en compagnie de Harry Brightman, en train de dîner, de boire du vin et de nous débattre avec les mystères de l'univers.

UNE SOIRÉE DE BOMBANCE

Samedi soir. Le 27 mai 2000. Un restaurant français dans Smith Street, à Brooklyn. Trois hommes sont assis à une table ronde dans un angle de la pièce, au fond, à gauche : Harry Brightman (ci-devant Dunkel), Tom Wood et Nathan Glass. Ils viennent de passer leur commande au garçon (trois entrées différentes, trois plats principaux différents, deux bouteilles de vin – un rouge et un blanc) et se sont remis à boire les apéritifs qui leur ont été apportés à table peu après leur arrivée dans le restaurant. Le verre de Tom est plein de bourbon (Wild Turkey), Harry sirote une vodka-martini et Nathan, tout en faisant honneur à son scotch single malt nature (un Macallan de douze ans d'âge), se demande s'il n'est pas d'humeur à en boire un second avant qu'on serve le repas. Voilà la scène esquissée. Dès que la conversation aura commencé, les indications de mise en scène resteront limitées au minimum. L'auteur est d'avis que seules les paroles prononcées par les personnages désignés ci-dessus sont d'une quelconque importance dans le récit. Pour cette raison, il n'y aura ni description des vêtements qu'ils portent, ni commentaires des mets qu'ils vont manger, ni pause lorsque l'un d'eux se lèvera pour aller se laver les mains, ni interruption de la part du garçon, et pas un mot du verre de vin rouge que Nathan va renverser sur son pantalon.

TOM. – Je ne parle pas de sauver le monde. Au point où j'en suis, tout ce que je veux c'est me sauver, moi. Et certains des gens que j'aime. Comme toi, Nathan. Et toi aussi, Harry.

HARRY. – Pourquoi une telle morosité, jeune homme ? Tu es sur le point de manger le meilleur dîner que tu auras eu depuis des années, tu es le benjamin des individus assis à cette table et, pour autant que je sache, tu n'as pas encore contracté de maladie grave. Regarde Nathan, là. Il a eu un cancer du poumon, et il n'avait jamais fumé. Et moi j'ai fait deux crises cardiaques. Tu nous vois grogner ? Nous sommes les types les plus heureux du monde.

TOM. – Non, c'est faux. Vous êtes tout aussi malheureux que moi.

NATHAN. – Harry a raison, Tom. Ça ne va pas si mal que ça.

TOM. – Mais si, ça va mal. Ça va peut-être même pire que mal.

HARRY. – Définis, s'il te plaît, ce que tu entends par "ça". Je ne sais même plus de quoi nous parlons.

TOM. – Le monde. Le grand trou noir que nous appelons le monde.

HARRY. – Ah, le monde. Bah, évidemment. Faut-il le dire ? Le monde pue. Tout le monde le sait. Mais on fait de son mieux pour l'éviter, non ?

TOM. – Non. On est en plein dedans, que ça nous plaise ou non. Il nous entoure de toutes parts et chaque fois que je relève la tête pour le regarder, je suis rempli de dégoût. De tristesse et de dégoût. On aurait pu croire que la Seconde Guerre mondiale aurait tout réglé, au moins pour un ou deux siècles. Mais on continue à se tailler en morceaux les uns les autres, pas vrai ? On continue à se haïr autant que jamais.

NATHAN. – Alors voilà de quoi il s'agit. De politique.

TOM. – Entre autres choses, oui. Et d'économie. Et d'avidité. Et de l'endroit odieux que ce pays est en train de devenir. Les fous furieux de la droite chrétienne. Les millionnairesàvingtans.com. Télé-Golfe. Télé-Foutre. Télé-Nausée. Le capitalisme triomphant, sans plus rien qui s'y oppose. Et nous autres, si suffisants, si satisfaits de nous-mêmes, alors que la moitié du monde crève de faim et que nous ne levons pas le petit doigt pour y faire quelque chose. J'encaisse plus, messieurs. Je veux me tirer.

HARRY. – Te tirer ? Et pour aller où ? Jupiter ? Pluton ? Un astéroïde quelconque dans une autre galaxie ? Pauvre Tom-Tout-Seul, comme le Petit Prince sur son morceau de rocher au milieu de l'espace.

TOM. – Dis-le-moi, toi, Harry, où aller. Je suis ouvert à toutes suggestions.

NATHAN. – Un endroit où vivre selon ta conscience. C'est de ça qu'il s'agit, hein ? Les "paradis imaginaires" revisités. Mais pour ça, tu dois être prêt à renoncer à la société. C'est ce que tu m'as dit. Il y a longtemps de cela, mais je crois que tu avais aussi utilisé le mot *courage*. Tu as ce courage, Tom ? Est-ce que l'un d'entre nous a le courage de faire ça ?

Tom. – Tu te rappelles encore ce vieil essai ?

Nathan. – Il m'avait beaucoup impressionné.

Tom. – Je n'étais encore qu'un petit étudiant de rien du tout. Je ne connaissais pas grand-chose, mais j'étais sans doute plus malin que maintenant.

Harry. – De quoi s'agit-il ?

Nathan. – Le refuge intérieur, Harry. Là où on se retire lorsque le monde réel est devenu impossible.

Harry. – Ah ? J'ai eu ça, jadis. Je pensais que tout le monde en avait un.

Tom. – Pas nécessairement. Ça demande de l'imagination, et combien de gens en ont ?

Harry *(fermant les yeux ; les index appuyés sur ses tempes)*. – Voilà que tout ça me revient maintenant. L'hôtel Existence. J'avais à peine dix ans mais je me souviens encore de l'instant précis où cette idée m'est apparue, de l'instant précis où j'ai trouvé ce nom. C'était un dimanche après-midi, pendant la guerre. La radio marchait, et j'étais assis dans le living de notre maison de Buffalo, en train de regarder dans un numéro du magazine *Life* des images des troupes américaines en France. Je n'étais jamais entré dans un hôtel, mais j'en avais vu assez du dehors quand j'accompagnais ma mère en ville pour savoir que c'étaient des endroits spéciaux, des forteresses où l'on est à l'abri de la crasse et de la misère quotidiennes. J'adorais les bonshommes en uniforme bleu qui se tenaient devant le Remington Arms. J'adorais l'éclat des cuivres de la porte à tambour de l'Excelsior. J'adorais le lustre immense qui pendait au plafond dans le hall du Ritz. La seule raison d'être d'un hôtel était d'assurer bonheur et confort, et dès l'instant où on avait signé le registre et où on était monté dans sa chambre, il n'y avait plus qu'à demander et on avait tout ce qu'on voulait. Un hôtel, ça représentait la promesse d'un monde meilleur, un endroit qui était davantage qu'un simple endroit, c'était une occasion, une chance de vivre à l'intérieur de vos rêves.

NATHAN. – Voilà qui explique l'idée d'hôtel. Où as-tu trouvé le mot *existence* ?

HARRY. – Je l'ai entendu à la radio ce même dimanche après-midi. Je n'écoutais qu'à moitié le programme, mais j'ai entendu quelqu'un parler de l'*existence humaine*, et ça m'a plu. *Les lois de l'existence*, disait la voix, et *les périls auxquels nous devons faire face au cours de notre existence*. *Existence*, c'était plus grand que simplement *vie*. C'était la vie de tout le monde ensemble et même si vous habitiez Buffalo, dans l'Etat de New York, et que vous n'aviez jamais mis les pieds à plus de dix miles de chez vous, vous faisiez partie du puzzle, vous aussi. Pas d'importance si votre vie était toute petite. Ce qui vous arrivait était juste aussi important que ce qui arrivait à n'importe qui d'autre.

TOM. – Je ne te suis toujours pas. Tu inventes un endroit nommé hôtel Existence, mais où ça se trouve ? A quoi ça sert ?

HARRY. – A quoi ça sert ? A rien, en vérité. C'était une retraite, un monde que je pouvais visiter en pensée. C'est de ça que nous parlons, non ? L'évasion.

NATHAN. – Et où s'évadait ce Harry de dix ans ?

HARRY. – Ah. Ça, c'est une question complexe.
Il y a eu deux hôtels Existence, voyez-vous. Le
premier, celui que j'ai inventé ce dimanche après-
midi pendant la guerre, et puis un second, qui
n'a commencé à fonctionner que lorsque j'étais
à l'école secondaire. Le numéro un, je le dis à
regret, était purs fleur bleue et sentimentalisme
de gamin. Je n'étais qu'un petit garçon, à cette
époque, et la guerre était partout, tout le monde
en parlait tout le temps. J'étais trop jeune pour
combattre mais, comme beaucoup de gros petits
nigauds, je rêvais de devenir soldat. Pouah. Oh,
pouah, deux fois pouah. La vacuité, la balourdise des mortels. Alors j'imagine cet endroit que
j'appelle l'hôtel Existence, et je le transforme
aussitôt en refuge pour les enfants perdus. Je
parle d'enfants européens, bien sûr. Leurs pères
avaient été tués au combat, leurs mères gisaient
sous les ruines d'églises et d'immeubles écrou-
lés, et eux, ils erraient au milieu des décombres
de villes bombardées, au plus froid de l'hiver, ils
cherchaient à manger parmi les détritus ou dans
des forêts, des enfants seuls, des enfants par
paires, des enfants en bandes de quatre ou six
ou dix, avec les pieds enveloppés de chiffons
en guise de chaussures, des visages hâves écla-
boussés de boue. Ils vivaient dans un monde
sans adultes et moi, personnage intrépide et follement altruiste, je m'étais sacré leur sauveur.
Telle était ma mission, mon but dans la vie, et
chaque jour, jusqu'à la fin de la guerre, je me
faisais parachuter dans l'un ou l'autre coin démoli
de l'Europe pour secourir des garçons et des
filles affamés. Je franchissais des coteaux en
flammes, je traversais à la nage des lacs en train
d'exploser, je me frayais un chemin à la mitrail-
lette dans des caves à vin humides et chaque

fois que je découvrais un orphelin, je le prenais par la main pour l'amener à l'hôtel Existence. Peu importait dans quel pays je me trouvais. La Belgique ou la France, la Pologne ou l'Italie, la Hollande ou le Danemark – l'hôtel n'était jamais bien loin, et je réussissais toujours à y amener le gosse avant la tombée du jour. Une fois que je l'avais aidé à remplir les formalités à l'accueil, je faisais demi-tour et je m'en allais. Gérer l'hôtel, ce n'était pas mon boulot – seulement trouver les enfants et les conduire là. De toute façon, les héros ne se reposent pas, hein ? Ils n'ont pas le droit de dormir dans des lits moelleux avec des édredons en duvet et trois oreillers, ils n'ont pas le temps de s'asseoir dans la cuisine de l'hôtel pour manger une portion de ce succulent ragoût de mouton aux pommes de terre et aux carottes qui fume dans le bol. Ils doivent repartir en pleine nuit et faire leur boulot. Et mon boulot consistait à sauver les enfants. Jusqu'à ce que la dernière balle ait été tirée, jusqu'à ce que la dernière bombe ait été larguée, il fallait que j'aille à leur recherche.

Tom. – Qu'est-ce qui est arrivé à la fin de la guerre ?

Harry. – J'ai renoncé à mes rêves de courage viril et de noble sacrifice. L'hôtel Existence a fermé, et quand il s'est rouvert quelques années plus tard, il ne se trouvait plus au milieu d'un pré dans la campagne hongroise, et il n'avait plus l'air d'un château baroque emprunté aux boulevards de Baden-Baden. Le nouvel hôtel Existence était un établissement bien plus petit et moins prestigieux et désormais, si on voulait le trouver, il fallait se rendre dans une de ces grandes villes où la vraie vie ne commence qu'à la nuit tombée. New York, peut-être, ou La Havane, ou une petite rue sombre à Paris. Pénétrer dans l'hôtel Existence, c'était penser à des mots comme *hobnob*, *chiaroscuro* ou *destin*. C'étaient des hommes et des femmes qui vous observaient discrètement dans le hall. C'étaient des parfums, des habits soyeux et des peaux tièdes, et tout le monde se baladait toujours avec un cocktail dans une main et une cigarette allumée dans l'autre. J'avais vu tout ça au cinéma et je savais de quoi ça devait avoir l'air. Les habitués, en bas, dans le bar où se trouvait le piano, en train de siroter leurs Martini Dry. Le casino à l'étage, avec la roulette et les dés qui rebondissaient sans bruit sur le feutre vert, le meneur de jeu, au baccara, et l'huileux accent étranger de ses chuchotements. La salle de bal tout en bas, avec ses confortables banquettes en cuir et la chanteuse sous les projecteurs, voix enfumée et robe à paillettes d'argent. Ça, c'étaient les accessoires qui aidaient les choses à démarrer, mais personne ne venait seulement pour les cocktails ou le jeu ou la chanteuse, même si ce soir-là c'était Rita Hayworth en personne, amenée en avion de Buenos Aires pour une seule soirée par son mari et agent du moment, George Macready. Il fallait se laisser porter par le flot, avaler quelques verres avant de pouvoir penser aux affaires. Pas vraiment des affaires, non, mais le jeu, le jeu infiniment délectable qui consistait à décider avec qui on allait monter, plus tard, cette nuit-là. L'entrée en matière, c'était toujours les regards – jamais autre chose que les regards. Vous les laissiez errer de l'un à l'autre pendant quelques minutes, calmement, en buvant votre verre et en fumant votre cigarette, en évaluant les possibilités, en guettant un coup d'œil éventuellement lancé vers vous, peut-être même en incitant d'un petit sourire ou d'un mouvement d'épaule quelqu'un à vous regarder. Homme ou femme indifféremment, ça m'était égal. J'étais encore puceau à l'époque mais je me connaissais déjà assez pour savoir que peu m'importait. Un soir, Cary Grant s'est assis près de moi dans le piano-bar et s'est mis à me caresser la jambe. Une autre fois, Jean Harlow est sortie de sa tombe pour venir me faire passionnément l'amour dans la chambre 427. Il y avait aussi ma prof de français, Mlle Des Forêts, la svelte Québécoise aux jolies jambes, au rouge à lèvres étincelant et aux yeux d'un brun liquide. Sans oublier Hank Miller, quart arrière de l'équipe du lycée et grand tombeur de ces demoiselles en dernière année. Hank m'aurait sûrement cassé la figure s'il avait su ce que je lui faisais dans mes rêves mais la vérité, c'est qu'il l'ignorait. Je n'étais qu'en deuxième année, et j'n'aurais jamais eu le courage de m'adresser pendant la journée à un personnage aussi auguste que Hank Miller ; la nuit, par contre, je pouvais le retrouver au bar de l'hôtel Existence et après quelques verres et un peu de conversation amicale à bâtons rompus, je pouvais le faire monter à la chambre 301 et lui faire découvrir les secrets de l'univers.

Tom. — Trucs d'adolescent pour branlette.

Harry. — On pourrait dire ça. Mais je préfère y penser comme au produit d'une vie intérieure féconde.

Tom. — Tout ça ne nous mène nulle part.

Harry. — Où voudrais-tu que nous allions, cher Tom ? Nous voici attablés, en train d'attendre la suite du repas en buvant un sancerre admirable et de nous distraire en nous racontant des histoires sans conséquence. Il n'y a rien de mal à ça. Un peu partout dans le monde, ce serait considéré comme le fin du fin des mœurs civilisées.

NATHAN. – Ce garçon a le cafard, Harry. Il a besoin de parler.

HARRY. – Je m'en rends compte. J'ai des yeux pour voir, non ? Si Tom n'approuve pas mon hôtel Existence, peut-être pourrait-il nous parler un peu du sien. Tout le monde en a un, vous savez. Et de même qu'il n'existe pas deux hommes identiques, chaque hôtel Existence est différent de tous les autres.

TOM. – Je suis désolé. Je ne voulais pas jouer les rabat-joie. Cette soirée devait être une fête et je vous la fous en l'air.

NATHAN. – Pense pas à ça. Réponds plutôt à la question de Harry.

TOM *(un long silence ; et puis, d'une voix sourde, comme s'il se parlait à lui-même)*. – Je voudrais vivre autrement, c'est tout. Si je ne peux pas changer le monde, je voudrais au moins essayer de me changer, moi. Mais je n'ai pas envie de faire ça seul. Je suis déjà bien assez seul comme ça et, que ce soit de ma faute ou non, Nathan a raison, j'ai le cafard. Depuis que nous avons parlé d'Aurora l'autre jour, je n'ai pas arrêté de penser à elle. Elle me manque. Ma mère me manque. Tous ceux que j'ai perdus me manquent. Je suis d'une telle tristesse, parfois, qu'il me paraît incroyable de ne pas mourir écrasé sous tout ce poids. Mon hôtel Existence à moi, Harry ? Je ne sais pas ce que c'est, ça aurait sans doute à voir avec le fait de vivre avec d'autres, de foutre le camp de cette saleté de ville et de

131

partager la vie de gens que j'aime et que je respecte.

HARRY. – Une commune.

TOM. – Non, pas une commune – une communauté. Ce n'est pas la même chose.

HARRY. – Et où situerais-tu ta petite utopie ?

TOM. – Quelque part à la campagne, j'imagine. Un endroit où il y aurait beaucoup de terres et assez de bâtiments pour loger tous les gens qui souhaiteraient y vivre.

NATHAN. – Combien seraient-ils, à ton avis ?

TOM. – Je n'en sais rien. C'est pas comme si c'était déjà clair dans ma tête. Mais vous seriez très bienvenus, tous les deux.

HARRY. – Je suis flatté de figurer en bonne position sur ta liste. Mais si je pars à la campagne, que deviendra mon commerce ?

TOM. – Tu l'emmènes avec toi. Tu fais quatre-vingt-dix pour cent de ton chiffre par la poste, de toute façon. Quelle différence peut faire le bureau par où tu passes ? Oui, Harry, évidemment que je voudrais que tu sois dans le coup. Et Flora aussi, peut-être.

HARRY. – Ma chère cinglée de Flora. Mais si tu le lui proposes à elle, il faudra aussi inviter Bette. Elle est malade, maintenant, vous savez. Condamnée à la chaise roulante, parkinson, pauvre femme. Je ne sais pas comment elle réagirait mais, tout compte fait, l'idée pourrait lui plaire. Et puis il y a Rufus.

NATHAN. – Qui est Rufus ?

HARRY. – Le jeune qui tient le comptoir dans la librairie. Ce grand Jamaïcain à la peau claire, avec un boa rose. Il y a quelques années, je l'ai trouvé tout en larmes devant un immeuble du West Village et je l'ai ramené à la maison. A l'heure qu'il est, je l'ai plus ou moins adopté. Le boulot à la librairie lui permet de payer son loyer, mais c'est aussi un des plus grands travelos de la ville. Il bosse le week-end sous le nom de Tina Hott. Un numéro fabuleux, Nathan. Tu devrais essayer de le voir un de ces jours.

NATHAN. – Pourquoi voudrait-il quitter la ville ?

HARRY. – Parce qu'il m'aime, d'abord. Ensuite parce qu'il est séropositif et qu'il a une frousse de tous les diables. Un changement de décor lui ferait sans doute du bien.

NATHAN. – Très bien. Mais où allons-nous trouver les fonds pour acheter un domaine à la campagne ? Je pourrais apporter ma petite contribution, mais ce serait loin de suffire.

TOM. – Si Bette veut se joindre à nous, elle accepterait peut-être d'ouvrir son coffre pour nous aider.

HARRY. – Pas question. Un homme a son amour-propre, cher monsieur, et je préférerais crever dix fois plutôt que de demander un sou de plus à cette femme.

TOM. – Bon, eh bien, si tu vendais ton immeuble de Brooklyn, tu en tirerais peut-être assez.

HARRY. – Une goutte d'eau dans la mer. Si je dois passer le crépuscule de ma vie dans la cambrousse, je veux que ce soit avec classe. Une vie de cul-terreux, très peu pour moi, Tom. Je deviens gentilhomme campagnard, ou je reprends mes billes.

TOM. – Un petit peu ici, un petit peu là. Nous penserons à d'autres personnes que ça pourrait intéresser, et si nous mettons toutes nos ressources en commun, on devrait pouvoir y arriver.

HARRY. – Pas d'angoisse, les enfants. L'oncle Harry va se charger de tout. Enfin c'est ce qu'il espère. Si tout marche comme prévu, nous pouvons nous attendre à une importante rentrée d'espèces dans un avenir très proche. Suffisante pour faire pencher la balance et rendre notre rêve réalisable. Et c'est bien de ça qu'il s'agit, n'est-ce pas ? Un rêve, le rêve fou de nous abstraire des soucis et des peines de ce monde de misère et de créer notre monde à nous. Un pari audacieux, certes, mais qui peut affirmer qu'il n'est pas fondé ?

TOM. – Et d'où va-t-elle venir, cette "rentrée d'espèces" ?

HARRY. – Contentons-nous de dire que j'ai une affaire en vue, et laissons ça de côté jusqu'à nouvel ordre. Si ça marche comme je veux, le nouvel hôtel Existence est chose faite. Sinon, eh bien, au moins je serai tombé au combat pour une bonne cause. On ne peut pas en demander plus à un homme, hein ? J'ai soixante-six ans et, après tous les hauts et les bas de mon… de ma quelque peu discutable carrière, c'est probablement ma dernière chance de m'en tirer avec un gros paquet d'argent. Et quand je dis gros, je veux dire très gros. Plus gros qu'aucun de vous deux ne peut l'imaginer.

PAUSE CIGARETTE

Sur le coup, je n'avais pas pris tout ça très au sérieux. Tom était déprimé – voilà tout – et Harry essayait simplement de lui remonter le moral, de lui envoyer du vent dans les voiles afin de le sortir du marasme. Je dois dire que Harry m'avait plu en jouant le jeu de Tom, en se prêtant à sa chimère, mais l'idée que Harry pût effectivement quitter Brooklyn pour s'installer dans un trou perdu à la campagne me paraissait d'une complète absurdité. Cet homme était fait pour la ville. C'était une créature des foules et du commerce, des bons restaurants et des vêtements de prix et, même s'il n'était qu'à moitié gay, il se trouvait que son meilleur ami était un travesti noir qui venait au travail paré de clips d'oreilles en faux diamants et d'un boa de plumes roses. Mettez un homme comme Harry Brightman dans quelque petit coin rustique, les paysans des environs sortiront fourches et couteaux pour le chasser du patelin.

D'un autre côté, je me sentais raisonnablement certain que l'affaire évoquée par Harry était régulière. Le vieux filou avait une nouvelle entreprise en vue et je brûlais de curiosité de savoir ce que c'était. Même s'il avait refusé d'en parler devant Tom, j'espérais qu'il ferait exception pour moi. L'occasion se présenta juste après que nous eûmes commandé le dessert, quand Tom nous pria de l'excuser et se rendit au bar pour fumer une cigarette (sa dernière tactique dans sa lutte permanente pour perdre du poids).

"Un gros paquet d'argent, dis-je à Harry. M'a l'air intéressant.

— Une occasion unique, répliqua-t-il.

— Tu as une raison particulière de ne pas vouloir en parler ?

— Je crains de décevoir Tom, c'est tout. Il reste quelques détails mineurs à mettre au point et, tant que l'affaire n'est pas réglée, mieux vaut ne pas trop s'exciter.

— J'ai quelques sous de côté, tu sais. J'en ai pas mal, à vrai dire. Si tu as besoin d'un autre investisseur qui te soutienne, je serais prêt à participer.

— C'est très généreux de ta part, Nathan. Heureusement, je ne suis pas à la recherche d'un partenaire. Mais ça ne veut pas dire que je refuserais tes conseils. Je suis à peu près convaincu que mes associés sont réglo – mais pas convaincu à cent pour cent. Et le doute est un souci lourd à porter, surtout avec un enjeu pareil.

— Si on dînait de nouveau ensemble, alors ? Rien que nous deux. Tu m'exposes toute ton affaire, et je te dis ce que j'en pense.

— La semaine prochaine ?

— Choisis un jour, j'y serai."

DE LA STUPIDITÉ
DES HOMMES
(2)

A onze heures, le lendemain, j'entrai dans une des bijouteries du quartier afin d'acheter un autre collier pour Rachel. Je ne voulais pas déranger la JMS en sonnant à sa porte un dimanche matin, mais je pris soin de demander à la vendeuse de me montrer tout ce qui portait la marque de Nancy Mazzucchelli. La femme sourit, déclara qu'elle était une vieille amie de Nancy et ouvrit aussitôt une vitrine d'où elle retira huit ou dix articles de sa fabrication qu'elle posa l'un après l'autre devant moi sur le comptoir. Par un coup de chance, le dernier des colliers était presque identique à celui qui passait désormais ses nuits dans le tiroir-caisse du Cosmic Diner.

J'avais l'intention de rentrer chez moi directement. Quelques anecdotes m'étaient revenues en mémoire pendant que je marchais vers le magasin et je me sentais impatient de me remettre à mon bureau et de les ajouter au *Livre de la folie humaine*. Je ne m'étais pas donné la peine de compter celles que j'avais déjà rédigées, mais il devait y en avoir alors près d'une centaine et, au rythme où elles continuaient à se rappeler à moi, surgissant à toute heure du jour ou de la nuit (parfois même dans mes rêves), je supposais qu'il y avait largement de quoi poursuivre ce projet pendant des années. Moins de vingt secondes après être sorti de la boutique, toutefois, sur qui tombai-je sinon sur Nancy Mazzucchelli, la JMS en personne ? Il y avait deux mois que j'habitais dans ce quartier, que je faisais de longues promenades matin et après-midi, que j'étais entré dans d'innombrables magasins et restaurants, qu'assis à la terrasse du Circle Café j'avais regardé passer sur l'avenue des centaines de piétons et, pourtant, jusqu'à ce dimanche matin je ne l'avais pas une seule fois aperçue en public. Je ne veux pas suggérer qu'elle avait échappé à mon attention. Je regarde tout le monde et, si j'avais vu plus tôt cette femme (qui n'était rien de moins que la souveraine de Park Slope), je m'en serais souvenu. Maintenant, après notre rencontre improvisée, vendredi, devant sa maison, le schéma était tout à coup modifié. Tel un mot que l'on ajoute à son vocabulaire à un âge avancé et que l'on se met à entendre partout, Nancy Mazzucchelli apparaissait soudain où que je me tourne. Cela débuta avec cette rencontre, ce dimanche, et dès lors il n'y eut plus guère de jour où je ne sois tombé sur elle à la banque, au bureau de poste ou dans une rue du quartier. Je finis par faire la connaissance de ses enfants (Devon et Sam), de sa mère, Joyce, et de son mari bruiteur, le James Joyce qui n'était pas James Joyce. De complète inconnue, la JMS se transforma soudain en élément permanent de ma vie. Même s'il n'est que rarement question d'elle dans les pages à venir de ce livre, elle y est toujours présente. Guettez-la entre les lignes.

Ce premier dimanche, rien d'important ne fut dit. Salut, Nathan, salut, Nancy, comment va, pas mal, comment va Tom, beau temps, content de vous voir – et ainsi de suite. Conversations villageoises au cœur de la grande ville. Si un détail mérite qu'on le rapporte, ce serait le fait qu'elle n'était pas en salopette. Il faisait une chaleur inhabituelle et Nancy portait un jean et un t-shirt de coton blanc. Celui-ci étant rentré dans le pantalon, je pus voir qu'elle avait le ventre plat. Cela ne signifiait pas, bien entendu, qu'elle n'était pas enceinte mais, même si elle n'en était qu'au début de son premier trimestre, ce n'était pas pour masquer une rondeur qu'elle s'était mise en salopette. Je pris note mentalement de le dire à Tom la prochaine fois que je le verrais.

Dès le lundi matin, j'envoyai le collier à Rachel, accompagné d'un petit mot *(Je pense à toi, tendresses, Nathan)* et puis, vers neuf heures du soir, l'inquiétude me prit. J'avais posté le mardi soir la lettre que je lui avais écrite. En supposant qu'elle était partie le mercredi matin, Rachel aurait dû la recevoir le samedi – ou ce lundi au plus tard. Ma fille n'avait jamais été une grande épistolière (elle communiquait surtout par courrier électronique, et je n'en avais pas) et je m'attendais donc à ce qu'elle se manifestât par téléphone. Samedi et dimanche étant passés sans un signe, ce lundi devait être le jour où elle appellerait. A un moment quelconque après dix-huit heures, quand elle serait rentrée de son travail et aurait lu ma lettre. Si profondément que je l'eusse offensée, il me paraissait inconcevable que Rachel ne réagît pas à ce que j'avais écrit. J'étais resté assis chez moi à guetter la sonnerie du téléphone, mais à neuf heures il n'y avait toujours rien eu. Même si elle avait décidé de ne m'appeler qu'après le dîner, celui-ci devait être terminé à cette heure-là. Un peu désespéré, un peu inquiet, plus qu'un peu embarrassé de me sentir à ce point désespéré et inquiet, je finis par trouver le courage de composer son numéro. Il n'y avait personne. Le répondeur se déclencha après quatre sonneries, mais je raccrochai avant le bip.

Même chose le mardi.

Même chose le mercredi.

Ne sachant plus que faire, je décidai d'appeler Edith pour lui demander ce qui se passait. Elle et Rachel communiquaient en permanence et si la perspective de parler à mon ex provoquait en moi quelque trépidation, je n'avais aucune raison de supposer qu'elle ne me répondrait pas franchement. *Ex marks the spot*, avait dit Harry avec tant d'éloquence. Désormais, le seul contact que j'avais avec mon ancienne comparse était la vue de sa signature au dos de mes chèques de pension alimentaire encaissés. Elle avait demandé le divorce en novembre 1998 et un mois plus tard, longtemps avant que le jugement ne fût rendu, on m'avait découvert ce cancer. Il faut mettre au crédit d'Edith l'autorisation qu'elle m'accorda de continuer à habiter la maison aussi longtemps que nécessaire, ce qui expliquait que nous avions tant tardé à la mettre sur le marché. Après la vente, elle avait consacré une partie de son argent à l'achat d'un appartement à Bronxville – dont Rachel, avec son inimitable exubérance de langage, m'avait dit qu'il était "très bien". Elle avait aussi commencé à suivre des cours pour adultes à Columbia, elle avait fait au moins un voyage en Europe et, si l'on pouvait en croire la rumeur, elle s'envoyait en l'air avec un vieil ami à nous, l'avocat Jay Sussman. Celui-ci avait perdu sa femme depuis deux ans et, comme il en avait toujours pincé pour Edith (les maris ont des antennes pour ce genre de choses), je trouvais bien naturel qu'il lui ait fait des avances après ma sortie de scène. Le veuf joyeux et l'allègre divorcée. Eh bien, tant mieux pour eux. Jay allait sur ses soixante-dix ans, certes, mais qui étais-je pour faire objection à un ou deux dîners-tangos et quelques coucheries au crépuscule ? En toute franchise, je n'y aurais pas vu d'inconvénient pour moi-même.

"Salut, Edith, dis-je quand elle répondit au téléphone. C'est le fantôme des Noëls d'autrefois.

— Nathan ?" Elle paraissait surprise de m'entendre – et aussi un peu dégoûtée.

"Désolé de te déranger, mais j'ai besoin d'un renseignement et tu es seule à pouvoir me le donner.

— Ce n'est pas une de tes mauvaises blagues, au moins ?

— Je le regrette."

Elle poussa un soupir sonore dans le combiné. "Je suis occupée, en ce moment. Ne traîne pas, d'accord ?

— Occupée avec quelqu'un, je suppose.

— Suppose ce que tu veux. Je n'ai pas de comptes à te rendre, vu ?" Un rire étrange et strident lui échappa – un rire si amer, si triomphant, si plein d'impulsions sourdes et contradictoires que je ne savais quel sens lui donner. Le rire d'une ex-épouse libérée, peut-être. Le rire ultime.

"Non, bien sûr que non. Tu es libre de faire ce que tu veux. Tout ce que je te demande, c'est un renseignement.

— A quel propos ?

— Rachel. J'essaie de la joindre depuis lundi, mais j'ai l'impression qu'il n'y a personne chez elle. Je voulais juste être sûr qu'ils vont bien, elle et Terence.

— Quel idiot tu es, Nathan. Tu ne sais donc rien ?

— Apparemment non.

— Ils sont partis en Angleterre le 20 mai et ne reviendront pas avant le 15 juin. Le semestre était terminé à Rutgers. Rachel a été invitée à participer à une conférence à Londres, et maintenant ils font un séjour chez les parents de Terence en Cornouailles.

— Elle ne m'a rien dit.

— Pourquoi te dirait-elle quoi que ce soit ?

— Parce que c'est ma fille, tiens.

— Si tu te conduisais un peu plus comme un père, elle le ferait peut-être. C'est vraiment lamentable, ce que tu lui as fait, Nathan, de lui crier dessus comme ça. De quel droit ? Tu l'as blessée… salement blessée.

— Je lui ai téléphoné pour m'excuser, mais elle m'a raccroché au nez. Maintenant je lui ai écrit une longue lettre. J'essaie de réparer mes torts, Edith. Je l'aime réellement, tu sais.

— Alors tombe à genoux et implore son pardon. Mais n'attends pas de moi que je t'aide. J'ai fini de jouer les médiateurs.

— Ce n'est pas ton aide que je te demande. Simplement, si elle t'appelle d'Angleterre, tu pourrais avoir envie de lui dire qu'il y a une lettre pour elle qui attend son retour à la maison. Et aussi un collier.

— N'y compte pas, bonhomme. Je dirai pas un mot. Pas un seul mot. Tu piges ?"

Et pan dans le mythe de la tolérance et de la bonne volonté entre divorcés. A la fin de cette conversation, j'étais pour moitié d'humeur à sauter dans le prochain train à destination de Bronxville afin d'étrangler Edith de mes propres mains. Pour l'autre moitié, j'avais envie de cracher. Mais rendons justice à cette dame. Sa colère avait été d'une telle violence, ses dénonciations et son mépris si cinglants que cela m'avait bel et bien aidé à prendre une décision. Jamais plus je ne lui ferais signe. Jamais plus de ma vie entière. En aucune circonstance, jamais plus. Le divorce nous avait séparés au regard de la loi, annulant le mariage qui nous avait maintenus ensemble au long de tant d'années, mais il nous restait néanmoins quelque chose en commun et, parce que nous continuerions toute notre vie durant à être les parents de Rachel, j'avais supposé que ce lien nous empêcherait de sombrer dans un état d'animosité permanente. Ce n'était plus le cas. Ce coup de téléphone était la fin et à partir de ce moment Edith ne serait plus pour moi qu'un prénom – cinq petites lettres désignant une personne qui avait cessé d'exister.

Le lendemain, jeudi, je déjeunai seul. Tom se trouvait à Manhattan avec Harry, chez la veuve d'un romancier mort depuis peu, pour discuter des livres de la bibliothèque de son mari. Selon Tom, ce romancier semblait avoir connu tous les auteurs importants des cinquante dernières années et ses étagères étaient bourrées d'ouvrages signés et dédicacés par ses illustres amis. Des "éditions avec envoi", ainsi appelait-on ces livres dans le métier et, disait Tom, comme ils étaient très recherchés par les collectionneurs, ils atteignaient invariablement de bons prix. Il disait aussi que les expéditions de ce genre étaient ce qui lui plaisait le plus dans son travail pour Harry. Non seulement elles lui permettaient d'échapper aux confins de son bureau de l'étage à Brooklyn, mais elles lui offraient aussi l'occasion d'observer son patron en action. "Il en fait tout un numéro, racontait-il. Un flux continu de paroles. Il flatte, dénigre, cajole – c'est un feu roulant de feintes et d'esquives. Je ne crois pas à la réincarnation, mais si j'y croyais, je jurerais qu'il a été dans une autre vie un marchand de tapis marocain."

Le mercredi était le jour de congé de Marina. Privé de la compagnie de Tom, je me réjouissais tout spécialement de la voir ce jeudi mais lorsque j'entrai au Cosmic Diner à treize heures, elle n'y était pas. J'interrogeai Dimitrios, le patron du restaurant, qui m'expliqua qu'elle avait téléphoné le matin pour dire qu'elle était malade et serait sans doute absente pendant quelques jours. J'en fus profondément et absurdement affligé. Après la raclée verbale assénée la veille par mon ex-épouse, j'avais envie de réaffirmer ma foi dans le sexe féminin, et qui m'y aurait mieux aidé que la douce Marina Gonzalez ? Avant d'arriver au restaurant, je l'avais déjà imaginée parée du collier (ce qui avait été le cas les lundi et mardi), et je savais que le seul fait de la voir me ferait tout le bien du monde. Le cœur lourd, je me glissai donc à une table libre et passai commande à Dimitrios, qui remplaçait ma bien-aimée absente. A mon habitude, j'avais emporté un livre dans la poche de mon veston (*La Conscience de Zeno*, acheté sur les conseils de Tom) et, puisque je n'avais personne à qui parler ce jour-là, j'ouvris le roman de Svevo et me mis à lire.

Après deux paragraphes, l'individu connu sous le nom de Mr Ennuis vint frapper à ma porte. Ici se place la rencontre à laquelle j'ai fait allusion quinze ou vingt pages plus haut, et à présent que le moment est venu de la raconter, je frémis au souvenir de ce qui s'est passé entre nous. Ce personnage, cette chose que je préfère appeler Ennuis, cette créature de cauchemar surgie des profondeurs de nulle part, avait pris l'apparence d'un livreur UPS d'une trentaine d'années, doté d'un corps musclé et vigoureux et d'un regard plein de colère. Non, *colère* ne rend pas justice à ce que je voyais sur ce visage. *Fureur* en serait plus proche, je crois, ou peut-être *rage*, ou même *folie meurtrière*. Quoi que ce fût, quand, étant entré en trombe dans le restaurant, il demanda à Dimitrios d'une voix puissante et belliqueuse si Nathan était là, Nathan Glass, je compris que le nom de code de Mr Ennuis était Roberto Gonzalez. Je compris aussi que le collier ne se trouvait plus dans le tiroir-caisse. La pauvre Marina avait oublié de l'enlever avant de rentrer chez elle le mardi soir. Gaffe mineure, sans doute, mais je ne pouvais éviter de me rappeler comment elle avait utilisé le mot *boum* lorsqu'elle avait tenté de refuser mon cadeau et, associant ce mot à ce que m'avait dit Dimitrios, qu'elle serait absente "pendant quelques jours", je me demandai avec quelle violence ce salopard l'avait battue.

S'étant calé sur la banquette en face de moi, l'époux de Marina se pencha par-dessus la table. "C'est toi Nathan ? demanda-t-il. Nathan, fumier, Glass ?

— C'est ça, fis-je. Sauf que mon deuxième prénom n'est pas Fumier. C'est Joseph.

— D'accord, petit malin. Dis-moi pourquoi t'as fait ça ?

— Fait quoi ?"

Il plongea une main dans sa poche et plaqua le collier sur la table. "Ça.

— C'était un cadeau d'anniversaire.

— A ma femme.

— Oui. A votre femme. Qu'y a-t-il de mal à ça ? Marina me sert mon déjeuner tous les jours. C'est une fille formidable et je voulais lui témoigner ma gratitude. Je lui laisse un pourboire quand je paie l'addition, non ? Eh bien, considérez que le collier est un gros pourboire.

— Ça se fait pas, mec. On s'amuse pas avec des femmes mariées.

— Je ne m'amuse pas. Je lui ai simplement fait un cadeau, c'est tout. Je suis assez vieux pour être son père.

— T'as une queue, pas vrai ? T'as encore des couilles, non ?

— La dernière fois que j'ai regardé, elles y étaient encore.

— Je te préviens, vioque. Tu lâches Marina. C'est ma poule, et je te tue si jamais tu l'approches encore.

— Ne la traitez pas de poule. C'est une femme. Et vous êtes un sacré veinard de l'avoir pour épouse.

— Je l'appellerai comme je veux, ducon. Et ça, dit-il en ramassant le collier et en l'agitant devant mes yeux, cette merde-là, tu peux te la bouffer au petit-déjeuner demain matin."

Il l'empoigna à deux mains et, d'un geste sec des deux poignets, cassa la chaînette d'or. Des perles en tombèrent et rebondirent sur le formica de la table ; d'autres atterrirent dans sa paume et, en se levant pour partir, il me les jeta au visage. Sans le rempart de mes lunettes, j'aurais pu en recevoir une dans l'œil. "La prochaine fois, je te tue, cria-t-il en pointant un doigt sur moi comme une marionnette déréglée. Tu la lâches, espèce de salaud, ou tu es mort."

A présent, tout le monde dans le restaurant nous regardait. Ce n'est pas tous les jours qu'en s'attablant pour déjeuner on reçoit en prime un spectacle aussi passionnant mais, du moment que Mr Ennuis m'avait dit mon fait, l'action semblait toucher à sa fin. C'est du moins ce que je pensais. Gonzalez s'était déjà détourné de moi et se dirigeait vers la porte, mais le passage entre les tables était étroit et avant qu'il ait pu effectuer sa sortie, le grand et gros Dimitrios se dressait devant lui. Ainsi commença le deuxième acte. Coincé, le cerveau encore en ébullition, Gonzalez surexcité se mit à crier à tue-tête : "Et toi tu empêches ce dégueulasse de revenir ici, dit-il (en me montrant du doigt). Tu le mets à la porte, ou Marina ne travaille plus pour toi. Elle s'en va.

— Alors elle s'en va, répliqua le patron du Cosmic Diner. C'est mon restaurant, ici, et personne ne me dit ce que je dois faire dans *mon restaurant*. Sans mes clients, je n'ai rien. Alors tire ton cul d'ici et préviens Marina que c'est fini. Je ne veux plus la voir. Et toi, si tu remets les pieds chez moi, j'appelle les flics."

Il y eut quelques échanges de bourrades après cela mais, si costaud et musclé que fût Gonzalez, Dimitrios était trop fort pour lui et, finalement, après une autre vague de menaces et de surenchères, l'époux de Marina disparut de l'établissement. L'imbécile avait privé sa femme de son emploi. Pire encore – bien pire encore –, je me rendis compte que je ne la reverrais sans doute jamais.

Dès que le calme fut revenu dans le restaurant, Dimitrios vint s'asseoir à ma table. Il me présenta des excuses pour la perturbation et déclara qu'il m'offrait mon déjeuner, mais quand j'essayai de le faire revenir sur sa décision de licencier Marina, il fut intraitable. Bien qu'il eût volontiers pris part à notre conspiration du collier dans le tiroir-caisse, les affaires étaient les affaires, expliqua-t-il, et même s'il aimait "vraiment beaucoup" Marina, il ne voulait courir aucun risque de la part de son cinglé de mari. Ensuite il ajouta quelque chose qui se marqua en moi comme la brûlure d'un fer rouge : "Ne vous en faites pas, dit-il, ce n'est pas de votre faute."

C'était de ma faute, pourtant. J'étais responsable de tout ce chaos et je me méprisais d'avoir causé du tort à l'innocente Marina. Sa première impulsion avait été de refuser le collier. Elle savait quel genre d'homme était son mari et moi, au lieu d'écouter ce qu'elle me disait, je l'avais obligée à accepter et ce geste imbécile, ce geste stupide entre tous n'avait provoqué que des ennuis. Que Dieu me damne, me disais-je. Qu'on jette mon corps en enfer et qu'on m'y laisse brûler pendant mille ans.

Ce fut mon dernier repas au Cosmic Diner. Je continue à passer devant tous les jours au cours de mes promenades dans la Septième Avenue, mais je n'ai pas encore eu le courage d'y entrer.

UNE SACRÉE COMBINE

Ce soir-là (le jeudi), je retrouvai Harry pour dîner au Mike & Tony's Steak House, à l'angle de la Cinquième Avenue et de Carroll Street. C'était dans ce même restaurant qu'il avait fait à Tom, quelques mois auparavant, ses révélations troublantes, et je pense qu'il l'avait choisi parce qu'il s'y sentait à l'aise. La première moitié de cet établissement était un bar de quartier où les clients étaient activement encouragés à fumer cigares et cigarettes, et où ils pouvaient suivre les événements sportifs sur une grande télévision fixée au mur près de l'entrée. Si, traversant cette salle, on poussait l'épaisse double porte vitrée qui se trouvait au fond, on découvrait un environnement tout à fait différent. Chez Mike & Tony, le restaurant était une petite pièce au sol couvert d'une moquette, avec un mur d'étagères chargées de livres, quelques photos en noir et blanc sur un autre mur, et pas plus de huit à dix tables. En d'autres termes, une salle à manger calme et intime, possédant en outre le précieux avantage d'une acoustique tolérante permettant de s'entendre même si l'on parlait à voix feutrée. Dans l'esprit de Harry, cet endroit devait sembler aussi protecteur et intime qu'un confessionnal. En tout cas, c'est là qu'il avait choisi de se confesser – d'abord à Tom et, maintenant, à moi.

À sa connaissance, mes informations concernant sa vie prébrooklynienne n'allaient pas au-delà de quelques données fondamentales : né à Buffalo, ex-mari de Bette, père de Flora, un temps de prison. Il ignorait que Tom m'avait déjà communiqué de nombreux détails, mais je n'allais pas lui révéler cela. Je fis donc celui qui ne savait rien pendant qu'il me déroulait l'histoire connue de l'embrouille Alec Smith et de sa rupture consécutive avec Gordon Dryer. Au début, je ne comprenais pas pourquoi il prenait la peine de me raconter tout ça. Quel rapport y avait-il avec son affaire actuelle, je me le demandais. Et puis, de plus en plus troublé, je lui posai la question directement. "Sois patient, me dit-il. Le moment venu, tout s'expliquera."

Je ne parlai guère pendant la première partie du repas. J'étais encore sous le choc de la scène de midi et tandis que Harry me déballait son histoire, mes pensées retournaient sans cesse à Marina, à son idiot de mari et à toute la chaîne de circonstances qui m'avait amené à acheter à la JMS cette maudite babiole. Mais le patron de Tom était en grande forme ce soir-là et, avec l'aide d'un scotch à l'apéritif et du vin que je bus pour accompagner mon plateau d'huîtres de Blue Point, j'émergeai petit à petit de mon marasme pour concentrer mon attention sur la conversation en cours. Le récit que faisait Harry de ses méfaits de Chicago correspondait bien à ce que Tom m'avait rapporté, mais avec une différence notable et amusante. Face à Tom, Harry avait fondu en larmes. Écrasé de remords, il se reprochait la ruine de son mariage, de son gagne-pain et de son nom. Devant moi, par contre, il ne manifestait aucun repentir, allant jusqu'à se féliciter de la remarquable combine qu'il avait réussi à exploiter pendant deux bonnes années, et évoquant son aventure en contrefaçon artistique comme l'une des périodes les plus grisantes de sa vie. Comment expliquer un changement de ton aussi radical ? Avait-il joué la comédie devant Tom afin de gagner sa sympathie et sa compréhension ? Ou bien, suivant de si près la désastreuse apparition de Flora à Brooklyn, cette première confession avait-elle été un cri du cœur ? Cela se peut. Tout homme contient en lui plusieurs hommes et, pour la plupart, nous sautons de l'un à l'autre sans jamais savoir qui nous sommes. En haut un jour, en bas le lendemain ; moroses et silencieux le matin, rieurs et farceurs le soir. Harry était au plus bas quand il avait parlé à Tom et à présent que sa nouvelle affaire était en route, il m'entraînait dans les hauteurs.

On nous apporta nos côtes à l'os, nous passâmes au vin rouge et puis, à la fin des fins, j'eus droit à la suite de l'histoire. Harry m'avait quasiment averti qu'il me ménageait une surprise mais, m'eût-il donné cent chances de deviner de quoi il s'agissait, jamais je n'aurais prédit l'information stupéfiante qui échappa posément à ses lèvres.

"Gordon est de retour, annonça-t-il.

— Gordon, répétai-je, trop ahuri pour dire autre chose. Tu veux dire Gordon Dryer ?

— Gordon Dryer. Mon vieux camarade de péchés et de facéties.

— Comment diable a-t-il retrouvé ta trace ?

— A t'entendre, on croirait que c'est un mal, Nathan. Ce n'en est pas un. Je suis très, très heureux.

— Après ce que tu lui as fait, j'aurais pensé qu'il aimerait te tuer.

— C'est ce que j'ai cru d'abord, mais c'est fini, tout ça. La rancœur, l'amertume. Le pauvre garçon s'est jeté dans mes bras en me demandant de lui pardonner. Tu imagines ? Il voulait que *je lui* pardonne.

— Mais c'est toi qui l'as envoyé en prison.

— Oui, mais la combine était son idée, au départ. Sans lui pour lancer l'affaire, aucun de nous deux n'aurait été incarcéré. C'est ça qu'il se reproche. Il a beaucoup pratiqué l'introspection depuis quelques années, et il m'a dit qu'il en était arrivé à un point où il ne pouvait plus vivre avec lui-même si je pensais qu'il m'en voulait encore. Gordon n'est plus un gamin. Il a quarante-sept ans maintenant, et il a mûri depuis l'époque de Chicago.

— Il a fait combien d'années de prison ?

— Trois et demie. Et puis il est parti à San Francisco et il s'est remis à peindre. Sans grand succès, je le dis à regret. Il se débrouille en donnant des leçons de dessin à des particuliers, un boulot temporaire de-ci, de-là, et puis il est tombé amoureux d'un type qui vit à New York. C'est pour ça qu'il est en ville maintenant. Il a quitté San Francisco pour s'installer chez lui au début du mois dernier.

— Quelqu'un qui a de l'argent, je suppose.

— Je ne connais pas tous les détails. Mais je crois qu'il gagne assez pour subvenir à leurs besoins à tous les deux.

— Il en a de la chance, Gordon.

— Pas tant que ça. Pas vraiment, si tu penses à tout ce qu'il a subi. Et, d'ailleurs, c'est moi qu'il aime. Il est très attaché à son ami, mais c'est moi qu'il aime. Et je l'aime, moi aussi.

— Je ne voudrais pas me mêler de ta vie privée, mais que fais-tu de Rufus ?

— Rufus, c'est mon cœur, nos relations sont strictement platoniques. Depuis des années qu'on se connaît, jamais nous n'avons passé une nuit ensemble.

— Mais Gordon, c'est autre chose.

— Tout autre chose. Il n'est plus jeune, mais c'est encore un bel homme. Je ne peux pas te dire combien il est gentil avec moi. Nous ne nous voyons pas souvent, mais tu sais ce que c'est, les amours secrètes. Tant de mensonges à dire, tant d'arrangements à prendre. Et pourtant, à chaque fois, la vieille étincelle est toujours là. Je croyais en avoir fini avec tout ça, je me croyais sur la pente ultime, et puis Gordon m'a régénéré. La peau nue, Nathan. C'est la seule chose qui vaille dans la vie.

— C'en est une, en tout cas, je te l'accorde.

— Si tu en connais une meilleure, préviens-moi.

— Je pensais que nous étions venus ici pour parler affaires.

— C'est précisément ce que nous faisons. Gordon en fait partie, vois-tu. Nous sommes là-dedans ensemble.

— De nouveau ?

— C'est un plan formidable. Tellement brillant que j'en ai la chair de poule chaque fois que j'y pense.

— Pourquoi ai-je cette folle impression que tu vas m'apprendre que tu te lances dans une nouvelle escroquerie ? Cette affaire est légale ou illégale ?

— Illégale, évidemment. Quel serait le plaisir s'il n'y avait pas de risque ?

— Tu es incorrigible, Harry. Après tout ce qui t'est arrivé, j'aurais cru que tu voudrais filer droit pour le restant de tes jours.

— J'ai essayé. Pendant neuf longues années, j'ai essayé, mais en vain. Il y a en moi un esprit malicieux, et si je ne le laisse pas sortir de temps à autre pour faire une ou deux bêtises, la vie devient tout simplement trop ennuyeuse. Je déteste me sentir grognon et morose. Je suis un enthousiaste et plus ma vie devient dangereuse, plus je suis heureux. Il y a des gens qui jouent aux cartes. D'autres escaladent des montagnes ou sautent d'avion. J'aime tromper les gens. J'aime voir jusqu'où je peux aller. Déjà quand j'étais gosse, je rêvais de publier une encyclopédie dans laquelle tous les renseignements seraient faux. De fausses dates pour tous les événements historiques, de faux parcours pour tous les cours d'eau, des biographies de gens qui n'ont jamais existé. Quel genre d'individu imagine de faire un truc pareil ? Un cinglé, je suppose, mais bon Dieu que cette idée me faisait rire. Quand j'étais dans la marine, j'ai failli passer en cour martiale pour avoir interverti des étiquettes sur une série de cartes nautiques. Je l'avais fait exprès. Je ne sais pas pourquoi, l'envie m'en a pris et je n'ai pas pu m'en empêcher. J'ai réussi à persuader mon supérieur que c'était une erreur honnête, mais ce n'était pas vrai. Voilà qui je suis, Nathan. Je suis généreux, je suis gentil, je suis loyal, mais je suis aussi un arnaqueur-né. Il y a quelques mois, Tom a parlé d'une théorie que quelqu'un avait échafaudée à propos de la littérature classique. Tout ça, c'était de la blague, selon ce type. Eschyle, Homère, Sophocle, Platon, tous ces gens-là. Tous inventés par de malins poètes italiens de la Renaissance. T'as jamais rien entendu de plus merveilleux ? Les grands piliers de la civilisation occidentale, tous bidon. Ah, ce que j'aurais aimé avoir pris part à ce petit gag.

— Alors voilà ce que c'est. D'autres faux tableaux ?

— Non. Un faux manuscrit. Je suis dans les livres maintenant, n'oublie pas.

— L'idée vient de Gordon, bien sûr.

— Eh bien, oui. Il est extrêmement intelligent, tu sais, et il comprend mes faiblesses.

— Tu es sûr de vouloir m'en parler ? Comment sais-tu que tu peux me faire confiance ?

— Parce que tu es un homme d'honneur et de discrétion.

— Comment le sais-tu ?

— Parce que tu es l'oncle de Tom. Et lui aussi, c'est un homme d'honneur et de discrétion.

— Alors pourquoi ne pas en parler à Tom ?

— Parce que Tom est trop pur. Il est trop bon, et il n'a pas le sens des affaires. Tu connais la vie, toi, Nathan, et j'attends de ton expérience quelques conseils judicieux.

— Mon conseil serait de laisser tomber.

— Je ne peux pas. L'affaire est déjà trop avancée pour que je fasse marche arrière maintenant. Et, d'ailleurs, je n'en ai pas envie.

— Bon, soit. Mais quand tout ça te pétera à la figure, n'oublie pas que je t'aurai averti.

— *La Lettre écarlate*. C'est un titre qui t'est familier, n'est-ce pas ?

— Je l'ai lue en classe d'anglais en troisième. Miss Flaherty, quatrième heure de cours.

— On l'a tous lu à l'école secondaire, oui. Un classique américain. Un des livres les plus célèbres de toute la littérature.

— Serais-tu en train de me dire que Gordon et toi, vous allez réaliser de toutes pièces un manuscrit de *La Lettre écarlate* ? Et l'original de Hawthorne, alors ?

— C'est ça toute la beauté de la chose. Le manuscrit de Hawthorne a disparu. Sauf la page de titre – laquelle, à l'heure où nous parlons, dort dans un coffre de la Morgan Library. Mais personne ne sait ce qui est advenu du reste de l'ouvrage. Certains pensent qu'il a été détruit par le feu, soit du fait de Hawthorne lui-même, soit dans l'incendie d'un entrepôt. D'autres supposent que les imprimeurs ont tout bonnement jeté les feuilles à la poubelle – ou s'en sont servis pour allumer leurs pipes. C'est la version que je préfère. Une équipe d'ouvriers ignares dans une imprimerie de Boston en train d'allumer leurs pipes de maïs avec *La Lettre écarlate*. Mais quelle que soit la vraie histoire, il y a assez d'incertitude dans tout ça pour qu'on puisse imaginer que le manuscrit n'est pas perdu. Simplement égaré, pour ainsi dire. Suppose que l'éditeur de Hawthorne, James T. Fields, l'ait emporté chez lui et l'ait rangé quelque part dans une caisse avec une pile d'autres papiers. Un beau jour, on monte la caisse au grenier. Des années après, un des enfants de Fields en hérite, ou bien elle est abandonnée dans la maison et quand la maison est vendue, la caisse appartient aux nouveaux propriétaires. Tu vois ce que je veux dire ? Il y a suffisamment de doutes et de mystère pour préparer l'annonce d'une découverte miraculeuse. C'est arrivé il y a quelques années à peine avec un paquet de lettres et de manuscrits de Melville dans une maison au fin fond de l'Etat de New York. Si on peut tomber sur des papiers de Melville, pourquoi pas Hawthorne ?

— Qui va faire le faux ? Gordon n'est pas qualifié pour ça, je suppose.

— Non. Il sera le découvreur. Ce travail sera réalisé par un certain Ian Metropolis. Gordon a entendu parler de lui par quelqu'un qu'il a connu en prison, et apparemment c'est le meilleur qui soit, un véritable génie. Il a imité Lincoln, Poe, Washington Irving, Henry James, Gertrude Stein et Dieu sait qui encore et, depuis des années qu'il est là-dedans, il ne s'est jamais fait pincer. Pas de casier, pas le moindre soupçon flottant autour de lui. L'homme est une ombre tapie dans l'obscurité. C'est un boulot complexe et exigeant, Nathan. Avant tout, il y a la question du papier – il faut un papier datant du milieu du XIXe siècle, pouvant supporter des examens aux rayons X et aux ultraviolets. Ensuite il faut étudier tous les manuscrits encore existants de Hawthorne et apprendre à imiter son écriture – qui était assez informe, soit dit en passant, parfois presque illisible. Mais la maîtrise matérielle de la technique n'est qu'une petite partie de la chose. Ce n'est pas comme si tu t'installais devant une version imprimée de *La Lettre écarlate* pour la copier à la main. Il faut connaître tous les tics personnels de Hawthorne, les erreurs qu'il commettait, sa manie des traits d'union, son incapacité à épeler correctement certains mots. *Ceiling* (plafond) était toujours *cieling* ; *steadfast* (ferme), toujours *stedfast* ; *subtle* (subtil), toujours *subtile*. Chaque fois que Hawthorne écrivait *Oh*, les compositeurs le changeaient en *O*. Et cetera. Cela demande une énorme préparation et beaucoup de travail. Mais le jeu en vaut la chandelle, mon ami. Un manuscrit complet irait sans doute chercher dans les trois à quatre millions de dollars. Gordon m'en a proposé vingt-cinq pour cent en échange de mes services, ce qui signifie que nous avons en vue pas loin d'un million. Pas trop minable, hein ?

— Et tu es censé faire quoi en échange de tes vingt-cinq pour cent ?

— Vendre le manuscrit. Je suis le pourvoyeur humble mais respecté d'ouvrages anciens, autographes et curiosités littéraires. Cela confère au projet de la légitimité.

— Tu as déjà un acheteur ?

— Ça, c'est le côté qui me préoccupe. J'ai suggéré que nous vendions directement à l'une des bibliothèques de la ville – la collection Berg, la Morgan, l'université de Columbia – ou bien qu'on le mette aux enchères chez Sotheby. Mais Gordon tient absolument à un collectionneur privé. Il dit qu'il est plus prudent d'éviter que l'affaire ne devienne publique, et je ne peux pas lui donner tort. Mais, tout de même, je me demande du coup s'il a vraiment confiance dans le travail de Metropolis.

— Et qu'est-ce qu'il dit, Metropolis ?

— Je ne sais pas. Je ne l'ai pas rencontré.

— Tu t'engages dans une escroquerie de quatre millions de dollars avec un type que tu n'as jamais rencontré ?

— Il ne laisse personne voir son visage. Même pas Gordon. Tous leurs contacts ont été téléphoniques.

— Je n'aime pas ça du tout, Harry.

— Oui, je sais. Un peu trop roman noir à mon goût aussi. Néanmoins, les choses semblent avancer maintenant. Nous avons trouvé notre acheteur et, il y a quinze jours, nous lui avons communiqué une page échantillon. Crois-moi si tu veux, il l'a montrée à plusieurs experts qui en ont tous confirmé l'authenticité. J'ai reçu de lui un chèque de dix mille dollars. Comme acompte, afin que nous ne proposions le manuscrit à personne d'autre. On devrait conclure l'affaire quand il reviendra d'Europe, vendredi prochain.

— Qui est-ce ?

— Un financier, il s'appelle Myron Trumbell. Je me suis renseigné. Il est d'une vieille famille de Park Avenue, positivement cousu d'or.

— Où Gordon l'a-t-il déniché ?

— C'est un ami de son ami, l'homme avec qui il vit maintenant.

— Que tu n'as pas rencontré non plus.

— Non. Et je n'en ai aucune envie. Gordon et moi, nous nous aimons en secret. Pourquoi voudrais-je rencontrer mon rival ?

— Je crois que tu t'engages dans un traquenard, mon vieux. On te monte un coup.

— On me monte un coup ? Qu'est-ce que tu racontes ?

— Combien de pages du manuscrit as-tu vues ?

— Juste celle-là. Celle que j'ai fait passer à Trumbell il y a quinze jours.

— Et s'il n'y avait que cette page-là, Harry ? Si Ian Metropolis n'existait pas ? S'il s'avérait que le nouvel ami de Gordon est tout simplement Myron Trumbell en personne ?

— Impossible. Pourquoi irait-on jusqu'à…

— Vengeance. Un sale tour en appelle un autre. La monnaie de ta pièce. Toutes ces merveilleuses qualités pour lesquelles les humains sont si renommés. J'ai bien peur que ton Gordon ne soit pas ce que tu penses.

— C'est trop noir, ça, Nathan. Je refuse d'y croire.

— Tu as encaissé le chèque de Trumbell ?

— Je l'ai déposé à la banque il y a trois jours. Pour tout te dire, j'en ai déjà dépensé la moitié en fringues neuves.

— Renvoie l'argent.

— Je ne veux pas.

— Si tu n'en as pas assez sur ton compte, tu peux m'emprunter ce qui manque pour compenser la différence.

— Merci, Nathan, mais je n'ai pas besoin de ta charité.

— Ils te tiennent par les couilles, Harry, et tu ne t'en doutes même pas.

— Pense ce que tu veux, je ne reculerai pas maintenant. Je fonce, qu'il grêle, qu'il vente ou qu'il tonne. Si tu as raison en ce qui concerne Gordon, ma vie est finie, de toute façon. Alors qu'est-ce que ça peut faire ? Et si tu te trompes – ce dont je suis certain –, alors je t'inviterai de nouveau à dîner et tu pourras boire à ma réussite."

ON FRAPPE A LA PORTE

Les samedis et dimanches, Tom faisait la grasse matinée. La boutique de Harry était ouverte le week-end, mais Tom n'avait pas besoin d'aller travailler et, comme il n'y avait pas école ces jours-là, il n'avait aucune raison de se lever tôt. Il n'aurait pas trouvé la JMS sur le seuil de sa maison, en train d'attendre le bus avec ses enfants, et sans cet appât pour le tirer de la tiédeur de son lit, il ne voyait pas l'intérêt de mettre le réveil. Store baissé, blotti dans le cocon obscur de son logement minuscule, il dormait jusqu'à ce que ses yeux s'ouvrent d'eux-mêmes – ou, ainsi qu'il arrivait souvent, qu'un bruit quelque part dans l'immeuble le tire de sa torpeur. Le dimanche 4 juin (trois jours après ma désastreuse prise de bec avec Gonzalez et la troublante conversation que j'avais eue ensuite avec Harry Brightman), c'est un bruit qui arracha mon neveu aux profondeurs du sommeil – le bruit que faisait une petite main frappant doucement et timidement à sa porte. Il était neuf heures passées de quelques minutes et sitôt que ce bruit fut parvenu à la conscience de Tom, sitôt que, sorti du lit, il eut traversé la pièce d'un pas mal assuré et ouvert la porte, sa vie prit un virage nouveau et inattendu. En gros, tout changea pour lui et ce n'est qu'à présent, après des préparatifs laborieux, après de nombreux ratissages et sarclages du sol, que ma chronique des aventures de Tom commence à prendre son envol.

C'était Lucy. Une Lucy de neuf ans et demi, silencieuse, avec des cheveux bruns coupés court et les yeux noisette de sa mère, une grande gamine vêtue d'un jean rouge élimé, de tennis râpées et d'un t-shirt imprimé du logo des Kansas City Royals. Pas de sac, ni veste ni chandail sur le bras, rien que les habits qu'elle avait sur le dos. Il y avait six ans que Tom ne l'avait plus vue, mais il la reconnut aussitôt. Tout à fait différente, en un sens, et en même temps exactement telle qu'elle avait été – malgré une nouvelle dentition d'adulte, malgré un visage plus long et plus mince, malgré les nombreux centimètres en plus. Debout sur le seuil, elle souriait à son oncle ébouriffé et encore endormi tout en l'examinant de ces yeux ravis et écarquillés dont il se souvenait si bien, du temps du Michigan. Où était sa mère ? Où était le mari de sa mère ? Etait-elle seule ? Comment était-elle arrivée là ? Tom avait beau se taire après chaque question, pas un mot ne sortait de la bouche de Lucy. Pendant quelques instants, il se demanda si elle était devenue sourde mais lorsqu'il lui demanda si elle se rappelait qui il était, elle fit oui de la tête. Tom écarta les bras et elle s'y jeta de bon cœur, en appuyant le front contre sa poitrine et en l'étreignant de toutes ses forces. "Tu dois mourir de faim", dit-il enfin, et il ouvrit largement la porte pour la faire entrer dans ce sinistre cercueil qu'il appelait sa chambre.

Il lui servit un bol de céréales et lui versa un verre de jus d'orange, et il avait à peine fini de se préparer son café que le verre et le bol étaient vides. Il lui demanda si elle voulait encore quelque chose et, comme elle faisait signe que oui en souriant, il lui prépara deux pains perdus qu'elle noya dans une mare de sirop d'érable et engloutit en une minute et demie. Au début, Tom attribua son silence à l'épuisement, à l'anxiété, à la faim, à n'importe laquelle de plusieurs causes possibles mais, en réalité, Lucy n'avait pas l'air fatiguée, elle semblait parfaitement à l'aise là où elle se trouvait et, maintenant qu'elle avait fini de manger, la faim pouvait à son tour être rayée de la liste. Et pourtant elle continuait à garder le silence en réponse à ses questions. Quelques mouvements de la tête mais pas un mot, pas un son, pas la moindre tentative de se servir de sa langue.

"Tu as perdu la parole, Lucy ?"

Un geste de dénégation.

"Et ton t-shirt ? Ça veut dire que tu viens de Kansas City ?"

Pas de réaction.

"Que veux-tu que je fasse de toi ? Je ne peux pas te renvoyer chez ta mère si tu ne me dis pas où elle habite."

Pas de réaction.

"Tu veux que je te donne un crayon et un bloc-notes ? Si tu n'as pas envie de parler, tu pourrais peut-être m'écrire tes réponses."

Geste de dénégation.

"Tu as définitivement arrêté de parler ?"

Nouveau geste de dénégation.

"Bien. Je suis heureux de l'apprendre. Et quand seras-tu autorisée à t'y remettre ?"

Lucy réfléchit un instant et puis éleva deux doigts vers Tom.

"Deux. Mais deux quoi ? Deux heures ? Deux jours ? Deux mois ? Dis-moi, Lucy."

Pas de réaction.

"Ta mère va bien ?"

Un hochement de tête.

"Elle est toujours mariée avec David Minor ?"

Nouveau hochement de tête.

"Pourquoi t'es-tu enfuie, alors ? Ils ne te traitaient pas bien ?"

Pas de réaction.

"Comment es-tu arrivée à New York ? En autocar ?"

Un hochement de tête.

"Tu as encore la souche de ton ticket ?"

Pas de réaction.

"Voyons ce que tu as dans tes poches."

Complaisante, Lucy enfonça les mains dans les quatre poches de son jean et les vida de leur contenu, sans que cela révèle rien de significatif. Cent cinquante-sept dollars en espèces, trois plaquettes de chewing-gum, six pièces de vingt-cinq cents, deux de dix cents, quatre d'un cent, et un bout de papier sur lequel étaient écrits le nom, l'adresse et le numéro de téléphone de Tom – pas de ticket d'autocar, rien qui pût donner une idée du lieu où son voyage avait commencé.

"Bon, ça va, Lucy, dit Tom. Maintenant que tu es là, tu as l'intention de faire quoi ? Où vas-tu habiter ?"

Lucy pointa un doigt vers son oncle.

Tom laissa échapper un rire bref et incrédule. "Regarde bien où tu es, dit-il. Il y a à peine assez de place ici pour une personne. Où crois-tu que tu vas dormir, fillette ?"

Un haussement d'épaules, suivi d'un sourire plus beau que jamais – comme pour dire : On se débrouillera bien.

Mais il n'y avait pas à se débrouiller, en tout cas pas dans l'esprit de Tom. Il ne connaissait rien aux enfants et, eût-il vécu dans une maison immense équipée d'une armée de domestiques, il n'aurait pas eu la moindre envie de se substituer aux parents de sa nièce. Un enfant normal eût déjà représenté un fameux défi, mais une gamine qui refusait de parler et s'obstinait à ne donner aucun renseignement sur son compte, c'était tout simplement impossible. Et pourtant qu'allait-il faire ? Pour l'instant, il l'avait sur le dos et s'il ne réussissait pas à l'obliger à lui dire où était sa mère, il n'était pas question de s'en débarrasser. Cela ne signifiait pas qu'il n'aimait pas Lucy, ni que son bien-être lui était indifférent, seulement qu'elle s'était trompée d'adresse. De tous les gens ayant le moindre lien avec elle, il était le moins qualifié pour cet emploi.

Je n'avais pas, moi non plus, envie de la prendre en charge mais, au moins, il y avait une chambre libre dans mon appartement et quand Tom m'appela, dans la matinée, pour me raconter ce qui lui arrivait (d'une voix paniquée, en criant presque dans le téléphone), je lui dis que je voulais bien accueillir sa nièce jusqu'à ce que nous ayons trouvé une solution au problème. Ils arrivèrent chez moi peu après onze heures. Lucy sourit quand Tom la présenta à son grand-oncle Nat et parut heureuse de recevoir le baiser que je lui posai sur le sommet du crâne, et pourtant je m'aperçus bientôt qu'elle n'était pas plus disposée à me parler qu'à lui. Moi qui avais espéré parvenir par ruse à lui faire lâcher quelques mots, je n'obtins que les mêmes signes de tête auxquels Tom avait été confronté jusque-là. Etrange, déroutante petite personne. Je n'avais rien d'un expert en psychologie enfantine mais il me paraissait évident qu'il n'y avait chez elle aucun problème physique ni psychologique.

Aucun retard, nul signe d'autisme, rien d'organique l'empêchant de communiquer avec autrui. Elle vous regardait droit dans les yeux, comprenait tout ce que vous disiez et souriait aussi souvent et affectueusement que n'importe quel enfant, voire deux. Qu'y avait-il, alors ? Quelque terrible traumatisme l'avait-il privée de la capacité de parler ? Ou bien, pour des raisons qui nous restaient impénétrables, avait-elle décidé de faire vœu de silence, de se contraindre à un mutisme volontaire afin de mettre à l'épreuve sa volonté et son courage – un jeu d'enfant dont elle finirait bien par se lasser ? On ne voyait nulle ecchymose sur son visage et sur ses bras mais je résolus de la persuader de prendre un bain, à un moment quelconque de la journée, et d'examiner alors le reste de son corps. Juste pour m'assurer que personne ne l'avait battue ni n'avait abusé d'elle.

Je l'installai au living devant la télévision, que je réglai sur une chaîne diffusant des dessins animés vingt-quatre heures sur vingt-quatre. Ses yeux s'illuminèrent de plaisir lorsqu'elle vit évoluer sur l'écran les petits personnages – à tel point qu'il me vint à l'esprit qu'elle n'avait pas l'habitude de regarder la télévision, ce qui me donna ensuite à penser à David Minor et à la sévérité de ses convictions religieuses. Le mari d'Aurora avait-il banni la télé de la maison ? Etaient-elles si fortes, ces convictions, qu'il voulût protéger sa fille adoptive du carnaval frénétique de la culture pop américaine – cet étalage impie de clinquant et de fange que déversaient indéfiniment tous les tubes cathodiques du pays ? Possible. Nous ne saurions rien de Minor tant que Lucy ne nous aurait pas dit où elle habitait et, pour l'instant, elle ne disait pas un mot. Tom avait deviné Kansas City à cause du t-shirt, mais elle avait aussi bien refusé de confirmer que d'infirmer cette supposition, ce qui semblait indiquer qu'elle ne voulait pas nous renseigner – pour la simple raison qu'elle avait peur que nous la renvoyions d'où elle venait. Elle s'était enfuie de chez elle, après tout, et les enfants heureux ne s'enfuient pas de chez eux. Ça, au moins, nous en avions la certitude, qu'il y ait ou non chez eux la télévision.

Laissant Lucy assise par terre dans le living, en train de croquer des pistaches tout en regardant un épisode d'*Inspecteur Gadget*, nous allâmes, Tom et moi, nous installer à la cuisine, où elle ne pourrait pas entendre notre conversation. Celle-ci dura bien trente ou quarante minutes, sans autre résultat qu'une confusion et une anxiété croissantes. Tant de mystères et d'impondérables à considérer, si peu d'indices sur lesquels bâtir une explication plausible. Où Lucy avait-elle trouvé l'argent pour le voyage ? Comment avait-elle eu l'adresse de Tom ? Sa mère l'avait-elle aidée à partir, ou s'était-elle enfuie toute seule ? Et si Aurora s'en était mêlée, pourquoi n'avait-elle pas pris contact avec Tom à l'avance, ou au moins confié à Lucy une lettre pour lui ? Peut-être qu'il y avait eu une lettre, et que Lucy l'avait perdue. De toute façon, que nous apprenait le départ de la fillette quant au mariage d'Aurora ? Etait-ce le désastre que nous craignions tous deux, ou la sœur de Tom avait-elle fini par voir la lumière et embrasser la vision du monde de son mari ? Mais encore, si l'harmonie régnait dans le ménage, que faisait leur fille à Brooklyn ? Et ainsi de suite, nous tournions en rond, tous les deux, en parlant et parlant encore, incapables de répondre à une seule question.

"Avec le temps, tout s'expliquera, dis-je à la fin, ne voulant pas prolonger l'épreuve. Mais allons d'abord au plus pressé. Il faut lui trouver un endroit où habiter. Tu ne peux pas la garder et moi non plus. Alors quoi faire ?

— Je ne veux pas d'un placement familial, si c'est à ça que tu penses, déclara Tom.

— Non, bien sûr que non. Mais il doit y avoir quelqu'un que nous connaissons qui serait d'accord pour la prendre. Provisoirement, je veux dire. Jusqu'à ce que nous réussissions à dénicher Aurora.

— C'est beaucoup demander, Nathan. Ça pourrait durer des mois. Peut-être toujours.

— Que penserais-tu de ta demi-sœur ?

— Pamela ?

— Tu disais qu'elle était à l'aise. Grande maison dans le Vermont, deux gosses, mari avocat. Si tu lui disais que c'est juste pour l'été, peut-être qu'elle marcherait.

— Elle déteste Rory. Comme tous les Zorn. Pourquoi irait-elle se compliquer la vie pour la gamine de Rory ?

— Compassion. Générosité. Tu disais qu'elle s'était améliorée avec l'âge, non ? Eh bien, si je promets de prendre en charge les dépenses de Lucy, elle pourrait peut-être considérer ça comme une aventure familiale. Tous ensemble pour le bien commun.

— Tu es une vieille andouille persuasive, hein ?

— J'essaie simplement de nous sortir d'un mauvais pas, Tom. Rien de plus.

— Bon, d'accord, je vais prendre contact avec Pamela. Elle va m'envoyer paître, mais je peux quand même essayer.

— Bravo, fiston. Mets-y toute la sauce. Double crème avec sirop et mélasse."

Il ne voulait pas téléphoner de chez moi, toutefois. Non seulement parce que Lucy s'y trouvait, me dit-il, mais aussi parce qu'il se sentirait embarrassé en ma présence. Tom le délicat, le pointilleux, l'âme la plus sensible du monde. Pas de problème, répliquai-je, mais il n'avait pas besoin de retourner chez lui. Nous allions sortir, Lucy et moi, et le laisser seul pendant qu'il parlerait à Pamela, avec l'avantage supplémentaire que la communication interurbaine me serait facturée, à moi. "Tu vois comment elle est habillée, dis-je. Ce jean usé et ces chaussures avachies. Ça ne va pas du tout. Tu appelles le Vermont, et moi je l'emmène acheter quelques vêtements neufs."

Cela régla la question. Après un déjeuner préparé en vitesse, soupe aux tomates, œufs brouillés et sandwiches au salami, nous partîmes, Lucy et moi, faire du shopping. Silencieuse ou non, elle paraissait apprécier l'expédition autant que n'importe quelle autre gamine dans des circonstances analogues : une liberté totale de choisir tout ce qu'elle voulait. Si, au début, nous nous en tînmes surtout à l'essentiel (chaussettes, sous-vêtements, pantalon, short, pyjama, un sweat-shirt à capuche, un blouson imperméable en nylon, pince à ongles, brosse à dents, brosse à cheveux, et cetera), vinrent ensuite la paire de tennis bleu électrique à cent cinquante dollars, la casquette de base-ball pure laine, réplique de celle des Brooklyn Dodgers, et, à ma légère surprise, un duo étincelant consistant en d'authentiques babies tout cuir et la robe en coton rouge et blanc que nous achetâmes en dernier lieu – un bon vieux classique, avec un col rond et une ceinture nouée dans le dos. Le temps de ramener notre butin à l'appartement, il était largement plus de quinze heures et Tom n'était plus là. Un billet m'attendait sur la table de la cuisine.

Cher Nathan,

Pamela a dit oui. Ne me demande pas comment j'ai fait, j'ai dû la travailler pendant plus d'une heure avant qu'elle finisse par céder. C'est l'une des conversations les plus difficiles, les plus pénibles que j'aie jamais soutenues. Pour l'instant, c'est seulement "à l'essai" mais la bonne nouvelle, c'est qu'elle veut que nous lui amenions Lucy demain. Quelque chose à voir avec l'emploi du temps de Ted et une fiesta au country-club du coin. Je suppose que nous pouvons prendre ta voiture, oui ? Je conduirai si tu ne te sens pas de le faire. Je file à la librairie pour demander à Harry quelques jours de congé. Je t'attends là-bas. A presto,

TOM

Je n'avais pas imaginé que les choses iraient aussi vite. J'étais soulagé, bien sûr, heureux que notre problème eût trouvé une solution aussi rapide et efficace, mais d'un autre côté je me sentais déçu, comme dépossédé. Je commençais à aimer Lucy et pendant toute notre expédition dans les boutiques du quartier, je m'étais mis peu à peu à envisager avec joie la perspective de la garder un certain temps avec nous – quelques jours, imaginais-je, peut-être même quelques semaines. Ce n'était pas que j'aie changé d'avis au sujet de la situation (Lucy ne pouvait pas habiter chez moi éternellement), mais une période limitée m'aurait paru plus que supportable. J'avais manqué de si nombreuses occasions avec Rachel quand elle était jeune et, maintenant, voilà qu'une petite fille avait besoin qu'on s'occupe d'elle, qu'on lui achète des vêtements et qu'on la nourrisse, besoin d'un adulte ayant assez de temps devant lui pour faire attention à elle et tenter de l'arracher à son incompréhensible silence. Je n'aurais vu aucune objection à tenir ce rôle mais, apparemment, le spectacle déménageait de Brooklyn à la Nouvelle-Angleterre et un autre acteur me remplaçait. J'essayai de me consoler en me disant que Lucy serait mieux à la campagne avec Pamela et ses enfants, mais que savais-je de Pamela ? Je ne l'avais plus vue depuis des années et nos rares rencontres m'avaient laissé froid.

Lucy voulut mettre sa nouvelle robe et les babies pour aller à la librairie et je donnai mon accord à condition qu'elle prenne d'abord un bain. J'avais une grande expérience du bain des enfants, déclarai-je et, en guise de preuve, je pris dans la bibliothèque un album de photos et lui montrai quelques images de Rachel – sur l'une desquelles, comme par miracle, on voyait ma fille assise dans un bain moussant à l'âge de six ou sept ans. "C'est ta cousine, dis-je. Savais-tu qu'elle et ta mère sont nées à trois mois l'une de l'autre ? Elles étaient de grandes copines." Lucy secoua la tête et m'adressa l'un de ses plus éblouissants sourires de la journée. Elle commençait à avoir confiance en son oncle Nat, pensai-je, et un instant plus tard nous nous rendions ensemble à la salle de bains. Pendant que je remplissais la baignoire, Lucy se déshabilla sans se faire prier et entra dans l'eau. A part une petite écorchure pratiquement cicatrisée à son genou gauche, il n'y avait pas une marque sur elle. Un dos propre et lisse ; des jambes propres et lisses ; ni enflure, ni irritation autour du sexe. Ce n'était qu'un rapide examen visuel mais, quelle que fût la cause de son silence, je ne voyais rien qui pût suggérer qu'elle avait été brutalisée ou molestée. Pour fêter ma découverte, je lui chantai la version complète de *Polly Wolly Doodle* tout en lui lavant et en lui rinçant les cheveux.

Un quart d'heure après que je l'avais sortie du bain, le téléphone sonna. C'était Tom qui appelait de la librairie : il se demandait ce que nous devenions. Il avait parlé avec Harry (qui lui avait accordé les quelques jours de congé souhaités) et il était impatient de sortir de là.

"Désolé, dis-je. Nos courses nous ont pris plus longtemps que prévu, et puis j'ai décidé qu'un bain ne ferait pas de mal à Lucy. Dis adieu à notre petite vagabonde, Tom. Notre demoiselle a l'air prête à se rendre à un anniversaire au château de Windsor."

Suivit une brève discussion sur ce que nous allions faire pour le dîner. Souhaitant partir tôt le lendemain matin, Tom pensait que le mieux serait d'organiser quelque chose vers dix-huit heures. "D'ailleurs, ajouta-t-il, Lucy a un tel appétit qu'elle sera vraisemblablement affamée à cette heure-là."

Je me tournai vers Lucy pour lui demander ce qu'elle penserait d'une pizza. Comme elle répondait en se pourléchant les babines et en se tapotant l'estomac, je demandai à Tom de nous retrouver chez Rocco – une trattoria qui servait les meilleures pizzas du quartier. "Dix-huit heures, dis-je. En attendant, Lucy et moi, nous irons à la boutique vidéo chercher un film que nous pourrons tous regarder après le dîner."

Il se trouva que le film était *Les Temps modernes*, un choix qui me parut étrangement inspiré. Non seulement Lucy n'avait jamais vu Chaplin ni entendu parler de lui (encore une preuve de la dégénérescence de l'éducation américaine), mais en outre c'était le film dans lequel le clochard parle pour la première fois. Les paroles peuvent bien être du charabia, des sons n'en jaillissent pas moins de sa bouche et je me demandai si ce moment ne déclencherait pas quelque chose en Lucy, ne lui offrirait pas l'occasion de réfléchir un instant à la signification de son silence opiniâtre. Dans le meilleur des mondes possibles, j'espérais même qu'il l'en arracherait pour de bon.

Jusqu'au repas chez Rocco, elle s'était montrée irréprochable. A tout ce que je lui avais demandé, elle avait obtempéré avec bonne volonté et obéissance, et pas une fois elle n'avait fait la grimace. Mais Tom, dans une rare manifestation d'étourderie, annonça de but en blanc notre proche départ pour le Vermont quelques minutes à peine après que nous nous étions assis à table. Sans aucune préparation, sans propagande vantant les merveilles de Burlington, sans argumentation expliquant pourquoi elle serait mieux chez Pamela qu'avec ses deux oncles à Brooklyn. C'est alors que je la vis pour la première fois froncer les sourcils, et puis pleurer, et puis bouder pendant presque tout le repas. Elle devait avoir faim et pourtant elle ne touchait pas à la pizza posée devant elle, et ce n'est que mon bavardage incessant qui finit par nous délivrer de ce qui aurait pu prendre les proportions d'une véritable guerre des nerfs. Je commençai par les préliminaires que Tom avait négligés : les hymnes et panégyriques, la grande danse publicitaire, l'éloge complet de la gentillesse légendaire de Pamela. Ces discours n'ayant pas obtenu le résultat désiré, je changeai de tactique et lui promis que nous resterions là-bas, Tom et moi, jusqu'à ce qu'elle soit bien installée et puis, allant plus loin encore, je pris le risque suprême de l'assurer que la décision reposait entièrement entre ses mains. Si elle ne se plaisait pas là-bas, nous rassemblerions ses affaires et la ramènerions à New York. Mais il fallait qu'elle essaie vraiment, ajoutai-je, au moins trois ou quatre jours. D'accord ? Elle hocha la tête. Et puis, pour la première fois en une demi-heure, elle sourit. J'appelai le garçon et le priai de bien vouloir réchauffer sa pizza à la cuisine. Dix minutes plus tard, il la ramenait à table et Lucy s'y attaquait.

L'expérience Chaplin n'eut que des résultats mitigés. Lucy rit, émettant les premiers sons que nous ayons entendus de sa part depuis le matin (même ses larmes pendant le dîner avaient roulé sur ses joues en silence) mais, plusieurs minutes avant la scène du restaurant, ce moment du film où Charlot se lance dans sa chanson mémorable et absurde, ses yeux s'étaient déjà fermés et elle s'était endormie. Comment le lui reprocher ? Elle n'était arrivée à New York que ce matin-là, après un voyage de Dieu savait combien de miles, ce qui signifiait qu'elle était restée assise dans le car pendant une grande partie sinon la totalité de la nuit. Je la portai dans la chambre d'amis pendant que Tom ouvrait le canapé-lit déjà préparé et repliait le drap de dessus et la couverture. Personne ne dort plus profondément qu'une enfant, surtout une enfant épuisée. Pendant que je la déposais sur le lit et la bordais, pas une fois elle n'ouvrit les yeux.

La journée du lendemain commença par un événement étrange et déconcertant. A sept heures, j'apportai dans la chambre de Lucy endormie un verre de jus d'orange, une assiette d'œufs brouillés et deux toasts beurrés. Je déposai tout cela par terre et puis, tendant la main, je lui secouai doucement le bras. "Réveille-toi, Lucy, dis-je. Le petit-déjeuner est servi." Au bout de trois ou quatre secondes, elle ouvrit les yeux et puis, après un court instant d'ahurissement absolu *(Où suis-je ? Qui est cet inconnu penché sur moi ?)*, elle se rappela qui j'étais et sourit. "Tu as bien dormi ? demandai-je.

— Très bien, oncle Nat, répondit-elle, en prononçant les mots avec ce qui ressemblait à un accent du Sud. Comme une grosse pierre au fond d'un puits."

Bang. Et voilà. Lucy avait parlé. D'elle-même, sans encouragement, sans prendre le temps de réfléchir à ce qu'elle allait faire, elle avait calmement ouvert la bouche et parlé. Le règne du silence était-il définitivement terminé, me demandais-je, ou l'avait-elle simplement oublié dans la stupeur du réveil ?

"Tant mieux", dis-je, ne voulant pas tenter le destin en mentionnant ce qui venait de se passer.

"On va toujours dans ce fichu Vermont aujourd'hui ?"

Chaque mot en plus, chaque phrase en plus encourageait mon prudent espoir.

"Dans une heure, environ, dis-je. Regarde, Lucy, jus d'orange, pain grillé, œufs."

Je me penchai pour les ramasser et elle me décocha un autre de ses grands sourires. "Petit-déjeuner au lit, annonça-t-elle. Juste comme la reine Néfertiti."

Je pensai alors que nous étions sortis d'affaire, mais qu'est-ce que j'en savais – qu'est-ce que je savais de quoi que ce fût ? J'avais le verre de jus d'orange dans la main droite et, au moment précis où elle tendait le bras pour le prendre, le ciel lui tomba sur la tête. J'ai rarement été témoin d'un changement de physionomie aussi rapide que celui qui affecta son visage à cet instant. En un éclair, le sourire joyeux se transforma en une expression d'horreur aiguë et dévastatrice. Elle se plaqua une main sur la bouche et, quelques secondes après, ses yeux débordaient de larmes.

"Ne t'en fais pas, ma chérie, dis-je. Tu n'as rien fait de mal."

Mais ce n'était pas vrai. Selon ses principes, ce n'était pas vrai, et à voir l'expression de son petit visage tourmenté, elle semblait avoir commis un péché impardonnable. Dans une bouffée soudaine de colère contre elle-même, elle se mit à se frapper le côté de la tête avec la paume de sa main gauche, exécutant une pantomime sauvage qui paraissait signifier à quel point elle se jugeait stupide. Elle fit cela trois, quatre, cinq fois et puis, alors que j'allais lui saisir le bras pour l'obliger à arrêter, elle tendit la main gauche vers mon visage, un doigt levé, en l'agitant avec emphase. Elle était en fureur. Les yeux brûlants de dégoût et de haine de soi, elle s'envoya des claques à la main gauche avec la droite, comme pour réprimander cette main qui avait eu le culot de lever ce doigt. Ensuite, arrêtant les claques, elle tendit de nouveau la main gauche. Cette fois, elle avait deux doigts levés. Comme auparavant, elle les agita en l'air avec une emphase amère. D'abord un doigt, et puis deux. Qu'essayait-elle de me dire ? Je ne pouvais en être certain, mais je soupçonnais que cela avait quelque chose à voir avec le temps, avec le nombre de jours restants avant qu'elle pût enfin s'autoriser à parler.

Elle en était à un jour quand elle s'était réveillée ce matin et à présent que quelques mots lui avaient échappé par inadvertance, il lui fallait se punir en s'imposant un jour de silence supplémentaire. Un était donc devenu deux.

"C'est ça ? lui demandai-je. Tu me dis que tu recommenceras à parler dans deux jours ?"

Pas de réponse. Je répétai ma question mais Lucy n'était pas disposée à dévoiler son secret. Pas un mouvement de la tête, ni de haut en bas, ni de côté. Rien. Je m'assis près d'elle et lui caressai les cheveux. "Tiens, Lucy, dis-je en lui tendant le verre de jus d'orange. Il est temps de déjeuner."

EN ROUTE VERS LE NORD

La voiture était une relique de mon ancienne vie. Je n'en avais pas l'usage à New York mais j'avais eu la flemme de la vendre et elle était donc restée dans un garage d'Union Street, entre la Sixième et la Septième Avenue, sans que jamais je m'en serve ni lui accorde un regard depuis mon emménagement à Brooklyn. Une Oldsmobile Cutlass vert pomme de 1994, un tas de ferraille d'une singulière laideur. Elle fit néanmoins ce qu'on attendait d'elle et, après deux longs mois d'inactivité, le moteur démarra au premier tour de clé.

Tom conduisait ; je voyageais à la place du mort ; Lucy, à l'arrière. En dépit de mes promesses de la veille, elle restait aussi mal disposée que jamais envers Pamela et le Vermont, et elle nous en voulait de l'y emmener contre son gré. D'un point de vue logique, elle n'avait pas tort. Si la décision ultime lui appartenait, dans quel intérêt parcourir trois cents miles pour la conduire là-bas alors que le seul résultat serait un second trajet de trois cents miles pour l'en ramener ? Je lui avais dit qu'elle devait donner à l'expérience une chance honnête. Elle avait fait semblant d'accepter, mais je savais qu'elle avait déjà pris sa décision et que rien ne l'en ferait changer. Elle était donc assise sur la banquette arrière, maussade et renfermée, victime innocente et boudeuse de nos cruelles machinations. Elle s'endormit alors que nous passions dans les faubourgs de Bridgeport sur la I-95, mais jusque-là elle ne fit pas grand-chose d'autre que regarder par les fenêtres en ruminant, assurément, des pensées mauvaises à propos de ses deux méchants oncles. La suite des événements allait démontrer que je me trompais sur ce point. Lucy avait bien plus de ressources que je ne l'imaginais et loin de rester assise à fulminer de colère, elle réfléchissait et gambergeait, appliquant sa remarquable intelligence à combiner un scénario qui retournerait la situation et lui rendrait la maîtrise de son destin. Son idée était brillante, même si c'est moi qui le dis, une idée de vraie gredine, et on ne peut que saluer une ingéniosité portée à un niveau aussi élevé. Mais nous y reviendrons.

Pendant que Lucy cogitait et somnolait à l'arrière, nous bavardions, Tom et moi, à l'avant. Il ne s'était plus retrouvé au volant d'une voiture depuis qu'il avait cessé de faire le taxi en janvier et le simple fait de conduire semblait avoir sur lui un effet tonique. Nous nous étions vus pratiquement tous les jours au cours de ces deux dernières semaines et pas une fois il ne m'avait paru aussi léger, aussi heureux que ce matin du début de juin. Après nous avoir sortis des encombrements de la ville, il nous embarqua sur la première des grands-routes qui allaient nous mener vers le Nord et ce fut là, dans ces espaces ouverts, qu'il commença à se détendre, à jeter bas le fardeau de ses peines et à cesser momentanément de haïr le monde. Un Tom détendu était un Tom loquace. Telle était la règle générale pour l'ex-Dr Pouce, et d'environ huit heures et demie du matin à bien au-delà de la mi-journée, il m'arrosa d'un torrent de mots – un vrai déluge d'histoires, de blagues et de discours sur des questions tant pertinentes qu'obscures.

Cela commença par un commentaire sur *Le Livre de la folie humaine*, ma minable et dérisoire œuvre en cours. Il voulait savoir comment elle avançait et quand je lui dis que je fonçais droit devant moi sans apercevoir de fin, que chaque histoire que j'écrivais semblait donner naissance à une autre histoire, et puis une autre histoire et puis une autre encore, il m'asséna de la main droite une claque sur l'épaule en prononçant ce verdict surprenant : "Tu es un écrivain, Nathan. Tu es en train de devenir un véritable écrivain.

— Mais non, dis-je. Je ne suis qu'un courtier en assurances vie à la retraite, qui n'a rien de mieux à faire de lui-même. Ça aide à passer le temps, c'est tout.

— Tu te trompes, Nathan. Après des années d'errance dans le désert, tu as fini par découvrir ta vocation. Maintenant que tu n'as plus besoin de travailler pour de l'argent, tu fais le travail que tu as toujours été censé faire.

— Ridicule. On ne devient pas écrivain à soixante ans."

L'ex-doctorant en lettres et érudit s'éclaircit la gorge et me pria de l'autoriser à ne pas partager mon avis. Il n'existait pas de règles en matière d'écriture, déclara-t-il. Si on considérait de près la vie des poètes et des romanciers, ce que l'on constatait, c'était un chaos absolu, un fouillis illimité d'exceptions. Et ça, parce qu'écrire était une maladie, poursuivit Tom, ce qu'on pourrait appeler une grippe ou une inflammation de l'esprit et que, par conséquent, n'importe qui risquait d'en être atteint n'importe quand. Jeunes et vieux, forts et faibles, ivres et sobres, sans d'esprit et déments. En parcourant la liste des géants et semi-géants, on découvrait des écrivains embrassant tous les penchants sexuels, toutes les tendances politiques et tous les caractères humains – de l'idéalisme le plus grandiose à la corruption la plus insidieuse. Ils étaient criminels et juristes, espions et médecins, soldats et vieilles filles, voyageurs et reclus. Si nul ne pouvait en être écarté, qu'est-ce qui pouvait empêcher de rejoin-dre leurs rangs un ex-courtier en assurances vie presque sexagénaire ? Quelle loi déclarait que Nathan Glass n'avait pas été contaminé par ce mal ?

Je haussai les épaules.

"Joyce a écrit trois romans, reprit Tom. Balzac, quatre-vingt-dix. Cela fait-il une différence pour nous aujourd'hui ?

— Pas pour moi, dis-je.

— Kafka a écrit son premier récit en une nuit. Stendhal a écrit *La Chartreuse de Parme* en qua-rante-neuf jours. Melville a écrit *Moby Dick* en seize mois. Flaubert a consacré cinq années à *Madame Bovary*. Musil a travaillé pendant dix-huit années à *L'Homme sans qualités*, il est mort avant d'avoir pu le terminer. Est-ce que nous nous en soucions maintenant ?"

La question ne semblait pas appeler de réponse.

"Milton était aveugle. Cervantès n'avait qu'un bras. Christopher Marlowe est mort poignardé au cours d'une bagarre dans une taverne avant d'avoir trente ans. Apparemment, la lame lui est entrée droit dans l'œil. Que devons-nous penser de tout ça ?

— Je ne sais pas, Tom. Dis-le-moi.

— Rien. Absolument rien du tout.

— Je serais plutôt de ton avis.

— Thomas Wentworth Higginson a «corrigé» les poèmes d'Emily Dickinson. Un ignare imbu de lui-même, qui appelait *Feuilles d'herbe* un livre immoral, a osé toucher à l'œuvre de la divine Emily. Et le pauvre Poe, mort ivre et fou dans un caniveau de Baltimore, avait eu la mauvaise fortune de désigner Rufus Griswold comme son exécuteur littéraire. Ne soupçonnant guère que Griswold le méprisait, que ce soi-disant ami et défenseur allait passer des années à s'efforcer de détruire sa réputation.

— Pauvre Poe.

— Il n'a pas eu de chance, Eddie. Ni pendant sa vie, ni même après. On l'a enterré dans un cimetière de Baltimore en 1849, et puis il a fallu vingt-six ans pour qu'on dresse une pierre sur sa tombe. Un parent en avait commandé une tout de suite après sa mort mais le boulot s'est enlisé dans une de ces embrouilles à l'humour noir devant lesquelles on se demande qui est responsable de l'univers. Parles-en, de la folie humaine, Nathan. Il se trouve que la cour du marbrier était située juste au-dessous d'une section surélevée de voie ferrée. Alors que la pierre était presque achevée, un déraillement s'est produit. Le train a dégringolé dans la cour et il a écrasé la pierre, et comme son parent n'avait pas assez d'argent pour en commander une seconde, Poe a passé un quart de siècle dans une tombe anonyme.

— D'où tiens-tu tous ces détails, Tom ?

— Tout le monde sait ça.

— Pas moi.

— Tu n'as pas poursuivi tes études universitaires. Pendant que tu t'en étais allé œuvrer pour la sécurité de la démocratie dans le monde, moi j'étais assis dans un box à la bibliothèque et je me bourrais le crâne d'informations inutiles.

— Qui a payé la pierre, finalement ?

— Un groupe d'enseignants du coin a formé un comité chargé de réunir la somme. Ça leur a pris des années, crois-le si tu peux. Quand le monument a été achevé, les restes de Poe ont été exhumés, trimballés d'un bout à l'autre de la ville et réenterrés dans un autre cimetière. Le matin de l'inauguration, une cérémonie spéciale était organisée dans une boîte qui s'appelait *The Western Female High School*. Terrible, comme nom, tu ne trouves pas ? L'Ecole secondaire féminine occidentale. Tous les poètes importants d'Amérique étaient invités, mais Whittier, Longfellow et Oliver Wendell Holmes ont trouvé de bonnes excuses pour ne pas venir. Seul Walt Whitman a pris la peine de faire le voyage. Comme son œuvre vaut largement celles de tous les autres additionnées, je vois là un acte sublime de justice poétique. Ce qui est assez intéressant, c'est que Mallarmé aussi était présent ce matin-là. Pas en chair et en os – mais son sonnet célèbre, *Le Tombeau d'Edgar Poe*, fut écrit à cette occasion et, même s'il n'a pas pu le terminer à temps pour la cérémonie, il était tout de même là en pensée. J'adore ça, Nathan. Whitman et Mallarmé, les pères jumeaux de la poésie moderne, debout l'un à côté de l'autre dans l'Ecole secondaire féminine occidentale pour honorer leur précurseur commun, Edgar Poe le disgracié, le déconsidéré, le premier véritable écrivain que l'Amérique a donné au monde."

Oui, Tom était en grande forme ce jour-là. Un rien cinglé, sans doute, mais il était indiscutable que ses propos vagabonds et érudits contribuaient à alléger l'ennui du voyage. Il filait d'un côté pendant un moment, arrivait à un carrefour, virait brusquement dans une autre direction, sans jamais prendre le temps de décider si la gauche était meilleure que la droite ou vice versa. Tous les chemins mènent à Rome, dit-on, et comme Rome n'était rien de moins que l'ensemble de la littérature (dont il semblait tout connaître), la décision qu'il prenait importait peu. De Poe, il sauta soudain à Kafka. Le lien était l'âge des deux hommes à leur mort : Poe, quarante ans et neuf mois, Kafka, quarante ans et onze mois. C'était le genre de fait obscur dont seul Tom se serait souvenu ou soucié mais, ayant passé la moitié de ma vie à étudier des tables actuarielles et à réfléchir aux taux de mortalité des humains dans leurs diverses professions, je trouvais cela assez intéressant, moi aussi.

"Trop jeunes, dis-je. S'ils avaient vécu de nos jours, ils auraient eu de fortes chances d'être sauvés par les drogues et les antibiotiques. Regarde-moi. Si j'avais eu mon cancer il y a trente ou quarante ans, je ne serais sans doute pas maintenant assis dans cette voiture.

— Oui, approuva Tom. Quarante ans, c'est trop jeune. Mais pense au nombre d'écrivains qui ne sont même pas arrivés là.

— Christopher Marlowe.

— Mort à vingt-neuf ans. Keats à vingt-cinq. Georg Büchner à vingt-trois. Imagine. Le plus grand dramaturge allemand du XIXe siècle, mort à vingt-trois ans. Lord Byron à trente-six ans. Emily Brontë à trente. Charlotte Brontë à trente-neuf. Shelley, un mois exactement avant ses trente ans. Sir Philip Sidney à trente et un ans. Nathanael West à trente-sept. Leopardi, García Lorca et Apollinaire, tous à trente-huit ans. Pascal à trente-neuf. Flannery O'Connor à trente-neuf.

Rimbaud à trente-sept. Les deux Crane, Stephen et Hart, à vingt-huit et trente-deux ans. Et Heinrich von Kleist – l'écrivain préféré de Kafka –, mort à trente-quatre ans dans un double suicide avec son amante.

— Et Kafka est ton écrivain préféré.

— Je crois bien. Du XXe siècle, en tout cas.

— Pourquoi ne lui as-tu pas consacré ta thèse ?

— Parce que j'ai été idiot. Et parce que j'étais censé être un américaniste.

— Il a écrit *L'Amérique*, non ?

— Ha ha. Bien trouvé. Pourquoi n'y ai-je pas pensé ?

— Je me rappelle sa description de la statue de la Liberté. Au lieu d'une torche, la bonne dame tient dans sa main une épée dressée. Image incroyable. Ça fait rire, mais en même temps ça fout les jetons. Comme si ça sortait d'un cauchemar.

— Alors tu as lu Kafka.

— Certaines choses. Les romans et peut-être une dizaine de nouvelles. Il y a très longtemps de ça, quand j'avais ton âge. Mais ce qu'il y a avec Kafka, c'est qu'il reste en nous. Une fois qu'on a goûté à son œuvre, on ne l'oublie plus.

— Tu as vu ses journaux, ses lettres ? Tu as lu des biographies ?

— Tu me connais, Tom. Je ne suis pas quelqu'un de très sérieux.

— Dommage. Plus tu en apprends sur sa vie, plus son œuvre devient intéressante. Kafka n'était pas seulement un grand écrivain, vois-tu, c'était aussi un homme remarquable. Tu as jamais entendu l'histoire de la poupée ?

— Pas que je m'en souvienne.

— Ah. Alors écoute bien. Je te l'offre en guise de première pièce à conviction à l'appui de mon propos.

— Je ne suis pas certain de te suivre.

— C'est très simple. Il s'agit de démontrer que Kafka était en vérité quelqu'un d'extraordinaire. Pourquoi commencer justement par cette histoire ? Je n'en sais rien. Mais depuis l'apparition de Lucy, hier matin, je ne peux pas me la sortir de la tête. Il doit y avoir un rapport quelque part. Je n'ai pas encore trouvé précisément ce que c'est, mais je crois qu'il y a là-dedans un message pour nous, comme une mise en garde quant à la façon dont nous devons agir.

— Trop de préambule, Tom. Viens-en au fait, raconte ton histoire.

— Je parle trop, de nouveau, hein ? Tout ce soleil, toutes ces voitures, et filer comme nous le faisons à soixante, soixante-dix miles à l'heure. Mon cerveau explose, Nathan. Je me sens gonflé à bloc, prêt à n'importe quoi.

— Bien. Maintenant, raconte-moi ton histoire.

— D'accord. L'histoire. L'histoire de la poupée... C'est la dernière année de la vie de Kafka et il est amoureux de Dora Diamant, une jeune fille de dix-neuf ou vingt ans qui a quitté sa famille hassidique en Pologne et habite désormais à Berlin. Elle a la moitié de son âge, mais c'est elle qui lui donne le courage de partir de Prague – chose qu'il a envie de faire depuis des années – et elle devient la première et la seule femme avec laquelle il aura vécu. Il arrive à Berlin à l'automne 1923 et meurt au printemps suivant, et ces derniers mois sont sans doute les mois les plus heureux de sa vie. Malgré la dégradation de sa santé. Malgré les conditions sociales à Berlin : pénurie alimentaire, bagarres politiques, la pire inflation dans l'histoire de l'Allemagne. Malgré la certitude de n'en avoir plus pour longtemps en ce monde.

"Chaque après-midi, Kafka va se promener dans le parc. Le plus souvent, Dora l'accompagne. Un jour, ils rencontrent une petite fille qui pleure toutes les larmes de son cœur. Kafka lui demande ce qui ne va pas, et elle lui explique qu'elle a perdu sa poupée. Immédiatement, il invente une histoire pour expliquer ce qui s'est passé. Ta poupée est partie en voyage, dit-il. Comment vous le savez ? demande la fillette. Parce qu'elle m'a écrit une lettre, répond Kafka. L'enfant paraît méfiante. Vous l'avez sur vous ? demande-t-elle. Non, je regrette, dit-il. Je l'ai laissée chez moi par erreur, mais je l'apporterai demain. Il est si convaincant que la gamine ne sait plus que penser. Serait-il possible que cet homme mystérieux dise la vérité ?

"Kafka rentre droit chez lui pour écrire la lettre. Il s'assied à sa table de travail et Dora, qui le regarde écrire, remarque le même sérieux, la même tension que lorsqu'il compose ses propres œuvres. Il n'a pas l'intention de flouer la petite fille. Ce qu'il fait là, c'est un vrai travail littéraire, et il est décidé à le faire au mieux. S'il peut concocter un beau mensonge bien persuasif, il compensera la perte de la fillette par une réalité différente – fausse, sans doute, mais véridique et vraisemblable selon les lois de la fiction.

"Le lendemain, Kafka retourne au parc avec la lettre. La petite fille l'attend et, comme elle n'a pas encore appris à lire, il lui donne lecture de la lettre. La poupée est désolée, mais elle en avait assez de vivre tout le temps avec les mêmes gens. Elle a eu besoin de s'en aller voir le monde, de se faire de nouveaux amis. Ce n'est pas qu'elle n'aime pas la petite fille, mais elle avait très envie de changer d'air et il faut donc qu'elles se séparent pour quelque temps. La poupée promet alors d'écrire à la fillette tous les jours pour la tenir au courant de ses activités.

"C'est là que l'histoire commence à me briser le cœur. C'est déjà assez étonnant que Kafka se soit donné la peine d'écrire cette première lettre, mais il s'engage maintenant à en écrire une nouvelle chaque jour – sans autre raison que la consolation de la petite fille, laquelle se trouve être pour lui une parfaite inconnue, une enfant rencontrée par hasard un après-midi dans un parc. Quel genre d'homme ferait une chose pareille ? Il a continué pendant trois semaines, Nathan. *Trois semaines.* L'un des plus brillants écrivains qui aient jamais vécu sacrifie son temps – son temps de plus en plus compté et précieux – à composer les lettres imaginaires d'une poupée perdue. Dora raconte qu'il en rédigeait chaque phrase avec une extrême attention au détail, que sa prose était précise, drôle et absorbante. Autrement dit, c'était la prose de Kafka et tous les jours pendant trois semaines, il est allé au parc lire une nouvelle lettre à l'enfant. La poupée grandit, va à l'école, fait de nouvelles connaissances. Elle continue à assurer la fillette de son amour, mais elle fait allusion à certaines complications dans sa vie qui lui rendent impossible le retour à la maison. Petit à petit, Kafka prépare la fillette au moment où sa poupée disparaîtra à jamais de son existence. Il s'efforce d'arriver à un dénouement satisfaisant, craignant, s'il ne réussit pas, que le charme magique se brise. Après avoir fait l'essai de plusieurs possibilités, il finit par décider de marier la poupée. Il décrit le jeune homme dont elle tombe amoureuse, la célébration des fiançailles, le mariage à la campagne, jusqu'à la maison où la poupée et son mari vivent désormais. Et enfin, à la dernière ligne, la poupée fait ses adieux à sa vieille et chère amie.

"A ce moment-là, bien entendu, la poupée ne manque plus à la petite fille. Kafka lui a donné autre chose à la place, et au bout de ces trois semaines, les lettres l'ont guérie de son chagrin. Elle a l'histoire, et quand quelqu'un a la chance de vivre dans une histoire, de vivre dans un monde imaginaire, les peines de ce monde-ci disparaissent. Tant que l'histoire continue, la réalité n'existe plus."

UN COCA, MA CHÉRIE ?

Il y a deux itinéraires possibles pour aller de New York à Burlington, Vermont : l'un rapide, l'autre plus long. Pendant les deux premiers tiers du voyage, nous avons choisi le rapide, un trajet qui comprenait des voies urbaines telles que Flatbush Avenue, le BQE, Grand Central Parkway et la route 678. Après être passés dans le Bronx par le Whitestone Bridge, nous avons encore roulé vers le nord pendant plusieurs miles jusqu'à la I-95, qui nous a fait sortir de la ville, traverser l'est du comté de Westchester et entrer dans le Connecticut. A New Haven, nous avons pris la I-91, que nous n'avons plus quittée pendant la majeure partie du voyage, à travers ce qui restait du Connecticut et tout le Massachusetts, jusqu'à la frontière méridionale du Vermont. La façon la plus rapide d'arriver à Burlington eût été de continuer par la I-91 jusqu'à White River Junction et, arrivés là, de prendre vers l'ouest par la I-89 mais, alors que nous nous trouvions dans les faubourgs de Brattleboro, Tom a déclaré qu'il en avait marre des grands axes et préférait poursuivre par des routes de campagne plus étroites et moins encombrées. Et voilà comment nous avons abandonné l'itinéraire rapide en faveur du lent. Cela rallongerait le voyage d'une heure ou deux, nous dit-il, mais au moins nous aurions une chance de voir autre chose qu'une procession de voitures pressées et sans vie. Des bois, par exemple, et des fleurs sauvages au bord du chemin, sans parler des vaches et des chevaux, des fermes et des pâturages, des pelouses municipales et de quelques visages humains çà et là. Qu'est-ce que ça pouvait bien me faire, que nous arrivions chez Pamela à quinze ou à dix-sept heures ? Maintenant que Lucy avait rouvert les yeux et regardait fixement par la fenêtre arrière, je me sentais si coupable de ce que nous lui faisions que j'aurais aimé retarder le plus possible notre arrivée là-bas. Ouvrant notre atlas routier Rand McNally, j'étudiai la carte du Vermont. "Quitte l'autoroute à la sortie 3, conseillai-je à Tom. Il faudra trouver la route 30, qui serpente en diagonale vers le nord-ouest. Après une quarantaine de miles, nous allons tournicoter jusqu'à Rutland où nous devons prendre la route 7, et alors ce sera tout droit jusqu'à Burlington."

Pourquoi je m'attarde sur ces détails sans importance ? Parce que la véracité de l'histoire se trouve dans les détails et que je n'ai pas le choix : il me faut la raconter exactement telle qu'elle s'est passée. Si nous n'avions pas pris cette décision de quitter l'autoroute à Brattleboro et de suivre le bout de notre nez jusqu'à la route 30, un grand nombre des événements rapportés dans ce livre n'auraient jamais eu lieu. Je pense tout spécialement à Tom en disant cela. Lucy et moi, nous en avons profité aussi mais pour Tom, héros longanime de ces *Brooklyn Follies*, ce fut sans doute la décision la plus importante de sa vie. Au moment même, il ne pouvait en soupçonner les conséquences, deviner le tourbillon qu'il avait déclenché. Comme la poupée de Kafka, il se croyait simplement en quête d'un changement d'air et puis, tout à coup, parce qu'il avait quitté une route pour en prendre une autre, la Fortune lui a tendu les bras et l'a emporté dans un autre monde.

Le réservoir d'essence était presque vide ; nos ventres étaient presque vides ; nos vessies étaient pleines. A quinze ou vingt miles environ au nord-ouest de Brattleboro, nous nous sommes arrêtés pour déjeuner dans un restauroute minable à l'enseigne de *Chez Dot*. Alimentation et carburants, indiquaient fort à propos les panneaux routiers, et c'est dans cet ordre que nous avons décidé de satisfaire nos besoins. Restauration chez Dot et puis le plein d'essence à la station Chevron de l'autre côté de la route. Ici aussi, notre décision irraisonnée d'agir d'une façon et non d'une autre a eu sur la suite de l'histoire un effet significatif. Si nous avions commencé par faire le plein, Lucy n'aurait jamais pu réussir son éblouissant coup de maître et nous aurions certainement, comme prévu, poursuivi notre route jusqu'à Burlington. Mais parce que le réservoir était encore vide quand nous nous sommes mis à table, l'occasion s'est soudain présentée et la petite n'a pas hésité. Cela nous parut catastrophique au moment même et pourtant, si notre gamine n'avait pas fait ce qu'elle a fait, notre gamin ne serait jamais tombé dans les bras généreux de dame Fortune et la question de savoir si quitter les autoroutes était ou n'était pas une bonne idée serait restée sans réponse.

Maintenant encore, je n'arrive pas à comprendre comment elle s'y est prise. Certaines contingences ont joué en sa faveur mais, même en prenant en compte ces différents hasards , l'audace et l'efficacité de son sabotage ont quelque chose de quasi diabolique. Oui, le restaurant se trouvait à une trentaine de mètres de la route, ce qui évitait à Lucy d'être aperçue par les automobilistes de passage. Oui, tous les emplacements de parking juste devant le restaurant étaient occupés, ce qui nous avait obligés de laisser notre voiture sur le côté, invisible par les deux baies vitrées percées dans la façade du vieux bâtiment sans étage. Et, oui, il y avait de surcroît le double avantage que nous fussions assis, Tom et moi, dos à ces fenêtres. Mais comment diable a-t-elle pu avoir la présence d'esprit d'utiliser ce distributeur de Coca-Cola (situé par hasard à moins de trois mètres de notre voiture garée) comme une arme dans son combat contre la solution Burlington ? Nous étions entrés dans le restaurant tous les trois ensemble et nous avions commencé par nous précipiter aux toilettes. Après quoi nous nous étions assis à une table et nous avions commandé nos hamburgers, salades de thon et croque-monsieur. Dès que la serveuse en a eu terminé avec nous, Lucy nous a signalé en se pointant un doigt sur le ventre qu'elle avait encore à faire aux toilettes. Pas de problème, lui ai-je dit, et elle s'en est allée, pareille à n'importe quelle petite Américaine avec son short à ramages et ses tennis bleu électrique à cent cinquante dollars. En son absence, nous avons bavardé, Tom et moi, de l'agrément qu'il y avait à se trouver loin de la ville, même attablés dans une cantine aussi moche et obscure que *Chez Dot*, entourés de routiers et de paysans coiffés de casquettes de base-ball arborant les logos de sociétés fabriquant des outils de travail et de la machinerie lourde. Tom était encore en pleine crue verbale et ses propos me captivaient au point de me faire perdre la trace de Lucy. Nous ne soupçonnions guère alors (la vérité n'est apparue que plus tard) que notre nièce, sortie du restaurant par une porte dérobée, était en train de gaver frénétiquement de piécettes et de billets de un dollar le distributeur extérieur de Coca-Cola. Elle acheta au moins vingt boîtes de cette mixture gluante et sucrée et les vida, l'une après l'autre, dans le réservoir d'essence de mon Oldsmobile Cutlass si saine jusque-là. Comment pouvait-elle savoir que le sucre est un poison mortel pour les moteurs à combustion interne ? Comment cette gosse pouvait-elle être aussi sacrément maligne ? Non seulement elle mettait à notre voyage un terme abrupt et définitif, mais elle s'était aussi arrangée pour le faire en un temps record. Cinq minutes, à mon avis, sept tout au plus. Quelle que fût la durée de son absence, nous attendions encore notre repas quand elle revint à table. Elle était tout sourire à nouveau, mais comment aurais-je deviné la raison de sa satisfaction ? Si je m'étais le moins du monde interrogé, j'aurais supposé que c'était parce qu'elle s'était bien vidé les tripes.

Quand, le repas terminé, nous remontâmes dans la voiture, celle-ci produisit l'un des bruits les plus étranges de toute l'histoire de l'automobile. Je viens de passer vingt minutes à réfléchir à ce bruit, mais je n'ai pas trouvé les mots qui conviendraient pour le décrire, l'expression unique et inoubliable qui lui rendrait justice. *Gloussement rauque ? Pizzicati hoquetants ? Un pandémonium de rigolades ?* Je ne dois pas être à la hauteur de cette tâche, ou alors le langage est un instrument trop faible pour saisir ce que j'ai entendu, un vacarme qui semblait sorti du gosier d'une oie en train d'étouffer ou de celui d'un chimpanzé ivre. Finalement, les spasmes s'unifièrent en une seule note prolongée, une éructation à la sonorité de tuba, qui aurait pu passer pour un renvoi humain. Pas exactement le rot d'un buveur de bière satisfait, plutôt un bruit rappelant le grondement lent et douloureux d'une indigestion, une décharge d'air s'échappant dans des tonalités de basse de l'œsophage d'un homme affligé au dernier degré de brûlures d'estomac. Tom coupa le contact et puis réessaya, mais le deuxième tour de clé ne suscita qu'un vague grognement. Le troisième n'eut d'autre résultat que le silence. La symphonie s'était tue et mon Oldsmobile empoisonnée était en arrêt cardiaque.

"Je crois qu'on n'a plus d'essence", dit Tom.

C'était la seule conclusion raisonnable, mais quand je me penchai vers la gauche pour regarder le compteur, je constatai qu'il restait environ un huitième du réservoir. Je montrai du doigt l'aiguille rouge. "Pas selon ce truc-là", dis-je. Tom haussa les épaules. "Il doit être cassé. Heureusement pour nous qu'il y a une station en face."

Pendant que Tom énonçait ce diagnostic erroné sur l'état de la voiture, je me retournai pour jeter par la vitre arrière un coup d'œil à la station en question – deux pompes devant un garage déglingué qui semblait n'avoir plus connu la brosse d'un peintre depuis 1954. Ce faisant, mon regard croisa celui de Lucy. Elle était assise juste derrière Tom et, n'ayant aucun soupçon de sa responsabilité dans nos ennuis du moment, je fus assez surpris de la sérénité, du contentement presque surnaturel qu'exprimait son visage. Le moteur venait de déverser son pot-pourri cacophonique et, dans des circonstances normales, on aurait pu imaginer que ces bruits drolatiques provoqueraient en elle une réaction : crainte, amusement, agitation, quelque chose. Mais Lucy s'était retirée au plus profond d'elle-même, elle flottait en apesanteur sur un nuage d'indifférence, en pur esprit détaché de son corps. Je comprends maintenant qu'elle se réjouissait du succès de sa mission et rendait grâce en silence au Tout-Puissant qui lui avait permis d'accomplir un miracle. Ce jour-là, assis avec elle dans la voiture, je n'étais que perplexe.

"Tu es encore avec nous, Lucy ?" demandai-je.

Elle me fixa longuement d'un regard impassible, et puis elle fit oui de la tête.

"Ne t'inquiète pas, continuai-je. On va remettre la voiture en état tout de suite."

Inutile de dire que je me trompais. Il serait tentant de rendre compte point par point de la comédie qui se déroula ensuite, mais je ne voudrais pas mettre la patience du lecteur à l'épreuve en m'étendant sur des détails qui ne sont pas, à strictement parler, essentiels à l'histoire. Dans cette affaire de la voiture, seul le résultat importe. Je ferai donc l'économie du jerrycan de super que Tom apporta du garage d'en face (puisqu'il ne fut d'aucune utilité) et j'omettrai toute allusion à la dépanneuse qui finit par traîner la Cutlass jusqu'à ce même garage (quelle alternative avionsnous ?). Le seul fait valant d'être mentionné, c'est que ni l'un ni l'autre des deux compères en charge de cet établissement (un père et un fils connus sous les noms d'Al Senior et Al Junior) ne put découvrir de quel mal souffrait cette voiture. Junior et Senior avaient approximativement les mêmes âges que Tom et moi, mais alors que j'étais maigre et Tom corpulent, les silhouettes du jeune et du vieil Al ressemblaient aux nôtres inversées : le fils était mince et le père gros.

Après avoir examiné le moteur pendant plusieurs minutes sans rien trouver, Al Junior rabaissa le capot. "Va falloir que je démonte ce bébé, déclara-t-il.

— C'est si grave que ça, alors ? demandai-je.

— Je ne dis pas que c'est grave. Mais ce n'est pas bien fameux non plus. Non, m'sieu, pas fameux du tout.

— Combien de temps faudra-t-il pour la réparer ?

— Ça dépend. Peut-être un jour, peut-être une semaine. D'abord, faut que je localise le problème. Si c'est quelque chose de simple, tout baigne. Sinon, il faudra peut-être vous commander des pièces chez le distributeur, et là ça peut traîner pas mal."

L'estimation paraissait juste et honnête et, vu mon ignorance totale en matière d'automobile, je ne voyais pas ce que je pouvais faire d'autre que de lui proposer le boulot – quelle qu'en fût la durée. Tom, qui n'était pas non plus mécanicien, m'appuya en ce sens. Tout cela était bel et bon mais, à présent que nous étions en panne sur une petite route du Vermont rural, qu'allions-nous faire de nous-mêmes pendant que les deux Al travaillaient à ressusciter notre machine malade ? Il y avait la possibilité de louer une voiture et de continuer jusqu'à Burlington, de passer le restant de la semaine chez Pamela et de récupérer l'Oldsmobile en chemin quand nous retournerions à New York. Ou alors, plus simplement, celle de louer des chambres dans une auberge des environs et de faire comme si nous étions en vacances jusqu'à ce que la voiture soit prête.

"J'ai assez conduit pour aujourd'hui, dit Tom. Je vote pour qu'on reste sur place. Au moins jusqu'à demain."

Je penchais dans le même sens. Quant à Lucy – Lucy la silencieuse, toujours attentive –, on imagine bien qu'elle ne protesta pas contre notre décision.

Al Senior recommanda deux établissements à Newfane, un village que nous avions traversé à quelque dix miles de là. J'allai dans son bureau pour appeler les deux numéros, mais il se trouvait que ni l'une ni l'autre de ces auberges n'avait de chambre libre. Quand je lui fis mon rapport, le gros homme parut contrarié. "Ah, ces fichus touristes, dit-il. Ce n'est que la première semaine de juin, et on se croirait déjà en pleine saison d'été."

Pendant une demi-minute environ, nous restâmes tous plantés, les mains dans les poches, à regarder le père et le fils en train de réfléchir. Finalement, Al Junior rompit le silence : "Et Stanley, papa ?

— Hum, fit le père. Je ne sais pas. Qu'est-ce qui te fait penser qu'il a repris ?

— J'ai entendu dire qu'il a l'intention de rouvrir cette année, répondit le jeune homme. C'est ce que m'a dit Mary Ellen. Elle a rencontré Stanley à la poste, la semaine dernière.

— Qui est Stanley ? demandai-je.

— Stanley Chowder, fit Al Senior en levant un bras tendu vers l'ouest. Il avait une auberge à trois miles environ, là-haut.

— Stanley Chowder, répétai-je. Pour un drôle de nom, c'est un drôle de nom*.

— Ouais, approuva le gros Al. Mais Stanley s'en fiche. Je crois même que ça lui plaît.

— J'ai connu un homme qui s'appelait Elmer Doodlebaum, dis-je, me rendant compte tout à

---

* *Chowder*, nom d'une soupe aux palourdes.

coup que j'aimais bien bavarder avec les deux Al. Ça vous plairait d'être affublé d'un nom pareil pour toute votre vie ?"

Al Senior sourit. "Pas trop, m'sieu, dit-il. Vraiment pas trop. Mais au moins les gens s'en souviennent. Moi, je suis Al Wilson depuis le jour de ma naissance, c'est à peine un cran au-dessus de John Doe*. On n'a rien à se mettre sous la dent avec un nom comme ça. Al Wilson. Il doit y avoir un millier d'Al Wilson rien que dans le Vermont.

— Je crois que je vais essayer Stanley, annonça Al Junior. On ne sait jamais. S'il n'est pas dehors en train de tondre sa chère pelouse, il décrochera peut-être…"

Tandis que le svelte fils allait dans le bureau téléphoner, son gros père s'adossa à ma voiture, sortit de la poche de sa chemise une cigarette (qu'il glissa entre ses lèvres sans l'allumer) et entreprit de nous raconter la triste histoire de l'auberge Chowder.

"C'est tout ce qu'il fait maintenant, Stanley, commença-t-il. Il tond sa pelouse. Du petit matin à la fin d'après-midi, assis sur sa John Deere rouge, il tond sa pelouse. Ça commence quand la neige fond en avril et ça n'arrête que quand la neige se remet à tomber en novembre. Tous les jours, pluie ou soleil, il parcourt sa propriété en tondant la pelouse pendant des heures et des heures. L'hiver venu, il reste dedans et regarde la télévision. Et quand il ne supporte plus de regarder la télévision, il prend sa voiture et il va à Atlantic City. Il prend une chambre dans l'un des hôtels-casinos et il joue au black-jack pendant dix jours d'affilée. Parfois il gagne, parfois

* L'Américain anonyme.

il perd, mais il s'en fiche, Stanley. Il a de quoi vivre, et s'il gaspille quelques dollars une fois de temps en temps, qu'est-ce que ça peut faire ?

"Ça fait longtemps que je le connais – plus de trente ans, maintenant, je crois. Il était expert-comptable à Springfield, dans le Massachusetts. En soixante-huit ou soixante-neuf, ils ont acheté, lui et sa femme Peg, cette grande maison blanche, là-haut, et puis ils y sont venus pour les week-ends, les vacances d'été, les fêtes de Noël, chaque fois qu'ils pouvaient. Leur rêve, c'était d'en faire une auberge et d'y habiter toute l'année dès que Stanley aurait pris sa retraite. Alors, il y a quatre ans, Stanley renonce à son boulot d'expert-comptable, lui et sa femme vendent leur maison de Springfield et ils viennent s'installer ici pour ouvrir l'auberge Chowder. Je n'oublierai jamais ce qu'ils ont bossé, ce printemps-là, en se dépêchant pour que tout soit prêt pour le week-end du Memorial Day. Tout marche comme prévu. Ils bichonnent la maison jusqu'à ce qu'elle brille comme un bijou. Ils engagent un chef et deux femmes de chambre et alors, juste quand ils vont enregistrer leurs premières réservations, Peg a une attaque et elle meurt. Là, dans la cuisine, en pleine journée. D'une minute à l'autre, elle est vivante, en train de discuter avec Stanley, et puis elle s'écroule sur le sol et elle pousse son dernier soupir. Ça s'est passé si vite qu'elle était morte avant même que l'ambulance soit partie de l'hôpital.

"C'est pour ça que Stanley tond sa pelouse. Il y a des gens qui pensent qu'il est devenu un peu cinglé mais chaque fois que je lui parle, c'est encore le bon vieux Stanley que j'ai connu il y a trente ans, le type qu'il a toujours été. Il est malheureux d'avoir perdu sa Peg, c'est tout.

Certains hommes se mettent à boire. Certains se trouvent une nouvelle femme. Stanley tond sa pelouse. Il n'y a rien de mal à ça, pas vrai ?

"Je ne l'ai plus vu depuis un bon bout de temps mais si Mary Ellen est bien informée – et je ne l'ai jamais connue mal informée –, eh bien, c'est une bonne nouvelle. Ça veut dire que Stanley va mieux, qu'il a envie de se remettre à vivre. Al Junior est parti depuis deux minutes, maintenant. Je peux me tromper, mais je parierais que Stanley a répondu au téléphone et qu'ils sont en train de combiner un moyen de vous faire monter là-haut, tous les trois. Ça serait quelque chose, ça, pour sûr. Si Stanley se remet aux affaires, vous serez les premiers clients payants dans l'histoire de l'auberge Chowder. Oh là là. Ça serait vraiment quelque chose, ça, hein !"

JOURS DE RÊVE
A L'HÔTEL EXISTENCE

Je veux parler de bonheur et de bien-être, de ces instants rares et inattendus où la voix intérieure se tait et où l'on se sent à l'unisson avec le monde.

Je veux parler du temps qu'il fait au début de juin, d'harmonie et de repos béat, de rouges-gorges, de pinsons jaunes et de merles bleus filant entre les feuilles vertes des arbres.

Je veux parler des bienfaits du sommeil, du plaisir de manger et de boire, de ce qui arrive au cerveau quand on sort dans la lumière du soleil de quatorze heures et qu'on sent autour de soi la chaude étreinte de l'air.

Je veux parler de Tom et de Lucy, de Stanley Chowder et des quatre jours que nous avons passés à l'auberge Chowder, des pensées que nous avons pensées et des rêves que nous avons rêvés en haut de cette colline dans le Sud du Vermont.

Je veux me rappeler les crépuscules céruléens, les aubes langoureuses et rosées, les jappements des ours, la nuit, dans les bois.

Je veux me rappeler tout cela. Et si tout, c'est trop demander, alors une partie. Non, plus qu'une partie. Presque tout. Presque tout, avec des blancs réservés pour ce qui manque.

Convivial quoique taciturne, tondeur de pelouses chevronné, joueur de poker astucieux et derviche du ping-pong, aficionado des vieux films américains, ancien de la guerre de Corée, père d'une fille de trente-deux ans portant l'improbable prénom de Honey – elle est institutrice en quatrième primaire et habite Brattleboro –, Stanley Chowder, à soixante-sept ans, est en bonne forme pour son âge, avec sa chevelure abondante et ses yeux clairs et bleus. Un bon mètre soixante-dix, costaud, une poignée de main ferme.

Il descend de sa colline pour venir nous prendre. Après avoir salué Al Senior et Al Junior, il se présente à nous et puis se mêle de l'opération de transfert de nos bagages du coffre de ma voiture à l'arrière de son break Volvo. Je remarque l'allure rapide, presque précipitée, à laquelle il va et vient entre les deux véhicules. Ses gestes sont d'une efficacité agile et nerveuse. Stanley n'a rien d'un flâneur. L'inaction engendre la pensée, et penser peut être dangereux, quiconque vit seul le comprendra sans peine. Après avoir entendu le récit par Al Senior du décès de Peg, je vois en Stanley un personnage perdu et tourmenté. Accommodant, plus généreux qu'il n'est permis mais mal à l'aise dans sa peau, un homme brisé s'efforçant de rassembler les morceaux épars.

Nous disons au revoir aux Wilson et les remercions pour leur aide. Al Junior promet de me tenir au courant au jour le jour des progrès de ma voiture.

Un chemin de terre en pente raide flanqué de bois de part et d'autre ; un terrain accidenté ; de temps à autre, une branche basse balaie le pare-brise pendant notre montée vers le sommet de la colline. Stanley s'excuse d'avance pour tout problème que nous pourrions rencontrer à l'auberge. Il travaille seul depuis deux semaines à tenter de tout remettre en ordre, et il reste beaucoup à faire. Il avait l'intention d'ouvrir pour le 4 Juillet, mais lorsque Al Junior l'a appelé pour lui exposer notre situation, il se serait "senti moche" s'il ne nous avait pas hébergés pendant quelques jours. Il n'a pas encore engagé de personnel mais il fera lui-même les lits et il veillera à nous offrir tout le confort que permettront les circonstances. Il en a déjà parlé à sa fille, à Brattleboro, et elle a accepté de venir tous les jours à l'auberge pour s'occuper des repas. Il nous assure qu'elle cuisine très bien. Tom et moi, nous le remercions de sa gentillesse. Préoccupé par ces soucis multiples, Stanley ne remarque pas que Lucy n'a pas encore dit un mot.

Une maison à deux étages, avec seize chambres et une galerie couverte qui fait tout le tour. Le panneau à l'entrée du chemin indique "L'auberge Chowder" mais une partie de moi a déjà compris que nous venons d'arriver à l'hôtel Existence. Pour le moment, je décide de ne pas communiquer cette idée à Tom.

Avant qu'on nous montre nos chambres, Tom appelle Pamela du salon du rez-de-chaussée pour lui expliquer ce qui s'est passé. Stanley, à l'étage, est occupé à faire les lits. Lucy erre en direction du canapé et, quelques secondes plus tard, la voilà à genoux par terre, en train de caresser le chien de Stanley, un labrador noir vieillissant nommé Spot. Involontairement, je pense à Harry et à ces mots absurdes qui me trottent en tête depuis deux semaines : *X marks the spot*. Voilà *the spot* métamorphosé en quadrupède, à présent, et tout en regardant le chien qui lèche le visage de Lucy, je reste à proximité de Tom, au cas où je devrais dire quelques mots à Pamela. Ce n'est pas le cas mais, en écoutant ce bout de la conversation, je suis surpris de l'irritation que manifeste la demi-sœur de mon neveu en apprenant que nous n'arriverons pas à Burlington à l'heure dite. Comme si nous étions coupables d'être tombés en panne. Comme si des événements imprévus ne se produisaient pas à tout bout de champ. Mais Pamela vient de passer une heure et demie au supermarché et elle est maintenant dans sa cuisine, en train de se donner "un mal fou" pour préparer notre dîner avant que nous arrivions. En signe d'hospitalité et de bienvenue, elle a élaboré un repas composé de plusieurs plats allant d'un gaspacho à un gâteau maison aux noix de pécan, et elle est déçue, elle est même furieuse d'apprendre que tous ces efforts ont été accomplis en vain. Tom lui présente mille excuses, mais Pamela continue néanmoins à récriminer. Est-ce là cette Pamela améliorée dont j'ai tant entendu parler ? Si elle n'est pas capable d'encaisser une légère déception, quelle sorte de mère provisoire sera-t-elle pour Lucy ? La dernière chose qu'il faut à cette enfant, c'est une bourgeoise névrosée qui lui impose avec impatience d'impossibles exigences.

Sans attendre que Tom ait raccroché, je décide que la solution Burlington est éliminée. Je raye de la liste le nom de Pamela et je me nomme tuteur provisoire de Lucy. Suis-je plus qualifié que Pamela pour m'occuper de Lucy ? Non, à bien des égards, vraisemblablement non, mais mes tripes me disent que je suis responsable d'elle – que ça me plaise ou pas.

Tom repose le combiné et hoche la tête. "Voilà une dame en rogne", commente-t-il.

Je réponds : "Laisse tomber Pamela.

— Que veux-tu dire ?

— Je veux dire qu'on ne va plus à Burlington.

— Ah ? Et depuis quand ?

— Depuis maintenant. Nous allons rester ici jusqu'à ce que la voiture soit réparée, et puis nous rentrerons à Brooklyn tous ensemble.

— Et qu'as-tu l'intention de faire de Lucy ?

— Elle habitera chez moi.

— Quand nous en parlions, hier, tu as dit que ça ne t'intéressait pas.

— J'ai changé d'avis.

— Alors on a fait toute cette route pour rien ?

— Pas vraiment. Regarde autour de toi, Tom. Nous avons atterri au paradis. Quelques jours de repos et de détente, et au retour nous serons des hommes nouveaux."

Lucy ne se trouve pas à plus de trois mètres de nous pendant que nous échangeons ces mots, et elle entend chaque syllabe prononcée. Quand je me tourne vers elle, elle m'envoie des baisers des deux mains – les bras tendus après chaque claquement des lèvres, comme une vedette triomphante un soir de première. Je suis heureux de la voir si heureuse, mais ça m'effraie aussi. Ai-je la moindre idée de ce dans quoi je m'engage ?

Tout à coup, je me rappelle une réplique dans un film que j'ai vu dans les années soixante-dix. Le titre m'échappe, l'histoire et les personnages ont sombré dans l'oubli, mais ces paroles résonnent encore dans ma tête, comme si je les avais entendues hier : "Les enfants, ça console de tout – sauf d'avoir des enfants."

Tout en nous montrant nos chambres, à l'étage, Stanley nous explique que Peg, la défunte Mrs Chowder ("morte depuis quatre ans maintenant"), était responsable du choix du mobilier, du linge de lit, des papiers peints, des stores vénitiens, des tapis, des lampes, des rideaux, et de chacun des menus objets posés sur les diverses surfaces, tables de nuit et commodes : les napperons en dentelle, les cendriers, les bougeoirs, les livres. "Une femme au goût impeccable", dit-il. A mon avis, le décor est exagérément précieux, c'est une tentative nostalgique de recréer l'atmosphère d'une Nouvelle-Angleterre d'antan, laquelle était en réalité beaucoup plus sombre et austère que les chambres à la douceur féminine dans lesquelles je me trouve. Mais peu importe. Tout est propre et confortable, et il y a un élément qui rachète le ton kitsch et un rien affecté par ailleurs : les cadres accrochés aux murs. Contrairement à ce que l'on pourrait attendre, il n'y a pas de petits tableaux au point de croix, pas d'aquarelles maladroites représentant des paysages enneigés du Vermont, pas de reproductions de Currier & Ives. Les murs sont garnis de photographies en noir et blanc de huit pouces sur dix* représentant d'anciennes stars de comédies hollywoodiennes. C'est la seule contribution de Stanley à la décoration des chambres, et elle fait toute la différence, en introduisant dans cet environnement conventionnel une dose d'esprit et de légèreté. Des trois chambres qu'il a préparées pour nous, l'une est consacrée aux frères Marx, une autre à Buster Keaton et la troisième à Laurel et Hardy. Nous offrons à Lucy de choisir d'abord et elle opte pour Stan et Ollie, au

---

* Environ 20 x 25 centimètres.

bout du couloir. Tom s'adjuge Buster et je me retrouve entre eux deux, en compagnie de Groucho, Harpo, Chico, Zeppo et Margaret Dumont.

Première exploration du domaine. Aussitôt après avoir défait nos bagages, nous sortons pour découvrir la fameuse pelouse de Stanley. Pendant plusieurs minutes, je me sens parcouru par un flot ininterrompu de sensations variées. Le contact sous mes pieds du gazon moelleux et bien entretenu. Le bourdonnement d'un taon qui passe près de mon oreille. L'odeur de l'herbe. Les odeurs du chèvrefeuille et des lilas. Les tulipes d'un rouge éclatant plantées autour de la maison. L'air se met à vibrer et, un instant plus tard, une brise légère me caresse le visage.

J'erre avec mes trois compagnons et le chien, en cogitant des absurdités. Stanley nous informe que la propriété s'étend sur une quarantaine d'hectares, et j'imagine combien il serait simple de construire d'autres maisons si la population de l'hôtel Existence venait à excéder la capacité de l'habitation principale. Je rêve le rêve de Tom et je me délecte des possibilités. Vingt-quatre hectares de bois. Un étang. Un verger à l'abandon (des pommiers), une collection de ruches désertées, une cabane dans le bois pour distiller le sirop d'érable. Et l'herbe de la pelouse de Stanley – merveilleuse, illimitée, s'étendant tout autour de nous et au-delà.

Cela n'arrivera jamais, me dis-je. La combine de Harry ne peut qu'échouer et même si elle n'échoue pas, où vais-je chercher que Stanley accepterait de vendre sa maison ? D'un autre côté, ne pourrait-on imaginer que Stanley reste avec nous et devienne un partenaire de l'entreprise ?

Est-il homme à comprendre ce que Tom espère réussir ? Je décide qu'il faut que j'apprenne à le connaître mieux, que je dois passer autant de temps que possible en sa compagnie.

Après une vingtaine de minutes, nous revenons vers la maison. Stanley se rue dans le garage pour nous en sortir des chaises longues et, dès que nous sommes installés, il s'excuse et disparaît dans la maison. Il a du travail, mais les premiers hôtes payants dans l'histoire de l'auberge Chowder sont libres de paresser au soleil aussi longtemps qu'ils le souhaitent.

Pendant deux minutes, je regarde Lucy qui court sur la pelouse en lançant des bâtons au chien. A ma droite, Tom lit une pièce de Don DeLillo. Je lève les yeux vers le ciel et j'observe le mouvement des nuages. Un faucon apparaît en planant puis disparaît. Lorsqu'il revient, je ferme les yeux. Quelques secondes après, je dors profondément.

A cinq heures, Honey Chowder fait sa première apparition, quand elle gare devant la maison une voiture chargée de provisions et de deux caisses de vin. A ce moment-là, Tom et moi, nous avons abandonné les chaises longues et, assis dans la galerie couverte, nous discutons politique. Interrompant notre dénonciation de Bush II et du parti républicain, nous descendons du perron vers la Honda blanche et nous nous présentons à la fille de Stanley.

C'est une grande femme au visage semé de taches de rousseur, avec des bras bien en chair et une poignée de main redoutable. Elle déborde de confiance en soi, d'humour et de bienveillance. Un rien autoritaire, sans doute, qu'attendre d'une institutrice de quatrième primaire ? Elle a une voix sonore et un peu rauque, mais j'aime qu'elle paraisse prête à rire et ne semble pas effrayée par l'ampleur de sa personnalité. C'est une fille compétente, qui sait y faire, décidé-je, et sûrement très plaisante au lit. Pas jolie, mais pas non plus pas-jolie. Des yeux d'un bleu radieux, des lèvres charnues, une épaisse tignasse d'un blond roux. Pendant que nous l'aidons à décharger les sacs de provisions de la malle de sa voiture, je la vois examiner Tom avec un peu plus qu'une curiosité détachée. L'innocent ne remarque rien, mais je commence à me demander si cette jeune femme décidée et intelligente n'est pas la réponse à mes prières. Plus de JMS éthérée, mais une célibataire avide d'attraper un homme. Un rouleau compresseur. Une tornade. Une gaillarde affamée et volubile qui pourrait amener notre jeune homme à soumission.

Pour la deuxième fois de l'après-midi, je décide de garder mes pensées pour moi et de n'en rien dire à Tom.

Ainsi que Stanley nous l'a promis, elle nous concocte un dîner excellent. Soupe au cresson, rôti de porc, haricots verts aux amandes, crème caramel pour le dessert, et vin à volonté. Je ressens un pincement de sympathie pour Pamela et le festin avorté qu'elle nous avait préparé, mais je doute que le repas à Burlington ait pu surpasser celui qui garnit la table de l'auberge Chowder.

Victorieuse et désormais débarrassée du sort qui la menaçait, Lucy est arrivée à cette table vêtue de sa robe à carreaux rouge et blanc, avec ses chaussures en cuir noir et ses chaussettes blanches à volants. Je ne sais pas si Stanley est insensible au comportement d'autrui ou seulement très discret, en tout cas il n'a encore fait aucun commentaire sur le silence de Lucy. Dix minutes après le début du repas, cependant, sa fille – moins réservée, plus observatrice – commence à poser des questions.

"Qu'est-ce qu'elle a, cette enfant ? demande-t-elle. Elle n'a pas appris à parler ?

— Bien sûr que si, dis-je. Simplement, elle n'en a pas envie.

— Pas envie ? fait Honey. Que voulez-vous dire ?

— C'est une épreuve. (En guise d'explication, je balbutie le premier mensonge qui me vient à l'esprit.) Nous parlions l'autre jour, Lucy et moi, de choses difficiles, et nous sommes convenus que ne pas parler est l'une des plus difficiles qu'on puisse faire. Nous avons donc fait un pacte. Lucy s'est engagée à ne pas dire un mot pendant trois jours. Si elle arrive à respecter son engagement, j'ai promis de lui donner cinquante dollars. N'est-ce pas, Lucy ?"

Lucy approuve d'un hochement de tête.

Je reprends : "Et il reste combien de jours ?"

Lucy lève deux doigts.

Ah, me dis-je, nous y voilà. La gosse s'est enfin confiée. Plus que deux jours, et la torture prendra fin.

Honey fronce les sourcils, à la fois sceptique et inquiète. Les enfants, c'est son rayon, après tout, et elle sent que quelque chose ne va pas. Mais je suis un inconnu pour elle et au lieu de me presser de questions sur le jeu bizarre et malsain auquel je joue avec cette gamine, elle aborde le problème sous un autre angle.

"Pourquoi cette petite n'est-elle pas à l'école ? demande-t-elle. On est lundi 5 juin. Les vacances d'été ne commencent pas avant trois semaines.

— Parce que, dis-je, élaborant en hâte un nouveau mensonge, Lucy va dans une école privée… et l'année scolaire y est plus courte que dans les établissements publics. Elle a eu ses derniers cours vendredi."

Cette fois encore, je suis convaincu que Honey ne me croit pas. Mais à moins de franchir la limite d'une grossièreté inacceptable, elle ne peut guère continuer à m'interroger sur des questions qui ne la regardent pas. Elle me plaît, cette Chowder, cette femme solide et directe, et son père aussi me plaît qui, attablé en face de moi, mange paisiblement et savoure son vin, mais je n'ai aucune intention de leur faire partager nos secrets de famille. Ce n'est pas que j'aie honte de ce que nous sommes – mais, bon Dieu, quelle famille. Quel ramassis d'âmes en peine et déglinguées. Quels exemples frappants de l'imperfection humaine. Un père dont la fille ne veut plus rien avoir à faire avec lui. Un frère qui n'a plus vu sa sœur et en est sans nouvelles depuis trois ans. Et une gamine qui s'est enfuie de chez elle et refuse de parler. Non, je ne suis pas prêt à révéler aux Chowder la vérité sur notre petit clan fracturé et bon à rien. Non, pas ce soir. Pas ce soir et, vraisemblablement, jamais.

Tom doit avoir des pensées similaires aux miennes, car il intervient précipitamment en s'efforçant d'engager la conversation dans une autre direction. Il commence par poser des questions à Honey sur son travail. Depuis combien de temps elle exerce son métier, et, d'abord, qu'est-ce qui l'a poussée à devenir institutrice, que pense-t-elle du système en vigueur à Brattleboro, et cetera. Ses questions sont quelconques, d'une banalité écœurante et, à voir son visage pendant qu'il parle à Honey, je me dis qu'elle ne l'intéresse pas – ni en tant que femme, ni même en tant qu'individu. Mais Honey est trop solide pour laisser l'indifférence de Tom l'empêcher de lui donner des réponses vives et charmantes, et bientôt c'est elle qui mène la danse, en bombardant notre gamin de douzaines de questions. Son agressivité déconcerte Tom pendant quelques instants et puis, comprenant que son interlocutrice est tout aussi intelligente que lui, il se hausse au niveau de la situation et se met à renvoyer la balle. Stanley et moi, nous ne parlons guère, mais nous sommes tous deux amusés par la joute verbale qui a commencé sous nos yeux. Inévitablement, la conversation aborde la politique et les prochaines élections, en novembre. Tom fulmine contre l'influence croissante de la droite en Amérique. Il évoque la quasi-destruction de Clinton, le mouvement anti-avortement, le lobby des armes à feu, la propagande fasciste dans les talk-shows à la radio, l'interdiction, dans certains Etats, d'enseigner l'évolution. "Nous marchons à reculons, dit-il. Chaque jour, nous perdons un peu plus de notre pays. Si Bush est élu, il n'en restera rien." A ma surprise, Honey est en accord total avec lui. La paix règne pendant à peu près trente secondes, et puis elle annonce qu'elle a l'intention de voter pour Nader.

"Ne faites pas ça, dit Tom. Un vote pour Nader, c'est un vote pour Bush.

— Pas du tout, répond Honey. C'est un vote pour Nader. D'ailleurs, Gore va l'emporter dans le Vermont. Si je n'en étais pas convaincue, je voterais pour lui. Comme ceci, je peux exprimer ma petite protestation tout en écartant Bush.

— Dans le Vermont, je ne sais pas, dit Tom, mais ce que je sais, c'est que l'élection va être serrée. Si suffisamment de gens pensent comme vous dans les Etats indécis, Bush gagnera."

Honey s'efforce de ne pas sourire. Tom est si sacrément sérieux, elle meurt d'envie de lui faire lâcher ses grands airs grâce à une réplique loufoque ou bizarre. Je vois venir la blague et je croise les doigts : pourvu qu'elle soit bonne.

"Vous savez ce qui est arrivé la dernière fois qu'une nation a écouté un *bush** ?" demande-t-elle.

Personne ne dit mot.

"Son peuple a erré dans le désert pendant quarante ans."

Malgré lui, Tom éclate de rire.

La joute vient de se terminer de façon soudaine et décisive, et Honey en est le vainqueur incontestable.

Je ne voudrais pas me laisser emporter, mais je soupçonne que Tom a rencontré une partenaire à sa mesure. Quelque chose en sortira-t-il, ça, c'est une autre histoire, une histoire que raconteront le temps et les mystérieux penchants de la chair. Je me recommande de rester à l'écoute des développements à venir.

Tôt le lendemain matin, je téléphone à Al Junior à la station-service ; il n'a pas encore résolu l'énigme de la voiture. "Je suis en train d'y travailler, me dit-il. Dès que j'aurai la réponse, je vous ferai signe."

Je m'émerveille de constater à quel point cette réponse m'affecte peu. A la limite, je me réjouis de rester bloqué encore un jour en haut de notre colline, de ne pas devoir penser tout de suite au retour à New York.

* *Bush*, "buisson".

J'ai une tâche à accomplir ce matin, mais il est impossible de faire asseoir Stanley assez longtemps pour entreprendre avec lui une conversation sérieuse. Il nous prépare et nous sert le petit-déjeuner et puis, dès qu'il a déposé les assiettes devant nous, il sort en vitesse de la cuisine et monte faire les lits. Après ça, il s'occupe de toutes sortes de choses dans la maison : ampoules électriques à remplacer, tapis à battre, cadres de fenêtre à réparer. Je ne peux rien faire d'autre qu'attendre une occasion, plus tard dans la journée.

Il fait frais et brumeux ce matin. Nous mettons nos pull-overs pour sortir et contempler de la galerie la pelouse mouillée, trempée de rosée. Un peu plus tard, les nuages se dissiperont et nous bénéficierons à nouveau d'un après-midi étincelant mais, pour l'instant, c'est à peine si l'on distingue les buissons et les arbres.

Lucy a trouvé un livre dans sa chambre et l'apporte avec elle dans la galerie. C'est un livre de poche et, comme sa main en recouvre le titre, je lui demande de me montrer ce que c'est. *Riders of the Purple Sage*, un roman-western de Zane Grey. Je lui demande si c'est bon, et elle approuve d'un vigoureux hochement de tête. Pas seulement bon, semble-t-elle me dire, mais un chef-d'œuvre absolu. Son choix me paraît curieux pour une gamine de neuf ans, mais de quel droit y ferais-je objection ? La gosse aime lire, me dis-je, et je considère cela comme un élément positif, une preuve que notre petite fugitive n'a rien d'une paresseuse au plan intellectuel.

Tom s'installe dans la chaise longue voisine de la mienne tandis que Lucy s'allonge sur la balancelle avec son livre. Il allume une cigarette et me demande : "Tu crois qu'Al Junior réussira à réparer la voiture ?

215

— Sans doute, dis-je. Mais je ne suis pas pressé de partir d'ici. Et toi ?

— Non, pas vraiment. Je commence à aimer cet endroit.

— Tu te rappelles notre dîner avec Harry, la semaine dernière ?

— Quand tu as renversé le vin rouge sur ton pantalon ? Comment pourrais-je l'oublier ?

— Je pensais à certaines des choses que tu as dites ce soir-là.

— Si je me souviens bien, j'ai dit des tas de choses. Stupides, pour la plupart. D'une stupidité monumentale.

— Tu n'étais pas dans ton assiette. Mais tu n'as rien dit de stupide.

— Tu devais être trop saoul pour le remarquer.

— Saoul ou pas, il y a une chose que je dois savoir. Tu pensais ce que tu disais, à propos de ton envie de quitter la ville – ou ce n'étaient que des mots ?

— Je le pensais, mais ce n'étaient que des mots.

— Ça ne peut pas être les deux à la fois. Faut que ce soit l'un ou l'autre.

— Je le pensais, mais je sais aussi que ça n'arrivera jamais. Par conséquent, ce n'étaient que des mots.

— Et la combine de Harry ?

— Rien que des mots. Tu devrais savoir ça de Harry, maintenant. S'il y a quelqu'un qui parle à tort et à travers, c'est bien notre vieil ami Harry Brightman.

— Je ne te contredirai pas. Pourtant, juste histoire de discuter, imagine qu'il ait dit la vérité. Imagine qu'il touche un paquet d'argent et qu'il soit d'accord pour le placer dans un domaine à la campagne. Qu'est-ce que tu dirais, dans ce cas ?

— Je dirais : Allons-y, faisons-le.

— Bien. Maintenant, réfléchis. Si tu pouvais acheter ce domaine n'importe où dans le monde, où souhaiterais-tu que ce soit ?

— Je n'ai pas vu aussi loin. Un endroit isolé, en tout cas. Un endroit où les autres gens ne seraient pas juste sur nous.

— Un peu comme l'auberge Chowder ?

— Ouais. Maintenant que tu le dis, cet endroit conviendrait très bien.

— Pourquoi ne demanderions-nous pas à Stanley s'il serait d'accord pour vendre ?

— A quoi bon ? On n'aurait pas les moyens de l'acheter.

— Tu oublies Harry.

— Non, je ne l'oublie pas. Harry a ses bons côtés, mais c'est le dernier individu sur qui je compterais pour une aventure comme celle-ci.

— Je reconnais qu'on n'a qu'une chance sur un million, mais si jamais la combinaison de Harry était gagnante ? Pourquoi ne pas en parler à Stanley ? Juste pour voir. S'il dit que ça l'intéresse, au moins nous saurons à quoi ressemble l'hôtel Existence.

— Même si nous n'y habitons jamais.

— Exactement. Même si nous n'y revenons jamais de nos vies entières.

Il se trouve que Stanley pense depuis des années à vendre son domaine. Seules l'inertie et l'apathie l'ont empêché de "prendre le taureau par les cornes", dit-il, mais si le prix lui convenait, il conclurait l'affaire en une minute. Il ne supporte plus de vivre avec le fantôme de Peg. Il ne supporte plus la brutalité des hivers. Il ne supporte plus l'isolement. Il a eu son compte du

Vermont, et tout ce dont il rêve, c'est de s'en aller vers les tropiques, dans une île des Caraïbes où il fait chaud tous les jours de l'année.

Alors pourquoi se donner tant de peine pour remettre l'auberge Chowder en état ? demandons-nous. Sans raison, répond-il. Il n'a rien de mieux à faire, et c'est une façon de tenir tête à l'ennui.

C'est l'heure du déjeuner. Assis tous les quatre autour de la table de la salle à manger, nous mangeons de la charcuterie, des fruits et du fromage. A présent que le brouillard s'est levé, le soleil entre à flots par les fenêtres ouvertes et tous les objets qui se trouvent dans la pièce paraissent plus nets, plus éclatants, plus saturés de couleurs. Notre hôte est en train de nous raconter les chagrins de sa vie mais je me sens remarquablement heureux d'être où je suis, bien assis dans ma peau, de regarder ce qu'il y a sur la table, de respirer l'air à pleins poumons, de savourer le simple bienfait d'être en vie. Quel dommage que la vie ait une fin, me dis-je, quel dommage que nous ne soyons pas autorisés à vivre à jamais.

Tom explique que nous n'avons pas pour l'instant les moyens de faire une offre, mais que nous pourrions nous trouver à même d'en faire une dans les semaines qui viennent. Stanley répond qu'il ne sait pas ce que vaut la propriété mais qu'il pourrait le savoir en prenant contact avec un agent immobilier des environs. Plus nous parlons, plus il s'enthousiasme. Bien que je ne sache pas s'il croit un mot de ce que nous lui disons, le seul fait de pouvoir s'imaginer une nouvelle vie semble le métamorphoser.

Pourquoi ai-je encouragé une telle absurdité ? Tout cela dépend de la vente d'un faux manuscrit de *La Lettre écarlate* et, outre que je suis moralement opposé au projet criminel de Harry, celui-ci ne m'inspire aucune confiance. Plus pertinent encore : même si j'y croyais, aller vivre dans le Vermont ne me dit rien. Je viens à peine de commencer, moi aussi, une nouvelle vie, et je suis parfaitement satisfait de la décision que j'ai prise de m'installer à Brooklyn. Après toutes ces années dans les faubourgs, je m'aperçois que la ville me va bien et que je me suis déjà attaché à mon quartier, avec son mélange changeant de blanc, de brun et de noir, sa polyphonie d'accents étrangers, ses enfants et ses arbres, ses familles de petits-bourgeois laborieux, ses couples de lesbiennes, ses épiceries coréennes, le saint homme indien barbu en robe blanche qui me salue en s'inclinant chaque fois que nous nous croisons dans la rue, ses nains et ses invalides, ses vieux retraités marchant à petits pas sur les trottoirs, les cloches de ses églises et ses dix mille chiens, sa population clandestine de pilleurs de poubelles solitaires et sans logis poussant leurs caddies au long des avenues et fouillant les ordures en quête de bouteilles.

Si je ne veux pas quitter tout cela, pourquoi ai-je poussé Tom à cette vaine discussion immobilière avec Stanley Chowder ? Dans le but de faire plaisir à Tom, j'imagine. Dans le but de lui montrer qu'il peut compter sur moi comme partisan de son projet, même si nous comprenons l'un et l'autre que le nouvel hôtel Existence n'est bâti "que sur des mots". Je donne la réplique à Tom pour lui prouver que je suis avec lui et, parce qu'il apprécie le geste, Tom me donne la réplique. C'est, en toute lucidité, un exercice de mystification mutuelle. Il n'en sortira jamais rien, et nous pouvons donc rêver ensemble sans nous soucier des conséquences. A présent que nous avons attiré Stanley dans notre petit jeu, ça a presque l'air vrai. Mais ce ne l'est pas. Ce n'est toujours que vent et fantasmes, une idée aussi fausse que le manuscrit de Hawthorne dont parle Harry – et qui, vraisemblablement, n'existe pas. Cela ne signifie pas, toutefois, que le jeu n'est pas amusant. Il faudrait être mort pour ne pas prendre plaisir à parler de choses extravagantes, et quel meilleur endroit pour faire cela que le sommet d'une colline au fin fond d'une paisible cambrousse en Nouvelle-Angleterre ?

Après le déjeuner, Stanley me propose une partie de ping-pong dans la grange. Je lui réponds que je suis rouillé, qu'il y a des années que je n'ai plus joué, mais il ne veut rien entendre. L'exercice me fera du bien, dit-il, "ça fait circuler les fluides", et j'accepte donc à contrecœur de jouer une ou deux parties. Lucy nous accompagne dans la grange, histoire d'assister à l'action ; Tom, lui, s'installe sur une chaise longue dans la galerie pour fumer et lire.

J'apprends rapidement que Stanley ne joue pas le genre de ping-pong auquel je suis habitué. Les raquettes et la balle sont les mêmes, mais entre ses mains il s'agit moins d'une aimable activité de salon que d'un sport complet, ardu, une version diabolique et miniaturisée du tennis. Il donne à ses services des effets ravageurs qui les rendent impossibles à rattraper, se tient à trois mètres de la table et renvoie chacune de mes balles comme si je n'étais pas plus habile qu'un enfant de quatre ans. Il me bat trois fois à plates coutures – 21-0, 21-0, 21-0 – et, une fois le massacre accompli, il ne me reste qu'à saluer humblement mon vainqueur et à traîner hors de la grange mon corps épuisé.

Couvert de sueur, je rentre à la maison pour prendre une douche rapide et changer de vêtements. Pendant que je gravis les marches du perron avec Lucy, Tom m'annonce qu'il a téléphoné à Brooklyn, il y a un quart d'heure. Comme Harry était sorti, Tom a chargé Rufus de lui dire de nous rappeler. "Pour voir si ça l'intéresse toujours, dit Tom. Ce n'est pas la peine de donner de l'espoir à Stanley si Harry a changé d'avis."

J'ai passé moins d'une demi-heure dans la grange mais je sens que durant ce bref intermède Tom a réfléchi profondément. Quelque chose dans son regard m'apprend que notre conversation avec Stanley pendant le déjeuner a modifié sa position à l'égard du nouvel hôtel Existence. Il commence à croire que ça peut marcher. Il commence à espérer.

Il se trouve que le téléphone sonne à l'instant où je pénètre dans le vestibule. Je décroche, et c'est Brightman en personne dont je reconnais la faconde à l'autre bout de la ligne. Je lui raconte nos ennuis de voiture, je lui parle de l'auberge Chowder et de l'empressement de Stanley à faire affaire avec nous. "Cet endroit est l'endroit rêvé, dis-je. L'idée de Tom pouvait paraître un peu étrange quand nous nous trouvions dans ce restaurant en ville, mais dès qu'on arrive ici, tout ça paraît éminemment raisonnable. C'est pour ça qu'il t'a appelé. Pour savoir si tu en es toujours.

— Si j'en suis ? lance Harry d'une voix sonore, tel un de ces acteurs un peu cinglés du XIXe siècle. Bien sûr que j'en suis. On s'est serré la main là-dessus, pas vrai ?

— Pas dans mon souvenir.

— Bon, ce n'était peut-être pas matériellement une vraie poignée de main. Mais on était tous d'accord. Ça, je me le rappelle très bien.

— Une poignée de main mentale.

— C'est ça. Une poignée de main mentale. Une vraie rencontre en esprit.

— Et tout ça, en fonction du résultat de ta petite affaire, bien entendu.

— Bien entendu. Cela va sans dire.

— Alors tu as toujours l'intention d'aller jusqu'au bout ?

— Je sais que tu es sceptique, mais toutes les pièces sont en train de se mettre en place, d'un coup.

— Ah ?

— Oui. Et j'ai le plaisir de te communiquer une excellente nouvelle. Ne crois pas que je n'aie pas pris ton avis au sérieux, Nathan. J'ai dit à Gordon que j'hésitais et que s'il ne s'arrangeait pas pour me faire rencontrer le mystérieux Mr Metropolis, je me retirerais.

— Et ?

— Je l'ai rencontré. Gordon l'a amené au magasin et je l'ai rencontré. Un homme très intéressant. Il n'a guère ouvert la bouche mais j'ai senti que je me trouvais en présence d'un vrai pro.

— Il avait amené un spécimen de son travail ?

— Une lettre d'amour de Charles Dickens à sa maîtresse. Une merveille.

— Je te souhaite bonne chance, Harry. Sinon pour toi, au moins pour Tom.

— Tu seras fier de moi, Nathan. Après notre conversation de l'autre soir, j'ai décidé que je devais prendre certaines précautions. Au cas où ça tournerait mal. Ce qui ne sera pas le cas, mais quand on a vécu autant d'années que moi, on serait idiot de ne pas envisager toutes les possibilités.

— Je ne suis pas sûr de te suivre.

— Tu n'as pas besoin. Pas maintenant, en tout cas. Quand le moment sera venu, s'il vient, tu comprendras tout. C'est probablement le coup le plus intelligent que j'aie joué de ma vie. Un geste grandiose, Nathan. La parade des parades. Un vaste saut de l'ange dans la grandeur éternelle."

Je n'ai aucune idée de ce qu'il veut dire. Harry est en plein envol déclamatoire, il débite ses fanfaronnades énigmatiques pour le simple plaisir d'écouter sa propre voix, et je ne vois pas l'intérêt de prolonger la conversation. Tom est maintenant à côté de moi. Sans me fatiguer à dire un mot de plus, je lui passe le combiné et je monte prendre ma douche.

Le lendemain matin, Lucy ouvre enfin la bouche – elle parle.

Je m'attends à des réponses et à des révélations, au dévoilement de mystères multiples, à un grand rai de lumière brillant dans les ténèbres. J'aurais pourtant dû me douter qu'il ne fallait pas compter sur le langage comme mode de communication plus efficace que des hochements de tête. Lucy a résisté pendant trois jours entiers à nos tentatives de lui soutirer quelque chose et dès lors qu'elle s'autorise à parler, ses paroles nous satisfont à peine plus que ne le faisaient ses silences.

Je commence par lui demander où elle habite.

"En Caroline", répond-elle, en faisant traîner les syllabes avec ce même accent du Sud profond que j'avais remarqué lundi matin.

"En Caroline-du-Nord ou Caroline-du-Sud ?

— Caroline-Caroline.

— Ça n'existe pas, ça, Lucy. Tu le sais. Tu es une grande fille. C'est soit Caroline-du-Nord, soit Caroline-du-Sud.

— Te fâche pas, oncle Nat. Maman m'a demandé de ne pas le dire.

— C'était l'idée de ta mère, que tu ailles chez ton oncle Tom à Brooklyn ?

— Maman a dit : Pars, alors je suis partie.

— Tu étais triste de la quitter ?

— Très triste. J'aime ma maman, mais elle sait ce qui est juste.

— Et ton père ? Est-ce qu'il sait ce qui est juste ?

— Absolument. C'est l'homme le plus juste sous le soleil.

— Pourquoi ne parlais-tu pas, Lucy ? Qu'est-ce qui t'a fait garder le silence pendant tant de jours ?

— C'était pour maman. Pour qu'elle sache que je pensais à elle. C'est comme ça qu'on fait chez nous. Papa dit que le silence purifie l'esprit, qu'il nous prépare à recevoir la parole de Dieu.

— Tu aimes ton père autant que ta mère ?

— Ce n'est pas mon vrai père. Je suis adoptée. Mais je viens du ventre de maman. Elle m'a portée en elle pendant neuf mois, alors c'est à elle que j'appartiens.

— Elle t'a dit pourquoi elle voulait que tu viennes dans le Nord ?

— Elle a dit : Pars, alors je suis partie.

— Ne penses-tu pas que nous devrions lui parler, Tom et moi ? Il est son frère, tu sais, et je suis son oncle. Ma sœur était sa mère.

— Je sais. Grand-mère June. Avant, je vivais avec elle, mais maintenant elle est morte.

— Si tu me donnes votre numéro de téléphone, ça facilitera beaucoup les choses pour nous tous. Je ne te renverrai pas si tu n'as pas envie. Je voudrais juste parler à ta mère.

— On n'a pas le téléphone.

— Quoi ?

— Papa n'aime pas les téléphones. On en avait un, et puis il l'a ramené au magasin.

— Bon, d'accord. Et ton adresse ? Tu dois la connaître.

— Oui, je la connais. Mais maman m'a demandé de ne pas le dire et quand maman me demande quelque chose, c'est ce que je fais."

Cette exaspérante première conversation se déroule à sept heures du matin. Lucy m'a réveillé en frappant à ma porte et elle s'assied près de moi sur le lit pendant que je commence mon vain interrogatoire. A côté, Tom dort encore dans la chambre Buster Keaton, mais quand il descend une heure plus tard au petit-déjeuner, il ne réussit pas mieux que moi à lui soutirer des informations. Ensemble, nous continuons à la questionner pendant la moitié de la matinée, mais cette gosse est en acier, elle ne vacille pas. Elle ne nous dit même pas quelle est la profession de son père ("Il travaille") ni si sa mère a encore le tatouage sur son épaule gauche ("Je ne la vois jamais sans ses vêtements"). La seule chose qu'elle consent à nous communiquer n'a rien à voir avec ce que nous voudrions savoir : sa meilleure amie s'appelle Audrey Fitzsimmons. Audrey porte des lunettes, apprenons-nous, et elle est la plus forte au bras de fer en quatrième année. Elle bat non seulement toutes les filles, mais même les garçons.

Nous finissons par renoncer, vaincus, mais pas avant que Lucy ne me rappelle que je lui ai promis cinquante dollars quand elle se remettrait à parler.

"Je n'ai jamais promis ça, lui dis-je.

— Si, tu l'as promis, réplique-t-elle. L'autre soir, au dîner. Quand Honey t'a demandé pourquoi je ne parlais pas.

— J'essayais de te protéger. Je ne le pensais pas vraiment.

— Alors ça fait de toi un menteur. Papa dit que les menteurs sont les vers les plus méprisables de l'univers. Est-ce que c'est ça que tu es, oncle Nat ? Un vil et misérable ver ?"

Tom, qui, un instant plus tôt, était sur le point de lui tordre le cou, éclate soudain de rire. "Tu ferais mieux de raquer, me dit-il. Tu n'as pas envie qu'elle cesse de te respecter, hein, Nathan ?

— Ouais, pépie Lucy, tu as envie que je t'aime, hein, oncle Nat ?"

A contrecœur, je sors mon portefeuille et je lui tends les cinquante dollars en marmonnant :
"Tu as un sacré toupet, Lucy.

— Je sais, déclare-t-elle en enfonçant le billet dans sa poche et en me décochant l'un de ses sourires gigantesques. Maman m'a dit de ne jamais me laisser faire. Un marché est un marché, d'accord ? Si je te laissais manquer à ta parole, tu ne m'aimerais plus. Tu penserais que je suis une nouille.

— Qu'est-ce qui te fait penser que je t'aime ? dis-je.

— Parce que je suis si mignonne, répond-elle. Et parce que tu as changé d'avis pour Pamela."

Tout cela est très drôle, sans doute, mais une fois qu'elle est partie jouer avec le chien, je me tourne vers Tom et je lui demande : "Comment diable allons-nous obtenir qu'elle parle ?

— Elle parle, observe-t-il. Simplement, elle ne dit pas ce que nous voulons savoir.

— Peut-être que je devrais la menacer.

— Ce n'est pas ton style, ça, Nathan.

— Je ne sais pas. Et si je lui disais que j'ai de nouveau changé d'avis ? Si elle ne répond pas à nos questions, on la conduit chez Pamela et on la laisse là. Pas de *si*, de *et*, ni de *mais*.

— N'y compte pas.

— Je me fais du souci pour Rory, Tom. Si la petite ne se confie pas à nous, nous ne saurons jamais ce qui se passe.

— Je m'en fais, moi aussi. Depuis trois ans, je n'ai pas cessé de m'en faire. Mais effrayer Lucy ne profiterait à personne. Elle en a déjà vu assez."

A onze heures, ce matin-là, Al Junior téléphone du garage pour m'annoncer qu'il a situé le problème. Du sucre dans le réservoir et les conduites d'essence, dit-il. Ce diagnostic me paraît si extravagant que je comprends à peine de quoi il parle.

"Du sucre, répète-t-il. On dirait que quelqu'un a déversé une cinquantaine de boîtes de Coca-Cola dans le réservoir. Si vous voulez foutre une voiture en l'air, il n'y a pas plus simple ni plus rapide.

— Grands dieux, dis-je. Vous êtes en train de me raconter que quelqu'un a fait ça exprès ?

— C'est bien ce que je dis. Les boîtes de Coca n'ont pas de jambes, hein ? Elles n'ont pas de mains ni de doigts pour s'ouvrir elles-mêmes. La seule explication, c'est que quelqu'un s'est mis dans la tête de jouer un tour à votre voiture.

— Ça a dû se passer pendant que nous déjeunions. La voiture marchait parfaitement jusqu'à ce qu'on la gare devant le restaurant. La question, c'est : qui diable pourrait vouloir faire un truc aussi merdique et pourquoi ?

— Pour mille raisons, Mr Glass. Des petits voyous, sans doute. Vous savez, une bande d'ados désœuvrés qui veulent s'amuser. Ce genre de vandalisme, on en a tout le temps par ici. Ou bien un type qui n'aime pas les gens de New York. Il remarque les plaques d'immatriculation de votre voiture et il décide de vous donner une leçon.

— Ridicule.

— Vous seriez étonné. Il y a pas mal de rancœur contre les gens des autres Etats dans cette partie du Vermont. Surtout ceux de New York et de Boston, mais j'ai même vu quelques abrutis chercher la bagarre avec des gens du New Hampshire. C'est encore arrivé l'autre jour chez Rick, un bar sur la route 30. Un type arrive de Keene, New Hampshire, c'est à deux doigts environ de la frontière du Vermont, et un indigène saoul – je ne citerai pas de noms – lui écrase une chaise sur le crâne. «Le Vermont aux Vermontois, qu'il crie. Tire-toi d'ici avec ta gueule du New Hampshire !» Ça a tourné au pugilat. A ce qu'on m'a dit, ça aurait pu durer toute la nuit si les flics n'étaient pas intervenus.

— A vous entendre, on se croirait en Yougoslavie.

— Mouais, je vois ce que vous voulez dire. Le premier idiot venu a son territoire à défendre, et malheur au pauvre étranger qui ne fait pas partie de sa tribu."

Al Junior continue pendant une ou deux minutes à déplorer l'état du monde d'une voix dolente et incrédule, et je l'imagine hochant la tête au rythme des mots qu'il prononce. Finalement, nous revenons à ma voiture verte sabotée et j'apprends qu'il va se mettre au nettoyage du moteur et des conduites d'essence. Je vais devoir casquer pour des bougies neuves, une nouvelle tête de delco et diverses autres pièces de rechange mais tout ce qui m'importe, c'est que ma vieille caisse soit remise sur pied. Al Junior me promet un bulletin de santé favorable à la fin de la journée. S'ils ont le temps, son père et lui, ils monteront jusqu'ici à deux voitures pour me livrer la Cutlass dès ce soir. Sinon, je peux les attendre demain matin. Je ne pense pas à lui demander ce que coûteront les réparations. Mon cerveau est momentanément bloqué en Yougoslavie et je me représente les horreurs de Sarajevo et du Kosovo, les milliers d'innocents massacrés, morts sans autre raison qu'une différence supposée avec ceux qui les ont tués.

Les idées noires m'obsèdent jusqu'à l'heure du déjeuner et je fais seul le tour du domaine, laissant Tom et Lucy à leurs occupations. C'est l'unique moment sombre de mon séjour à l'auberge Chowder ; rien n'a bien marché ce matin, et j'ai soudain l'impression que le monde m'écrase de toutes parts. Les réponses évasives de Lucy, son habileté à ne rien dire ; mon anxiété croissante au sujet de sa mère ; la malveillance dont ma voiture a été victime ; l'irrépressible rumination concernant ces massacres en des lieux lointains – j'en ai plein la tête et tout cela me rappelle qu'il n'y a pas moyen d'échapper au malheur qui afflige le monde. Pas même derrière les portes fermées et les portiques verrouillés du prétendu sanctuaire appelé hôtel Existence.

Je cherche un contre-argument, une idée qui équilibre les données, et finalement je me mets à penser à Tom et à Honey. Rien n'est sûr au point où nous en sommes mais la veille, pendant le dîner, j'ai senti un net adoucissement de l'attitude de Tom envers elle. Il y a des années que Honey supplie son père de déménager et quand Stanley lui a raconté que nous pourrions être intéressés par le rachat de la maison, elle a levé son verre pour nous offrir un toast en remerciement. Ensuite, se tournant vers Tom, elle lui a demandé pourquoi diable il voudrait échanger sa vie de citadin contre un chemin de terre dans le Vermont. Au lieu de se moquer d'elle en répondant par une plaisanterie, il lui a donné une explication complète et pondérée, en reprenant plusieurs des points qu'il avait énumérés pendant notre dîner avec Harry dans Smith Street, à Brooklyn, sauf qu'en un sens il était plus éloquent que ce soir-là – plus pressant, plus persuasif dans l'exposé de son désespoir concernant l'avenir de l'Amérique. C'était Tom au meilleur, au plus scintillant de sa forme, et en observant Honey qui le regardait de l'autre côté de la table, j'ai vu de petites larmes s'accumuler aux coins de ses yeux et j'ai su, su sans l'ombre d'un doute, que la généreuse et chaleureuse fille de Stanley avait le béguin pour mon neveu.

Mais Tom ? Je voyais bien qu'il avait commencé à faire attention à elle, à lui parler de façon plus confiante et moins agressive, mais qu'est-ce que cela voulait dire ? Cela pouvait dénoter un intérêt naissant, ce pouvait aussi n'être que de bonnes manières.

Un moment bref, en fin de soirée. Que cela réponde ou non à la question, je le soumets comme un dernier élément de preuve.

Lorsque nous avons terminé le dessert, Lucy était déjà montée se coucher et les quatre adultes restés à table étaient tous un peu ivres. Stanley a proposé un poker amical et tandis qu'il battait les cartes en évoquant sa vie sous les tropiques (assis sous un palmier, un punch au rhum dans une main et un Montecristo dans l'autre, en contemplation devant le mouvement des vagues sur la plage blanche au coucher du soleil), il a calmement entrepris de nous écraser tous en gagnant les trois quarts des manches. Après la raclée qu'il m'avait flanquée au ping-pong l'après-midi même, comment ne m'y serais-je pas attendu ? Il semblait qu'il n'y eût rien où cet homme n'excellât, et Tom et Honey riaient tous les deux de leur insuffisance, en pariant de plus en plus gros cependant que Stanley continuait à dominer la partie. C'était un rire complice, me semblait-il, et je fis consciemment l'effort de ne pas m'y joindre, tout en observant les deux jeunes gens derrière l'écran de mes cartes. Et alors, comme le jeu touchait à sa fin, Tom a dit quelque chose qui m'a surpris. "Ne rentre pas à Brattleboro, a-t-il dit à Honey. Il est plus de minuit et tu as trop bu."

Simple politesse – ou moyen détourné de l'attirer au lit ?

"Je peux faire cette route les yeux fermés, a répondu Honey. T'en fais pas pour moi, mon gars."

Et elle a expliqué qu'elle devait se lever très tôt le lendemain matin (quelque chose à voir avec une réunion parents-professeurs), mais je voyais bien que la sollicitude de Tom l'avait touchée, ou du moins j'ai cru le voir. Et puis elle nous a tous embrassés pour nous dire bonsoir. D'abord son père, et puis un léger bisou sur la joue pour moi, et enfin Tom. Non seulement il a eu son baiser sur les lèvres, mais il a eu droit aussi à une embrassade – une étreinte généreuse qui a duré plusieurs secondes de plus que la situation ne semblait l'exiger.

"Bonne nuit, tout le monde, nous a lancé Honey avec un signe de la main en se dirigeant vers la porte d'entrée. A demain."

Le lendemain, elle arrive à quatre heures de l'après-midi, avec cinq homards, trois bouteilles de champagne et deux desserts différents. Un nouveau festin naît pour nous des talents extravagants de notre chef et à présent que Lucy est disposée à participer aux conversations, l'institutrice de quatrième et l'élève de quatrième parlent boutique pendant une bonne partie du repas en se renvoyant les titres de leurs livres préférés. Al Junior et Al Senior ont encore à se pointer avec ma voiture, mais j'annonce que l'Oldsmobile est réparée et que nous devrions l'avoir sous la main dès demain. Il y a tant de bonne humeur dans les propos échangés autour de cette table que j'omets de mentionner la cause de la panne, ne souhaitant pas gâcher l'atmosphère en abordant un sujet aussi désagréable. Tom est au courant maintenant, et lui non plus n'a pas envie d'évoquer le sale tour qu'on nous a joué. Honey et Lucy chantent des chansons absurdes en décortiquant leurs homards et pourquoi irions-nous troubler leur plaisir avec une histoire déprimante d'animosités de classes et de rancœurs provinciales ?

Quand je monte avec Lucy pour la mettre au lit, je me rends compte que je suis trop fatigué pour me coucher tard ce soir encore et recommencer à m'envoyer verre de vin sur verre de vin avec les autres. Les Chowder résistent bien à l'alcool, tous les deux, et Tom, étant donné sa corpulence et son prodigieux appétit, peut leur tenir tête, mais moi, l'ex-cancéreux efflanqué, je n'ai qu'une capacité limitée et je crains la gueule de bois du lendemain matin.

Je m'installe au bord du lit de Lucy et je lui fais la lecture du roman de Zane Grey jusqu'à ce qu'elle ferme les yeux et s'endorme. En allant dans ma chambre, à côté, j'entends des rires qui montent de la salle à manger. J'entends Stanley prononcer les mots "complètement vanné" et puis la voix de Honey qui parle de "la chambre Charlie Chaplin" et ajoute "ce ne serait peut-être pas une mauvaise idée." Difficile de savoir de quoi ils parlent mais il y a une possibilité : Stanley s'apprête à aller se coucher et Honey, qui a trop bu pour reprendre la route, a l'intention de passer la nuit à l'auberge. Si je ne me trompe, la chambre Charlie Chaplin est la voisine immédiate de celle de Tom.

Je me glisse dans mon lit et je commence à lire *Senilità*, d'Italo Svevo. C'est mon deuxième roman de Svevo en moins de deux semaines, mais *La Conscience de Zeno* a fait sur moi une si forte impression que j'ai décidé de lire tous les livres de cet auteur sur lesquels je pourrais mettre la main. *Senilità*. Ce titre, qui est aussi le titre original en italien, me paraît tout indiqué pour un raseur vieillissant comme moi. Un homme d'âge mûr et sa jeune maîtresse. Les peines d'amour. Les espoirs déçus. Tous les deux ou trois paragraphes, je m'arrête un moment en pensant à Marina Gonzalez, et l'idée que je ne la verrai plus jamais me fait mal. Je suis tenté de me masturber mais je résiste à cette envie parce que les ressorts rouillés du sommier ne manqueraient pas de me trahir. Je glisse tout de même une main sous les couvertures de temps à autre pour effleurer ma verge. Simplement pour m'assurer qu'elle est toujours là, vérifier que ma vieille amie est toujours avec moi.

Une demi-heure plus tard, j'entends des pas lourds qui montent l'escalier. Deux paires de jambes, deux voix qui chuchotent : Tom et Honey. Ils s'avancent dans le couloir en direction de ma porte, et puis ils s'arrêtent. Je tends l'oreille pour saisir quelques mots de leur conversation, mais ils parlent trop bas pour que je distingue quoi que ce soit. Finalement, j'entends Tom dire "bonne nuit" et, un instant après, la porte de la chambre Charlie Chaplin s'ouvre et se referme. Trois secondes après, la porte de la chambre Buster Keaton en fait autant.

Entre Tom et moi, le mur est mince – une simple cloison en matériau léger – et le moindre bruit qu'il fait me parvient. Je l'entends ôter ses chaussures et déboucler sa ceinture, je l'entends se brosser les dents devant son lavabo, je l'entends soupirer, je l'entends chantonner, je l'entends se glisser sous les couvertures de son lit grinçant. Je m'apprête à fermer mon livre et à éteindre la lumière mais à peine ai-je tendu la main vers la lampe que j'entends frapper légèrement à la porte de Tom. La voix de Honey murmure : "Tu dors ? – Non", répond Tom et quand Honey demande si elle peut entrer, notre gamin dit oui et, avec ce oui, la raison cachée de notre abandon de l'autoroute en faveur de la route 30 apparaît.

Les bruits sont d'une telle netteté que je n'ai aucune difficulté à suivre tous les détails de l'action qui se déroule de l'autre côté du mur.

"Ne va pas te faire des idées, dit Honey. Ce n'est pas comme si je faisais ce genre de chose tous les jours.

— Je sais, répond Tom.

— C'est juste qu'il y a si longtemps.

— Pour moi aussi. Très longtemps."

J'entends qu'elle se glisse dans le lit auprès de lui et j'entends tout ce qui se passe ensuite. L'amour est chose si étrange, si désordonnée que je ne crois pas utile de rendre compte de chaque baiser goulu, de chaque gémissement. Tom et Honey ont droit à leur intimité et c'est la raison pour laquelle je vais arrêter ici mon récit des activités de la nuit. Si certains lecteurs y voient à redire, je leur suggère de fermer les yeux et de faire appel à leur imagination.

Le lendemain matin, Honey est partie depuis longtemps quand le reste de la maisonnée sort du lit. Il fait à nouveau un temps splendide, peut-être la plus belle journée de ce printemps, mais ce sera aussi une journée de surprises et de chocs qui, à la fin, éclipseront la perfection du paysage et du temps qu'il fait, la relégueront à l'arrière-plan de ma conscience. Si je garde de cette journée quelque souvenir, ce n'est que sous la forme d'un puzzle non assemblé, d'une masse d'impressions isolées. Un bout de ciel bleu ici ; là, un bouleau dont l'écorce reflète la lumière du soleil. Des nuages qui ressemblent à des visages humains, à des cartes géographiques, à des animaux de rêve dotés de dix pattes. L'éclair soudain d'un orvet qui se faufile dans l'herbe. Les quatre notes de lamentation moqueuse d'un oiseau invisible. Les milliers de feuilles d'un tremble frémissant comme des papillons blessés au souffle du vent dans les branches. Un par un, chacun des éléments s'y trouve, mais l'ensemble manque, les pièces ne correspondent pas et je ne peux rien faire d'autre que rechercher les vestiges d'un jour qui n'existe pas dans sa totalité.

Ça commence par l'arrivée d'Al Junior et Al Senior, à neuf heures. Tom est encore en haut, dans la chambre Buster Keaton, comateux après ses ébats nocturnes avec Honey. Lucy et moi, nous sommes debout depuis huit heures et nous sortons justement de la maison pour aller nous promener quand les Wilson apparaissent en convoi de deux véhicules : une Mustang rouge décapotable et ma Cutlass vert pomme. Je laisse aller la main de Lucy pour serrer celles de ces deux braves. Ils m'annoncent que ma voiture est comme neuve, Al Senior me présente une facture pour leurs services et je rédige le chèque sur-le-champ. Alors, juste quand je crois la transaction terminée, Al Junior lâche la première bombe de la journée.

"Le plus fort, Mr Glass, dit-il en tapotant le toit de ma voiture, c'est que vous avez de la chance que cet imbécile ait saboté votre réservoir.

— Que voulez-vous dire ?"

Je me demande comment interpréter cette étrange déclaration.

— Après qu'on s'est parlé, hier matin, je pensais avoir fini ce boulot en quelques heures. C'est pour ça que je vous ai dit qu'on pourrait vous amener la voiture hier soir. Vous vous rappelez ?

— Oui, je me rappelle. Mais vous avez aussi dit que ce ne serait peut-être pas avant aujourd'hui.

— Ouais, j'ai dit ça, mais la raison que je vous ai donnée alors, c'est pas la raison pour laquelle on n'a pu venir que maintenant.

— Ah non ? Qu'est-ce qui est arrivé entre-temps ?

— Je suis allé faire un tour dans votre bagnole. Histoire de m'assurer que tout était redevenu normal. Ça ne l'était pas.

— Oh ?

— Je l'ai poussée à soixante-cinq, soixante-dix miles, et puis j'ai essayé de ralentir. Sacrément difficile quand les freins sont nazes. Une chance que je me sois pas tué.

— Les freins…

— Ouais. Les freins. J'ai ramené la voiture au garage et j'ai regardé. Les garnitures étaient usées, Mr Glass, il en restait presque rien.

— Qu'est-ce que vous dites ?

— Je dis que si vous aviez pas eu cet autre problème avec le réservoir, vous vous seriez jamais douté de l'état des freins. Si vous aviez continué à rouler comme ça, vous auriez bientôt eu de graves ennuis. Ennuis comme accident. Ennuis comme mort. Toutes sortes d'ennuis.

— Alors, en réalité, le connard qui a versé du Coca-Cola dans le réservoir nous a sauvé la vie ?

— C'est ce qu'on dirait. Plutôt bizarre, hein ?"

Après que les Wilson sont repartis dans leur décapotable rouge, Lucy me tire par la manche.

"C'est pas un c… qui a fait ça, oncle Nat, dit-elle.

— Un c… ? dis-je. De quoi tu parles ?

— Tu as dit un vilain mot. J'ai pas le droit de dire ces mots-là.

— Ah, je vois. *C*… *C*… comme tu-sais-quoi.

— Oui. Le mot en *c*.

— Tu as raison, Lucy. Je ne devrais pas utiliser ce genre de langage devant toi.

— Tu ne devrais pas l'utiliser, point final. Ni devant moi ni pas devant moi.

— Tu as sans doute raison. Mais j'étais en colère, et quand on est en colère, on ne contrôle pas toujours bien ce qu'on dit. Un type méchant a essayé de saboter notre voiture. Sans raison. Juste pour nuire. Pour nous faire du mal. Je regrette d'avoir utilisé ce mot, mais tu ne peux pas vraiment me reprocher ma colère.

— Ce n'était pas un type méchant. C'était une méchante fille.

— Une fille ? Comment le sais-tu ? Tu as vu ce qui s'est passé ?"

Pendant un bref instant, redevenue silencieuse, elle ne répond à ma question que d'un hochement de tête. Déjà, des larmes lui montent aux yeux.

"Pourquoi ne m'as-tu rien dit ? Si tu as vu ce qui se passait, tu aurais dû me le dire, Lucy. On aurait arrêté cette fille, on l'aurait mise en prison. Et si les gens du garage avaient su quel était le problème, ils auraient pu réparer la voiture tout de suite.

— J'avais peur", dit-elle, la tête basse, n'osant pas croiser mon regard. Ses larmes coulent pour de bon maintenant, et je les vois atterrir sur le sol à nos pieds – éphémères salées, globules luisants qui s'assombrissent un moment avant de disparaître dans la poussière.

"Peur ? De quoi avais-tu peur ?"

Au lieu de me répondre, elle m'entoure de son bras droit et se serre contre moi, le visage enfoui entre mes côtes. Je lui caresse les cheveux et, en sentant son corps trembler contre le mien, je comprends tout à coup ce qu'elle essaie de me dire. J'enregistre alors un véritable choc, et puis je me sens parcouru par une vague de colère mais, sitôt passée, la vague disparaît. La colère cède la place à la pitié et je me rends compte que si je me mets maintenant à lui faire des reproches, je risque de perdre définitivement sa confiance. Je lui demande : "Pourquoi as-tu fait ça ?

— Je regrette, dit-elle en resserrant encore son étreinte et en balbutiant dans ma chemise. Je regrette vraiment, vraiment. C'était comme si j'étais devenue folle, oncle Nat, avant de savoir ce que je faisais, je l'avais fait. Maman m'a parlé de Pamela. C'est quelqu'un de méchant et je n'avais pas envie d'aller chez elle.

— Je ne sais pas si elle est méchante ou pas, mais tout s'est arrangé maintenant, pas vrai ? C'est mal, ce que tu as fait, Lucy, très mal, et je ne veux plus jamais que tu te conduises comme ça. Mais cette fois-ci – uniquement cette fois-ci –, il se trouve que ce mal était un bien.

— Comment quelque chose de mal pourrait être bien ? C'est comme si tu disais qu'un chien devient un chat, ou une souris un éléphant.

— Tu ne te rappelles pas ce qu'Al Junior nous a dit des freins ?

— Si, je me rappelle. Je t'ai sauvé la vie, c'est ça ?

— Sans parler de la tienne. Et de celle de Tom."

Finalement, elle se détache de ma chemise, essuie ses larmes et fixe sur moi un regard intense et pensif. "Ne dis pas à oncle Tom que c'est moi, d'accord ?

— Pourquoi pas ?

— Il ne m'aimera plus.

— Bien sûr que si.

— Non, pas vrai. Et je veux qu'il m'aime.

— Je t'aime toujours, non ?

— Toi, tu es différent.

— De quelle façon ?

— Je sais pas. Tu ne prends pas les choses aussi à cœur qu'oncle Tom. Tu n'es pas aussi sérieux.

— C'est parce que je suis plus vieux.

— Ne lui dis pas, d'accord ? Jure-moi que tu ne lui diras pas.

— D'accord, Lucy. Je te le jure."

Elle sourit alors et, pour la première fois depuis son apparition, dimanche matin, j'entraperçois sa mère enfant. Aurora. Aurora la disparue, perdue quelque part dans le pays mythique de Caroline-Caroline, ombre hors de portée des vivants. Si elle est présente quelque part, maintenant, c'est dans le visage de sa fille, dans la loyauté de la gamine envers elle, dans la fidélité de Lucy à sa promesse de ne pas nous dire où elle se trouve.

Tom finit par se lever. Je devine difficilement son état d'esprit, qui semble osciller entre un sombre contentement et une agitation embarrassée. A table, il ne dit pas un mot des événements de la nuit et je m'abstiens de l'interroger, si curieux que je sois de connaître sa version de l'histoire. Je me demande s'il est amoureux de la bouillante Miss C. ou s'il a l'intention de la passer à l'as comme une aventure sans lendemain. N'est-ce que physique, un simple attrait sexuel, ou l'équation comporte-t-elle aussi des sentiments ? Après le déjeuner, Lucy file avec Stanley pour l'accompagner sur le tracteur et l'aider à tondre la pelouse. Tom se retire dans la galerie pour fumer sa cigarette digestive, et je m'installe dans la chaise longue voisine de la sienne.

"Comment as-tu dormi, cette nuit, Nathan ? demande-t-il.

— Pas mal, dis-je. Etant donné la minceur des murs, ça aurait pu être pire.

— C'est ce que je craignais.

— Ce n'est pas de ta faute. Ce n'est pas toi qui as construit la maison.

— Je n'arrêtais pas de lui dire de se calmer, mais tu sais comment c'est. Si quelqu'un se laisse emporter, on n'y peut rien.

— T'en fais pas. A dire vrai, j'étais content. J'étais heureux pour toi.

— Moi aussi. Pendant une nuit, j'ai été content.

— Il y aura d'autres nuits, mon vieux. Ce n'était qu'un début.

— Qui sait ? Elle est partie tôt ce matin, et ce n'est pas comme si on avait beaucoup parlé pendant qu'elle était là. Je ne sais pas du tout ce qu'elle veut.

— La question, c'est : qu'est-ce que *tu* veux ?

— Trop tôt pour le dire. Tout s'est passé si vite, je n'ai pas eu le temps d'y réfléchir.

— Tu ne m'as rien demandé, mais à mon avis vous vous convenez bien.

— Ouais. Collision nocturne de deux balèzes. Ça m'étonne que le lit ne se soit pas effondré.

— Honey n'est pas grosse. Elle est ce qu'on appelle «sculpturale».

— C'est pas mon type, Nathan. Trop rude. Trop sûre d'elle. Trop d'opinions. Je n'ai jamais été attiré par ce genre de femme.

— C'est bien pourquoi elle te conviendrait. Elle t'empêcherait de te laisser aller."

Tom hoche la tête en soupirant. "Ça ne marcherait jamais. Elle m'épuiserait en moins d'un mois.

— Et tu es donc prêt à renoncer après une nuit.

— Y a pas de mal à ça. Une bonne nuit, je n'en demande pas plus.

— Et qu'est-ce qui se passe si elle se ramène dans ton lit ? Tu vas la renvoyer à coups de pied ?"

Il allume sa deuxième cigarette, et puis se tait longuement. "Je ne sais pas, dit-il enfin. On verra."

Malheureusement, ni Tom, ni personne d'autre n'aura l'occasion de voir.

Une dernière surprise nous attend, et celle-ci est si énorme, si accablante, si colossale dans ses ramifications que nous ne pouvons que reprendre la route l'après-midi même. Nos vacances à l'auberge Chowder s'achèvent de façon soudaine et confondante.

Adieu, colline. Adieu, pelouse. Adieu, Honey. Adieu au rêve de l'hôtel Existence.

Tom prononce les mots "On verra" vers treize heures. Après sa balade en tracteur avec Stanley, j'emmène Lucy nager dans l'étang. Quand nous rentrons à la maison, quarante minutes plus tard, Tom nous apprend la nouvelle. Harry est mort. Rufus vient d'appeler de Brooklyn, en larmes au téléphone, à peine capable d'articuler un mot, pour nous dire que Harry est mort, que Harry n'est plus. D'après Tom, Rufus était trop bouleversé pour en dire davantage. Nous n'y comprenons rien. A part le fait que nous devons partir immédiatement du Vermont, nous n'y comprenons rien.

Je paie à Stanley ce que nous lui devons. En signant le chèque d'une main tremblante, je lui dis que notre partenaire est mort et que nous n'avons plus les moyens d'acheter sa maison. Stanley hausse les épaules. "Je savais que ce n'était pas sérieux, dit-il. Mais ça ne m'empêchait pas d'avoir du plaisir à en parler."

Tom lui confie un bout de papier avec son adresse et son numéro de téléphone. "Donne ça à Honey, s'il te plaît. Et dis-lui que je regrette."

Nous faisons nos valises. Nous montons en voiture. Nous partons.

PERFIDIE

J'estime que c'était un assassinat. Sans doute, personne n'avait porté la main sur lui, personne ne lui avait tiré dessus ni enfoncé un poignard dans le cœur, personne ne l'avait renversé en voiture. Et pourtant, même si les mots avaient été les seules armes de ses assassins, la violence qu'ils lui avaient infligée n'était pas moins réelle qu'un coup de marteau sur la tête. Harry n'était plus un jeune homme. Il avait subi deux pontages au cours des trois dernières années, sa tension était excessive, ses artères menaçaient de se rompre. Quel degré de torture pouvait endurer un corps dans un tel état ? Très peu, à mon avis. Vraiment très peu.

Le crime n'eut qu'un témoin et, bien qu'il entendît mot pour mot tout ce qui se disait, Rufus n'en comprit qu'une très petite partie. Cela, parce que Harry n'avait pas jugé utile de l'informer de la combine qu'il avait mise au point avec Gordon Dryer et que, lorsque Dryer entra dans la boutique en début d'après-midi en compagnie de Myron Trumbell, Rufus les prit pour des collègues bouquinistes. Il les conduisit à l'étage, au bureau de Harry, et comme celui-ci, en leur ouvrant la porte, lui paraissait exceptionnellement tendu et excité, pas du tout lui-même, serrant les mains de ses visiteurs avec des gestes de poupée mécanique, Rufus fut saisi d'inquiétude. Au lieu de redescendre à son poste derrière la caisse enregistreuse, il décida de rester où il était et d'écouter la conversation, l'oreille collée à la porte.

Ils commencèrent par jouer avec Harry, le préparant à la mise à mort avant de l'acculer, poignards brandis. Echanges de salutations amicales, remarques banales sur le temps, compliments suaves sur le bon goût de Harry en matière d'ameublement de bureau, allusions admiratives à la belle collection d'éditions originales rangées sur les étagères. Malgré ce plaisant badinage, Harry devait être inquiet. Metropolis n'avait pas achevé son travail sur le manuscrit et, ne disposant pas encore d'une contrefaçon complète à remettre à Trumbell, il ne comprenait pas pourquoi Gordon avait choisi de passer à ce moment.

"C'est toujours un plaisir de vous voir, dit-il, mais je ne voudrais pas que Mr Trumbell soit déçu. Le manuscrit est à l'abri dans un coffre de la Citibank, Cinquante-Troisième Rue, à Manhattan. Si vous m'aviez prévenu, je l'aurais tenu à votre disposition aujourd'hui. Mais si je ne me trompe, nous n'avions rendez-vous que lundi prochain, l'après-midi.

— Dans un coffre de banque ? fit Gordon. Alors c'est là que vous avez caché ma découverte. Je l'ignorais.

— Je croyais vous l'avoir dit, continua Harry, en improvisant au fur et à mesure et toujours sans réussir à comprendre ce que Gordon faisait là avec Trumbell quatre jours avant la rencontre prévue.

— Je me pose certaines questions, déclara Trumbell.

244

— Oui, renchérit Gordon sans laisser à Harry le temps de répondre. Voyez-vous, Mr Brightman, une vente comme celle-ci ne peut être envisagée à la légère. Pas lorsqu'il s'agit de sommes aussi importantes.

— J'en suis bien conscient, dit Harry. C'est pour cela que nous avons fait examiner la première page par ces experts. Non par un seul, mais par deux.

— Pas deux, corrigea Trumbell. Trois.

— Trois ?

— Trois, confirma Gordon. On ne peut jamais être trop prudent, n'est-ce pas ? Myron l'a aussi montré à un conservateur de la bibliothèque Morgan. L'un des plus grands spécialistes en ce domaine. Il a rendu son verdict ce matin, et il est convaincu qu'il s'agit d'un faux.

— Eh bien, balbutia Harry, deux sur trois, ce n'est pas si mal. Pourquoi l'opinion de cet homme prévaudrait-elle sur celle des deux autres ?

— Il était très convaincant, dit Trumbell. Si j'achète ce manuscrit, il ne peut y avoir aucun doute. Pas le moindre doute.

— Je vois, fit Harry, qui se débattait pour échapper au piège qu'ils lui avaient tendu mais commençait déjà, sans aucun doute, à perdre pied, plus démoralisé déjà qu'on ne peut l'imaginer. Je veux seulement que vous sachiez que j'ai agi de bonne foi, Mr Trumbell. Gordon a trouvé le manuscrit dans le grenier de sa grand-mère et il me l'a apporté. Nous l'avons fait expertiser et on nous a dit qu'il était authentique. L'affaire vous a intéressé. Si vous avez changé d'avis, je ne peux que vous assurer de mes regrets. Nous pouvons annuler la vente immédiatement.

— Vous oubliez les dix mille dollars que vous avez acceptés de Myron, dit Gordon.

— Non, pas du tout, répondit Harry. Je vais lui rendre l'argent, et nous serons quittes.

— Je ne crois pas que ça va se passer aussi simplement, Mr Brightman, dit Trumbell. Ou devrais-je vous appeler Mr Dunkel ? Gordon m'a beaucoup parlé de vous, Harry. Chicago. Alec Smith. Vingt et quelques faux tableaux. La prison. Une nouvelle identité. Vous êtes un menteur hors pair, Harry, et avec un casier comme le vôtre, je préférerais que vous gardiez ces dix mille dollars. Comme ça je pourrai porter plainte. Vous aviez l'intention de m'arnaquer, hein ? Je n'aime pas les gens qui s'en prennent à mon argent. Ça m'irrite.

— Qui est ce type, Gordon ? demanda Harry d'une voix soudain tremblante, incontrôlable.

— Myron Trumbell, répondit Gordon. Mon bienfaiteur. Mon ami. L'homme que j'aime.

— Alors c'est lui, dit Harry. Il n'y a jamais eu personne d'autre.

— C'est lui, fit Gordon. Ça a toujours été lui.

— Nathan avait raison, gémit Harry. Nathan avait raison sur toute la ligne. Nom de Dieu, pourquoi est-ce que je ne l'ai pas écouté ?

— Qui est Nathan ? demanda Gordon.

— Un type que je connais, dit Harry. Peu importe. Quelqu'un que je connais. Un diseur de bonne aventure.

— T'as jamais su écouter les conseils, hein, Harry ? fit Gordon. Trop foutrement avide. Trop foutrement imbu de toi-même."

C'est alors que Harry commença à craquer. La cruauté du ton de Gordon était trop pour lui et il ne parvint plus à faire semblant de parler affaires, de discuter les tenants et aboutissants d'un marché qui avait mal tourné. C'était l'amour qui avait mal tourné, c'était une tromperie si énorme qu'il n'en avait jamais rencontré de pareille, et sa douleur le privait de toute force pour résister à cet assaut.

"Pourquoi, Gordon ? demanda-t-il. Pourquoi me fais-tu ça ?

— Parce que je te hais, dit son ex-amant. Tu ne l'as pas encore compris ?

— Non, Gordon. Tu m'aimes. Tu m'as toujours aimé.

— Tout en toi me dégoûte, Harry. Ta mauvaise haleine. Tes varices. Tes cheveux teints. Tes blagues idiotes. Ton gros ventre. Tes genoux cagneux. Ta queue minable. Il n'y a pas un bout de toi qui ne me rende pas malade.

— Alors pourquoi es-tu revenu après tant d'années ? Tu ne pouvais pas laisser le passé en paix ?

— Après ce que tu m'avais fait ? Tu es fou ? Tu as détruit ma vie, Harry. Maintenant c'est à mon tour de détruire la tienne.

— Tu m'avais laissé tomber, Gordon. Tu m'avais trahi.

— Rappelle-toi, Harry. Qui m'a donné aux flics ? Qui a négocié une réduction de sa peine en me montrant du doigt ?

— Et donc maintenant tu me donnes aux flics. Deux torts ne font pas justice, Gordon. Au moins, tu es vivant. Au moins, tu es assez jeune pour avoir un avenir devant toi. Si tu me remets en prison, je suis fini. Je suis mort.

— Nous ne souhaitons pas votre mort, Harry, fit Trumbell, reprenant soudain part à la conversation. Nous voulons conclure un marché avec vous.

— Un marché ? Quel genre de marché ?

— Ce n'est pas votre peau que nous voulons. Nous ne recherchons que l'équité. Gordon a souffert à cause de vous et maintenant il nous semble qu'il mérite une compensation. Juste, c'est juste, après tout. Si vous coopérez avec nous, nous ne dirons pas un mot aux autorités.

— Mais vous êtes riche. Gordon a tout l'argent qu'il lui faut.

— Certains membres de ma famille sont riches. Malheureusement, je ne suis pas de ceux-là.

— Je n'ai pas un sou. Je peux réunir les dix mille que je vous dois, mais c'est à peu près tout.

— Vous êtes peut-être à court d'espèces, mais vous avez d'autres actifs que nous serions disposés à prendre en compte.

— D'autres actifs ? De quoi parlez-vous ?

— Regardez autour de vous. Que voyez-vous ?

— Non. Vous ne pouvez pas faire ça. Vous devez plaisanter.

— Je vois des livres, Harry, pas vous ? Je vois des centaines de livres. Et pas n'importe quels livres, mais des éditions originales, et même des éditions originales signées. Sans parler de ce qui se trouve au-dessous, dans les tiroirs et les armoires. Manuscrits. Lettres. Autographes. Donnez-nous le contenu de cette pièce, et nous considérerons que le compte est bon.

— Je serai ruiné. Je serai liquidé.

— Réfléchissez à l'alternative, Mr Dunkel-Brightman. Que préféreriez-vous : être arrêté et inculpé de fraude, ou vivre la vie calme et paisible d'un marchand de livres d'occasion ? Réfléchissez-y bien. Nous reviendrons demain, Gordon et moi, avec un grand camion et une équipe de déménageurs. Ça ne prendra guère plus de deux heures et puis vous serez débarrassé de nous définitivement. Si vous essayez de nous en empêcher, je décroche le téléphone et j'appelle la police. A vous de choisir, Harry. La vie ou la mort. Une pièce vide – ou un deuxième séjour en prison. Si vous ne nous donnez pas les livres demain, vous les perdrez de toute façon. Vous comprenez ça, je suppose. Soyez intelligent, Harry. Renoncez à lutter. Si vous nous laissez faire sans résistance, vous rendrez service à tout le monde – et surtout à vous-même. Attendez-nous entre onze heures et midi. Je regrette de n'être pas plus précis, mais il est si difficile de prévoir les embarras de circulation, ces temps-ci. A demain, Harry. *Ciao, ciao.*"

La porte s'ouvrit et Rufus, bousculé au passage par Dryer et Trumbell, regarda dans la pièce et vit Harry, assis à son bureau, la tête entre les mains, qui sanglotait comme un petit garçon. Si seulement Harry était resté là pendant quelques minutes, s'il avait pris le temps de réfléchir à ce qui venait de se passer, il aurait compris que Dryer et Trumbell n'avaient aucune possibilité de l'accuser de quoi que ce fût, que leur menace de le livrer à la police n'était qu'un bluff grossier et maladroit. Comment auraient-ils pu prouver que Harry avait sciemment tenté de vendre un faux manuscrit sans s'impliquer aussi eux-mêmes ? Et s'ils avaient admis qu'ils étaient au courant de la contrefaçon, ils auraient dû livrer le faussaire à la police, et quelles chances y avait-il que Ian Metropolis reconnaisse sa participation au canular ? A supposer qu'il existe un Ian Metropolis, bien entendu, ce qui me paraissait des plus improbables. Idem pour les trois prétendus experts censés avoir examiné son travail. Mon intuition, c'était que Dryer et Trumbell avaient fabriqué eux-mêmes la page de Hawthorne et qu'avec pour victime un interlocuteur aussi crédule que Harry, quelle difficulté auraient-ils eue à le persuader qu'il avait sous les yeux l'œuvre d'un maître ès contrefaçons ? Harry m'avait raconté qu'il avait vu Metropolis pendant que nous étions dans le Vermont, mais comment pouvait-il être sûr que cet homme était ce qu'il prétendait être ? La lettre de Dickens était sans importance. Vraie ou fausse, cette lettre ne pesait d'aucun poids dans l'histoire. Du début à la fin, le complot destiné à écraser Harry avait été le fait de deux hommes, avec une brève apparition d'un troisième larron dans le rôle d'un comparse. Deux escrocs pas si malins que ça et leur compère anonyme. Tous des salauds.

Mais Harry n'avait pas les idées claires ce jour-là. Comment aurait-il pu, alors que son esprit n'était plus qu'une plaie ouverte, une masse suppurante de matière cervicale brouillée, de neurones explosés et d'impulsions électriques court-circuitées ? Où est la raison quand votre adoré de toujours vient de vous insulter en vous assénant une litanie de dénonciations monstrueuses, en vous écartelant, pauvre de vous, sous les coups de hache de son mépris ? Où, l'équilibre mental quand ce même homme et son nouveau compagnon ont déclaré leur intention de vous dépouiller de tout ce que vous possédez et que vous vous sentez impuissant à les en empêcher ? Qui diable pourrait critiquer Harry parce qu'il ne lui a pas été possible de prendre du recul ? Qui pourrait lui reprocher de s'être trouvé dans un état de panique animale absolue ?

Au moment où Rufus entrait dans le bureau, Harry se leva et se mit à hurler. Il était alors au-delà des mots, incapable de former une seule phrase cohérente et les sons qui jaillissaient de son larynx étaient si affreux, chargés d'un si mortel tourment, raconta Rufus, qu'il fut pris de tremblements de peur. Dryer et Trumbell étaient encore en train de descendre l'escalier vers le rez-de-chaussée et, sans paraître remarquer la présence de Rufus, Harry se rua hors de son bureau et se jeta à leurs trousses. Rufus suivait – mais lentement, avec prudence, presque figé par la crainte. Le temps qu'il arrive en bas, Dryer et Trumbell étaient déjà sortis de la boutique et Harry rouvrait la porte à la volée – toujours hurlant, toujours à leurs trousses. Un taxi jaune était garé au bord du trottoir, moteur et compteur tournant, et les deux hommes montèrent à l'arrière avant que Harry n'ait pu les rattraper. Il menaça de son poing le taxi qui s'éloignait, s'arrêta un instant pour crier deux mots – "Assassins ! Assassins !" – et puis, toute raison perdue, se mit à foncer dans la Septième Avenue aussi vite que ses jambes pouvaient le porter, en bousculant des passants, en titubant, en tombant, en se ramassant, mais sans s'arrêter avant d'avoir atteint le coin de la rue et vu disparaître le taxi. Rufus vit tout cela de loin, il suivait, le visage inondé de larmes, la silhouette indistincte de Harry.

Au moment où Harry s'arrêtait au carrefour, Nancy Mazzucchelli apparut, venant de la rue adjacente, et s'approcha de son ancien patron, horrifiée de le voir dans un tel état. Il avait les joues écarlates, il respirait avec difficulté, le coude de son veston était déchiré et ses cheveux éternellement bien peignés voletaient tout autour de son crâne.

"Harry, s'écria-t-elle, qu'est-ce qui se passe ?

— Ils m'ont tué, Nancy, répondit Harry, les mains serrées sur sa poitrine et le souffle court. Ils m'ont plongé un couteau dans le cœur et ils m'ont tué."

Nancy l'entoura de ses bras et lui tapota gentiment le dos. "Ne t'en fais pas, dit-elle. Tout va s'arranger."

Mais cela ne s'arrangea pas. Cela ne s'arrangea pas du tout. Alors que Nancy venait de prononcer ces mots, Harry poussa un long et faible gémissement et puis elle sentit que son corps devenait inerte contre le sien. Elle s'efforça de le retenir mais il était trop lourd pour elle et petit à petit ils s'affaissèrent tous deux sur le sol. Et c'est ainsi que Harry Brightman, connu autrefois sous le nom de Harry Dunkel, père de Flora et ex-mari de Bette, mourut sur un trottoir de Brooklyn par un après-midi étouffant de l'an 2000, bercé entre les bras de la JMS.

CONTRE-ATTAQUE

Tom roula vite, et il nous fallut moins de cinq heures pour revenir à Park Slope, où nous nous arrêtâmes devant la librairie quand le soleil commençait à se coucher. Rufus et Nancy nous attendaient dans l'appartement de Harry, à l'étage, blottis ensemble dans la pénombre de la chambre à coucher. La présence de la jeune femme me parut une bonne chose mais, tant que Rufus ne nous eut pas raconté ce qui s'était passé plus tôt dans la journée, je ne compris pas pourquoi elle était là. Il y avait tant de questions urgentes à régler que je ne pensai pas à le demander.

Ni l'un ni l'autre n'avait encore rencontré Lucy et les présentations furent donc la première chose à faire. Ensuite Tom emmena notre fillette au salon et l'installa devant la télé. Normalement, ç'aurait été à moi de faire ça, mais je crois que Tom avait été si surpris de rencontrer la JMS dans des circonstances aussi inattendues qu'il avait eu besoin de se retirer un instant pour reprendre son souffle. Sa reine avait miraculeusement réapparu et il ne fait aucun doute que son cœur battait la chamade dans sa poitrine malade d'amour.

Rufus était nettement plus calme qu'au téléphone, l'après-midi. Le choc avait commencé à s'atténuer un peu et il fut capable de nous raconter toute l'histoire sans trop d'interruptions. Nancy et lui étaient assis sur le lit et chaque fois qu'il craquait et se mettait à pleurer, elle le prenait dans ses bras et le tenait fermement serré jusqu'à ce que ses larmes s'arrêtent. Elle était au bord des larmes, elle aussi, mais la gentillesse était sa spécialité et elle comprenait que de tous les gens présents ce soir-là dans l'appartement, Rufus était le plus désespéré, celui qui avait le plus grand besoin de consolation. Pendant qu'il nous parlait de sa voix traînante et mélodieuse de Jamaïcain, mon cerveau ne cessait d'évoquer des visions du cadavre de Harry, allongé dans une chambre froide de l'hôpital méthodiste, à quelques rues de l'endroit où nous étions.

Je n'avais pas bien connu Harry, mais j'avais de l'affection pour lui, une affection un peu étrange (faite de fascination, de consternation et d'incrédulité), et s'il était mort dans n'importe quelles autres circonstances, je ne crois pas que j'en aurais été aussi affecté. Il y avait le choc, il y avait la tristesse, il y avait surtout la colère à l'idée du tour monstrueux qu'on lui avait joué. Avoir prédit la traîtrise de Dryer, avoir su d'instinct que l'affaire du faux Hawthorne n'était qu'une ruse, une duperie élaborée sous le couvert d'une duperie et dont, depuis le début, la vengeance avait été le seul mobile, cela n'arrangeait rien du tout. A quoi bon savoir, si l'on ne se sert pas de ce qu'on sait pour empêcher la ruine de ses amis ? J'avais tenté d'avertir Harry, mais je n'avais pas suffisamment insisté – je n'avais pas pris le temps ni fait assez d'efforts pour lui faire comprendre les raisons qu'il avait de se retirer de cette affaire. Et à présent il était mort – assassiné de sang-froid, et assassiné de telle façon que jamais les meurtriers ne seraient accusés de leur crime.

Quand Rufus se tut, ma réaction immédiate fut d'échafauder à mon tour une vengeance. Tom n'avait qu'une idée très vague du sujet de la dispute avec Dryer et Trumbell (il était conscient d'un rapport avec l'affaire que Harry avait en vue, mais rien de plus) et quant à Rufus et Nancy, ils ne savaient rien du tout. Contrairement à Tom, ils n'avaient jamais entendu parler de Gordon Dryer, et ni l'un ni l'autre ne soupçonnait le passé douteux de Harry. Je ne pris pas la peine de les mettre au courant. Cela n'aurait servi à rien. Seul pouvait servir à quelque chose un coup de téléphone aussi prompt que possible – pour m'assurer qu'aucun camion ne se présente à la boutique le lendemain matin. Dryer et son bon ami pouvaient bien avoir tué Harry, je n'allais pas, en plus, les laisser le dépouiller.

Je demandai à Tom la clé du bureau du premier étage et comme il était à ce moment-là complètement chamboulé (consterné par la mort inattendue de son patron, tremblant de joie et de terreur de se trouver soudain si proche de la JMS, s'efforçant de son mieux de consoler l'inconsolable Rufus), il la prit dans sa poche sans réfléchir et me la donna. C'est seulement quand je passai la porte qu'il reprit suffisamment ses esprits pour me demander ce que je faisais. "Rien, répondis-je d'un ton vague. Il faut juste que je vérifie quelque chose. Je reviens tout de suite."

Je m'installai au bureau de Harry et ouvris le tiroir central, avec l'idée que ce pouvait être un endroit logique où trouver le numéro de téléphone de Dryer. J'étais prêt à appeler les renseignements pour obtenir celui de Trumbell, mais j'espérais gagner un peu de temps en regardant d'abord dans le tiroir. Pour une fois dans ma vie, j'eus de la chance. Fixé à une enveloppe au format commercial tout au-dessus du tiroir se trouvait un Post-it vert sur lequel étaient griffonnés deux mots : *portable Gordon*, suivis d'un numéro à dix chiffres commençant par le code régional 917. Quand je détachai le Post-it pour le coller sur le bureau à côté du téléphone, je vis qu'il y avait aussi une inscription sur l'enveloppe : *A ouvrir dans l'éventualité de mon décès*.

Elle contenait douze pages dactylographiées pliées, un document intitulé "Dernières volontés et testament", préparé par l'étude de MM^{es} Flynn, Bernstein et Vallero, Court Street, dûment signé en présence des témoins requis en date du 5 juin 2000, la veille du jour où j'avais parlé avec Harry au téléphone de l'auberge Chowder. Je parcourus rapidement ces pages et en moins de trois minutes j'avais compris ce qu'il voulait dire lorsqu'il évoquait son *geste grandiose*, sa *parade des parades*, son *vaste saut de l'ange dans la grandeur éternelle*. Il s'agissait du testament que j'avais à présent entre les mains, un testament qui, en vérité, était une grande chose, une chose absolument surprenante de grandeur, preuve qu'il avait prêté à mes mises en garde une oreille beaucoup plus attentive que je ne l'avais imaginé. Tout en refusant de suivre mes conseils, il s'était couvert en admettant la possibilité que Gordon se retourne contre lui – et si une telle trahison devait se produire, il savait qu'il y laisserait la vie, sinon littéralement, du moins au sens où la destruction intérieure serait plus qu'il n'en pourrait supporter. Il m'en avait dit autant au cours de notre dîner du 1er juin : *Si tu as raison en ce qui concerne Gordon, ma vie est finie, de toute façon*. Envisager la duplicité vengeresse de Gordon, c'était envisager aussi sa propre mort. La première idée entraînait naturellement la seconde et à la fin les deux n'en faisaient plus qu'une. D'où le testament. C'était une action très théâtrale, sans doute, une réaction quasi hystérique à la violente détresse qui le minait, mais qui lui donnerait tort d'avoir voulu prendre (selon ses propres termes) *certaines précautions* ? A la lumière de ce qui était arrivé ce jour-là, il s'avérait que c'était un acte d'une grande sagesse.

Les deux bénéficiaires désignés dans le testament étaient Tom Wood et Rufus Sprague. Ils devaient hériter de l'immeuble de la Septième Avenue ainsi que de l'entreprise commerciale intitulée *Le Grenier de Brightman*, en ce compris tous les actifs et liquidités appartenant à ladite entreprise. Y figuraient également d'autres legs moins importants – livres, tableaux et bijoux divers destinés à des gens dont les noms ne me disaient rien – mais l'essentiel des biens de Harry allait à Tom et à Rufus et tous les revenus du Grenier de Brightman devaient être répartis entre eux à parts égales. Etant donné que l'immeuble n'était pas hypothéqué, étant donné aussi la valeur des livres et des manuscrits que renfermait la pièce où je me trouvais, l'héritage se montait à une petite fortune, à plus d'argent que ni l'un ni l'autre n'avait jamais rêvé d'en voir. A la toute dernière minute, Harry avait exécuté son geste grandiose, sa parade des parades. Il s'était occupé de ses garçons.

Je compris alors à quel point je l'avais sousestimé. L'homme pouvait être devenu un fripon et un escroc, il était néanmoins resté en partie l'enfant de dix ans qui, dans ses fantasmes, sauvait les orphelins des villes européennes bombardées. Malgré toute son irrévérencieuse ironie, malgré ses péchés mignons et ses mensonges, il n'avait jamais cessé de croire aux principes de l'hôtel Existence. Cher vieux Harry Brightman. Cher vieux comique. S'il y avait eu sur son bureau une bouteille de quelque chose, je me serais servi un verre et je l'aurais bu à sa santé. Au lieu de cela, je décrochai le téléphone et composai le numéro de Gordon. Tout bien considéré, cela revenait sans doute au même.

Il ne répondit pas, mais un message se déclencha après quatre sonneries et j'entendis sa voix pour la première fois – une voix d'un calme et d'une froideur peu ordinaires, quasiment sans affects ni inflexions. Heureusement, il donnait un numéro où on pouvait le joindre (celui de Trumbell, supposai-je), ce qui m'épargna la peine de le chercher moi-même. Je composai ce numéro, m'attendant déjà à ce qu'il n'y ait personne, imaginant que Dryer et Trumbell se trouvaient quelque part en train de faire la bringue, de fêter leur triomphe de l'après-midi, à Brooklyn. Alors que je commençais à me demander si je devrais laisser un message sur le répondeur, la sonnerie s'interrompit et j'entendis la voix de Dryer pour la deuxième fois en trente secondes. Pour plus de sûreté, je demandai à parler à Gordon Dryer, bien que je fusse certain que c'était lui qui se trouvait au bout du fil.

"Lui-même, dit-il. Qui me demande ?

— Nathan, répondis-je. Nous ne nous connaissons pas, mais je crois que vous avez entendu parler de moi. L'ami de Harry Brightman. Le diseur de bonne aventure.

— Je ne comprends pas de quoi vous parlez.

— Bien sûr que si. Quand vous et votre ami, vous étiez chez Harry cet après-midi, il y avait quelqu'un derrière la porte, en train de suivre votre conversation. A un moment donné, Harry a parlé de moi. Il a dit : J'aurais dû écouter Nathan, et vous avez demandé : Qui est Nathan ? C'est alors que Harry vous a dit que j'étais un diseur de bonne aventure. Ça vous revient, maintenant ? Il ne s'agit pas d'un passé lointain, Mr Dryer. Il n'y a que quelques heures que vous avez entendu ces mots.

— Qui êtes-vous ?

— Je suis le porteur de mauvaises nouvelles. Je suis l'homme qui lance les menaces et les avertissements, qui dit aux gens ce qu'ils doivent faire.

— Ah ? Et qu'est-ce que je suis censé faire ?

— J'aime votre ton sarcastique, Gordon. J'entends la froideur de votre voix et elle confirme mon idée de ce que vous êtes. Merci. Merci de me faciliter ainsi les choses.

— Tout ce que j'ai à faire, c'est raccrocher, et ce sera la fin de cette conversation.

— Et pourtant vous n'allez pas raccrocher, n'est-ce pas ? Vous êtes mort de frousse, et vous feriez n'importe quoi pour découvrir ce que je sais. Vrai ou faux ?

— Vous ne savez rien du tout.

— Pas si sûr, Gordon. Laissez-moi vous citer quelques noms, nous verrons ce que je sais et ce que je ne sais pas.

— Des noms ?

— Dunkel Frères. Alec Smith. Nathaniel Hawthorne. Ian Metropolis. Myron Trumbell. Qu'est-ce que vous en dites ? Vous voulez que je continue ?

— Bon, d'accord, vous savez qui je suis. La belle affaire.

— Oui, la belle affaire. Parce que je sais qui vous êtes, je suis en mesure d'obtenir de vous ce que je veux.

— Ah. Nous y voilà. Vous voulez de l'argent. Vous voulez une part de l'affaire.

— Encore une erreur, Gordon. L'argent ne m'intéresse pas. Il y a juste une chose que vous devez faire pour moi. Une chose très simple. Ça ne vous prendra pas une minute.

— Une chose ?

— Appelez l'entreprise de déménagement que vous avez engagée pour demain et décommandez l'opération. Dites-leur que vous avez changé d'avis et que vous n'aurez pas besoin du camion.

— Et pourquoi ferais-je ça ?

— Parce que votre arnaque a échoué, Gordon. Toute l'affaire vous a pété à la figure cinq minutes après que vous êtes sortis de chez Harry.

— Que voulez-vous dire ?

— Harry est mort.

— Quoi ?

— Harry est mort. Il vous a couru après dans la Septième Avenue pendant que vous vous tiriez en taxi. L'épreuve a été trop dure pour lui. Son cœur a lâché et il est mort, là, dans la rue.

— Je ne vous crois pas.

— Crois-moi, connard. Harry est mort et tu l'as tué. Pauvre idiot de Harry. Son seul tort a été de t'aimer, et en échange tu l'as attiré dans une saloperie de traquenard. Beau boulot, mon gars. Tu peux être fier de toi.

— Ce n'est pas vrai. Harry est vivant.

— Appelle la morgue de l'hôpital méthodiste de Brooklyn, alors. Tu n'as pas besoin de me croire sur parole. Demande aux blouses blanches.

— C'est ce que je vais faire. C'est exactement ce que je vais faire.

— Bon. En attendant, n'oublie pas de décommander les déménageurs. La librairie de Harry reste la librairie de Harry. Si tu te montres demain au Grenier de Brightman, je te tords le cou. Et puis je te donne aux flics. Tu m'entends, Gordon ? Je te laisse t'en tirer à bon compte. Je suis au courant de tout, de la fausse page de manuscrit, du chèque de dix mille dollars, de tout. Simplement, je n'ai pas envie de voir traîner là-dedans le nom de Harry. Il est mort, Dieu me préserve de faire quoi que ce soit maintenant qui nuise à sa réputation. Mais ça, c'est uniquement si tu te conduis bien. Fais ce que je te dis, ou bien je passe au plan B et je me lance à fond à tes trousses. Tu m'entends ? Je te ferai arrêter et jeter en prison. Je te foutrai dans une telle merde que tu regretteras d'être en vie."

ADIEU

Rufus ne voulut rien, ni de l'immeuble, ni du fonds de commerce. Il ne voulait plus rien avoir à faire avec Brooklyn, avec New York, ni avec l'Amérique. La seule Amérique en laquelle il croyait, c'était celle où se trouvait Harry Brightman et à présent que Harry avait quitté le pays, Rufus pensait qu'il était temps pour lui de rentrer à la maison.

"J'habiterai chez ma grand-mère, à Kingston, dit-il. Elle est mon amie, la seule amie que j'aie au monde."

Telle fut sa surprenante réaction à la teneur du testament de Harry. Quant à Tom, il resta assis en silence, ne sachant que penser.

J'étais remonté à l'appartement peu après dix heures. Nancy était déjà rentrée chez elle pour s'occuper de ses enfants ; Lucy s'était endormie devant la télévision et on l'avait transportée sur le lit de Harry, où elle était allongée au-dessus des couvertures, tout habillée et la bouche ouverte, gargouillant doucement dans la chaleur de la nuit new-yorkaise ; Tom et Rufus fumaient au salon, assis dans des fauteuils. Tom, l'air pensif, tirait des bouffées de sa Camel filtre. Rufus, qui fumait quelque chose qui ressemblait à un joint, paraissait un peu givré.

Givré ou non, il s'exprima très clairement après que je leur eus donné lecture du testament de

Harry. Son parti était pris et quoi que Tom pût lui dire, il n'en changerait pas d'un iota. La seule chose qu'il voulait, c'était parler de Harry, ce qu'il se mit à faire longuement, en commençant par un récit interminable et sentimental de leur première rencontre – Rufus en larmes, expulsé de l'appartement qu'il partageait avec son ami Tyrone, et Harry surgissant de la nuit, lui entourant les épaules de son bras et lui demandant s'il pouvait faire quelque chose pour lui – et puis en s'étendant sur les mille gestes de bonté que Harry avait eus pour lui pendant ces trois années, notamment en lui procurant un emploi, et aussi en payant pour lui les costumes et les bijoux qu'il portait dans les numéros où il apparaissait en tant que Tina Hott, sans parler de l'inépuisable générosité de Harry concernant les honoraires des médecins et de son empressement à casquer pour les remèdes coûteux qui maintenaient Rufus en vie. Y avait-il jamais eu un homme aussi bon que Harry Brightman ? demanda-t-il. Pas à ma connaissance, répondit-il à sa propre question avant de refondre en larmes pour la énième fois ce soir-là.

"Tu n'as pas le choix, dit Tom, émergeant enfin de son silence hébété. Que tu restes ici ou non, l'argent nous appartient à tous les deux. Nous sommes associés, et il n'est pas question que je te prenne ta part. Moitié, moitié, Rufus. On partage tout exactement en deux.

— Envoie-moi juste l'argent pour mes remèdes, chuchota Rufus. Je n'ai besoin de rien d'autre.

— On va vendre l'immeuble et le magasin, déclara Tom. On liquide tout et on partage le résultat.

— Non, Tommy, protesta Rufus, garde-le, toi. Tu es si intelligent, mon vieux, tu deviendras riche si tu t'accroches. C'est pas ma place, ici. Je connais rien aux livres. Je suis qu'un caprice de la nature, mon vieux, un petit taré de couleur qu'a pas sa place ici. Une femme dans un corps de mec. Un mec qui va mourir et qui veut rentrer chez lui.

— Tu ne vas pas mourir, dit Tom. Tu es en bonne santé.

— Nous mourrons tous, trésor, répliqua Rufus en allumant un autre joint. Ne prends pas ça si à cœur. Je suis cool, moi, mon vieux. Ma grand-mère s'occupera bien de moi. Pense simplement à m'appeler une fois de temps en temps, d'accord ? Promets-le-moi, Tommy. Si jamais tu oublies mon anniversaire, je ne crois pas que je te le pardonnerai."

En écoutant cet échange entre les deux jeunes gens, je commençai à me sentir pris à la gorge, moi aussi. Ce n'était pas mon habitude de succomber à de grands étalages de sentiments, mais je n'étais pas encore bien remis de ma conversation avec Dryer, qui m'avait épuisé bien plus que je ne l'aurais cru. J'avais endossé un rôle de dur pour cette confrontation, et je m'étais acharné sur lui avec une animosité qui me faisait ressembler à un de ces truands à la voix rocailleuse des vieux films de série B. Non que Dryer ne méritât pas pleinement ce traitement, mais jusqu'à ce que ces mots passent mes lèvres, je ne m'étais pas su capable d'une telle grossièreté, d'une telle brutalité. A présent, quelques minutes à peine après la fin de cette conversation, je me retrouvais en haut, dans l'appartement, et j'entendais Rufus Sprague refuser cela même dont Dryer avait tenté de dépouiller Harry. Le contraste était trop absolu, trop écrasant pour n'être pas ému par la différence entre ces deux hommes. Et pourtant Harry les avait aimés tous les deux, il était resté fidèle à l'un et à l'autre avec la même ardeur impuissante, le même dévouement inconditionnel. Comment une chose pareille est-elle possible ? me demandais-je. Comment un homme pouvait-il se tromper aussi complètement sur le compte d'un individu et en même temps apprécier si justement le véritable caractère d'un autre ? Rufus n'avait pas plus de vingt-six ou vingt-sept ans. Physiquement, il avait l'air d'une créature exotique venue d'une planète lointaine et, avec sa tête menue mais parfaite, son visage couleur de miel et ses membres longs et minces, on eût dit le type même de la mauviette, du giton, de la folle. Mais il y avait aussi en lui quelque chose de farouche, un idéalisme peu commun qui rejetait ces vanités et ces désirs à cause desquels nous sommes pour la plupart si vulnérables aux tentations de ce monde. Dans son intérêt, j'espérais qu'il changerait d'avis à propos de son héritage. J'espérais qu'il se mettrait à penser comme le reste d'entre nous et qu'il accepterait les biens qui lui avaient été légués mais, en écoutant Tom discuter avec lui pendant deux heures encore, je compris que cela n'arriverait jamais.

Le lendemain fut consacré à des tâches pratiques. Coups de téléphone aux amis de Harry (donnés par Rufus), coups de téléphone à Bette à Chicago et à des collègues libraires à New York (donnés par Tom), coups de téléphone aux différentes entreprises de pompes funèbres des environs de Brooklyn (donnés par moi). Dans son testament, Harry avait exprimé le désir que son corps soit incinéré, mais il n'avait pas précisé comment ni où disposer de ses cendres. Après une longue discussion, nous arrivâmes à la décision de les répandre dans une zone boisée de Prospect Park. Légalement, à New York, on n'est pas censé disperser les cendres de ses défunts dans un lieu public, mais nous estimions qu'en nous isolant dans un coin écarté et peu fréquenté, nous n'attirerions l'attention de personne. La note pour l'incinération de Harry et la remise de ses restes dans un coffret de métal se montait à un peu plus de quinze cents dollars. Personne d'autre n'ayant les moyens d'y contribuer, j'en assumai personnellement la totalité.

L'après-midi où devait avoir lieu la cérémonie – le dimanche 11 juin –, je confiai Lucy à une baby-sitter et je me rendis à pied au parc en compagnie de Tom, qui portait l'urne dans un sac vert au logo du Grenier de Brightman. Il faisait depuis le début du week-end un temps odieux, plus de trente-cinq degrés d'une chaleur humide, lourde et oppressante, sous une lumière fracassante, et cette journée de dimanche fut particulièrement pénible, l'une de ces journées où l'on suffoque dans New York transformée en avant-poste de la jungle équatoriale, l'endroit le plus torride, le plus odieux qui soit sur terre. Au moindre mouvement, on se sentait inondé de sueur.

Ce temps fut sans doute responsable de la maigreur de l'assistance. Les amis que comptait Harry à Manhattan avaient préféré rester chez eux dans leurs appartements climatisés et nous étions donc réduits à une poignée de fidèles du quartier. Parmi eux se trouvaient trois ou quatre commerçants de la Septième Avenue, le patron de l'établissement où Harry avait l'habitude de déjeuner et la femme qui lui avait coupé et teint les cheveux. Nancy Mazzucchelli était là, bien sûr, ainsi que son mari, l'ersatz de James Joyce, plus connu sous le nom de Jim ou Jimmy. C'était la première fois que je le voyais, et j'ai le regret de dire que mon impression ne fut pas favorable. Il était grand et bel homme, ainsi que Tom l'avait décrit, mais il n'arrêtait pas de grommeler contre la chaleur et les nuages de moucherons dans le sous-bois, et je considérai ces récriminations comme un signe d'infantilisme et d'égocentrisme excessif, particulièrement peu approprié alors qu'il était venu rendre un dernier hommage à un homme qui n'aurait plus jamais le plaisir de se plaindre de quoi que ce fût.

Mais basta. Une seule chose a compté ce jour-là, et elle était sans rapport avec le mari de Nancy ou avec le temps qu'il faisait. Je veux parler de Rufus, qui s'amena vingt minutes après que tout le monde fut assemblé, faisant son entrée dans le bosquet envahi de moucherons alors que nous allions commencer sans lui la cérémonie. L'opinion générale, à ce moment-là, était qu'il avait eu les foies, que la perspective de voir Harry réduit à quelques poignées de cendres lui avait paru insupportable et qu'il ne s'était pas senti de taille à affronter cette épreuve. Lui laissant néanmoins le bénéfice du doute, nous avions attendu pendant ces longues minutes dans l'atmosphère poisseuse et suffocante en nous tamponnant le visage et en regardant nos montres, en espérant que nous nous trompions. Lorsqu'il apparut enfin, il nous fallut à tous quelques secondes pour le reconnaître. Ce n'était pas Rufus Sprague qui se joignait à nous – c'était Tina Hott et la transformation était si radicale, si fascinante que j'ai bel et bien entendu quelqu'un derrière moi étouffer une exclamation.

Il était l'une des plus belles femmes que j'aie jamais vues. En grande tenue de veuve, avec une robe noire moulante, des chaussures noires à talons de dix centimètres et une toque noire garnie d'un fin voile noir, il s'était métamorphosé en une incarnation de la féminité absolue, une idée du féminin surpassant tout ce qui existait dans la réalité. La perruque auburn avait l'air d'une vraie chevelure ; les seins avaient l'air de vrais seins ; le maquillage avait été appliqué avec savoir-faire et précision ; et les longues jambes de Tina étaient si belles qu'il semblait impossible de croire qu'elles appartenaient à un homme.

Mais il y avait davantage, dans l'effet qu'elle produisait, que les simples atours superficiels, que les vêtements, la perruque ou le maquillage. La lumière intérieure de la femme était là aussi et l'attitude digne et désolée de Tina exprimait à la perfection la douleur d'une veuve, dans l'interprétation d'une actrice au talent immense. Durant toute la cérémonie, sans dire un mot, elle resta debout parmi nous dans un silence total pendant que certains des assistants prononçaient de brefs éloges de Harry et qu'ensuite Tom ouvrait l'urne et répandait les cendres sur le sol. Tout semblait terminé et alors, avant que nous nous détournions pour partir, un petit Noir joufflu d'une douzaine d'années surgit de la lisière du bois et s'approcha de notre groupe. Il tenait de ses bras tendus un lecteur de CD portable, comme s'il s'était agi d'une couronne sur un coussin de velours. Le gamin, dont on sut plus tard que c'était un cousin de Rufus, déposa l'appareil aux pieds de Tina et appuya sur un bouton. Tout à coup, Tina ouvrit la bouche et dès que les haut-parleurs eurent déversé les premières mesures de musique orchestrale, elle se mit à former de ses lèvres les paroles de la chanson qui suivait. Après un instant ou deux, je reconnus la voix de Lena Horne chantant le vieil air de *Show Boat*, *"Can't help lovin' dat man*"*. Voilà donc en quoi consistait le numéro de Tina Hott, le samedi soir, dans les cabarets : elle ne chantait pas, elle feignait de chanter, elle mimait l'articulation des paroles d'airs de comédies musicales et de standards du jazz interprétés par des chanteuses célèbres. C'était magnifique et absurde. C'était drôle et déchirant. C'était tout ce que c'était et tout ce que ce n'était pas. Là, devant nous, Tina, en s'accompagnant de gestes des bras, faisait semblant de chanter de tout son cœur les paroles de la chanson. Elle avait les yeux pleins de larmes et nous étions tous pétrifiés de stupeur, partagés entre l'envie de chanter avec elle et celle de pleurer. En ce qui me concerne, c'était l'un des moments les plus étranges, les plus transcendants de ma vie.

Les poissons nagent, les oiseaux volent,
Moi j'aime un homme jusqu'à ma mort...

Le soir même, Rufus prit l'avion pour rentrer chez lui en Jamaïque. Pour autant que je sache, il n'est pas revenu depuis.

---

* *"J'peux pas m'empêcher d'aimer c't homme-là."*

REBONDISSEMENTS

Tom était dans le brouillard. Trop de choses s'étaient passées en trop peu de temps et il ne se sentait pas prêt à affronter l'abondance de possibilités qui s'ouvraient à lui. Souhaitait-il reprendre l'activité de Harry et passer le restant de ses jours à vendre et acheter des livres rares et d'occasion dans une boutique de Park Slope ? Ou bien, comme il l'avait proposé le soir de la mort de Harry, devait-il simplement vendre toute l'affaire et partager avec Rufus le produit de l'opération ? Le fait que Rufus ne voulût pas de l'argent n'importait guère. L'immeuble avait de la valeur et si Rufus s'obstinait à refuser ce qui lui en revenait, Tom veillerait à ce que sa grand-mère l'accepte pour lui. Cette vente rapporterait une somme énorme, pas moins de plusieurs centaines de milliers de dollars pour chacun d'eux, et avec sa part Tom pourrait se réinventer de fond en comble, décoller à son gré dans n'importe quelle direction. Mais que voulait-il ? Là était la question essentielle, et pour le moment c'était la seule question sans réponse. Tom avait-il encore envie de poursuivre l'idée de l'hôtel Existence ? Ou préférait-il revenir à l'intention qui était la sienne lorsqu'il avait quitté le Michigan, et se chercher un poste de professeur d'anglais dans le secondaire ? Et, dans ce cas, où ?

Désirait-il rester à New York, ou était-il prêt à faire sa malle et à partir à la campagne ? Tout cela fit l'objet de cent discussions entre nous au cours des jours qui suivirent mais, s'il renonça à son studio minuscule pour s'installer provisoirement dans l'appartement de Harry au-dessus du magasin, Tom continua à tergiverser, à ruminer, à nourrir des idées noires. Heureusement, rien ne l'obligeait à prendre une décision immédiate. Le testament de Harry allait commencer son laborieux parcours d'homologation et il faudrait des mois avant que l'acte de propriété de l'immeuble passe aux noms des bénéficiaires. Quant aux autres actifs de Harry – son maigre compte en banque, ses quelques titres et actions –, ils étaient bloqués, eux aussi. Tom était assis sur une montagne d'or mais tant que les hommes de loi de l'étude Flynn, Bernstein et Vallero n'en auraient pas terminé avec l'évaluation du patrimoine de Harry, sa situation serait en réalité plus difficile qu'avant. Il avait perdu son salaire hebdomadaire et, à moins de maintenir le Grenier de Brightman en pleine activité, il n'aurait pratiquement aucun revenu. Je proposai de lui prêter de l'argent, mais il refusa d'en entendre parler. Il ne fut pas fort enthousiaste non plus quand je lui proposai de fermer boutique pour l'été et de prendre de longues vacances avec Lucy et moi. Il devait à Harry de faire vivre le Grenier, déclara-t-il. C'était une dette morale et il mettait son point d'honneur à la respecter jusqu'au bout. "Très bien, dis-je. Comment feras-tu marcher seul la boutique ? Rufus est parti, ce qui signifie que tu n'as plus de vendeur. Et tu n'as pas les moyens d'en engager un autre, n'est-ce pas ? D'où viendrait son salaire ?"

Pour la première fois depuis que je le connaissais, Tom se mit en colère. "Fous-moi la paix,

Nathan, s'écria-t-il. Qu'est-ce que ça peut faire ? Je trouverai quelque chose. Mêle-toi de tes affaires, d'accord ?"

Mais les affaires de Tom étaient aussi les miennes et ça me faisait de la peine de le voir dans une situation aussi difficile. C'est alors que je lui offris mes services – pour un salaire nominal de un dollar par mois. Je remplacerais Rufus, dis-je, et aussi longtemps que nécessaire je mettrais ma retraite en suspens afin d'assumer la lourde responsabilité de vendeur au rez-de-chaussée du Grenier de Brightman. Si Tom le souhaitait, je serais même heureux de l'appeler Patron.

Et ainsi commença une nouvelle époque de nos vies. J'inscrivis Lucy dans un centre artistique d'été à la Berkeley Carroll School, Lincoln Place, et chaque matin après avoir marché avec elle jusque-là, à sept pâtés de maisons de chez nous, je revenais, en flânant au long de l'avenue, prendre place derrière le comptoir de la librairie. Mon *Livre de la folie humaine* pâtit un peu de ce changement de routine, mais je continuai d'y travailler comme je pouvais, en griffonnant pendant quelques heures chaque soir après le coucher de Lucy, en saisissant un quart d'heure ici, vingt minutes là quand les affaires étaient calmes dans la boutique. A mon grand regret, il n'y avait plus de déjeuners quotidiens avec Tom. Nous n'avions plus le temps de nous offrir de longs repas assis à une table et devions nous contenter des sacs en papier brun dans lesquels nous apportions les sandwiches et les cafés glacés que nous absorbions dans la chaleur étouffante du Grenier, un repas expédié l'affaire de quelques minutes. A quatre heures, Tom me relevait de mon poste derrière le comptoir pour me permettre d'aller chercher Lucy à son stage. Je la ramenais à la librairie et jusqu'à la fermeture, à six heures, elle passait le temps à lire l'un des quatre mille deux cents livres alignés sur les rayonnages du rez-de-chaussée.

Lucy demeurait pour moi une énigme. A bien des égards, c'était une enfant modèle et mieux nous apprenions à nous connaître, plus je l'aimais, plus j'étais heureux de sa présence. Si l'on oubliait un instant la question de sa mère, il y avait mille choses positives à dire de notre gamine. Complètement étrangère à la vie des grandes villes, elle s'était adaptée rapidement à son nouvel environnement et s'était presque tout de suite sentie chez elle dans le quartier. Où que pût se trouver la Caroline-Caroline, la seule langue qu'on y parlait était l'anglais. A présent, lorsque, en marchant dans la Septième Avenue nous passions devant la teinturerie, l'épicerie, la boulangerie, le salon de coiffure, le kiosque à journaux, le café, elle était assaillie par une pléthore de langues différentes. Elle entendait parler espagnol et coréen, russe et chinois, arabe et grec, japonais, allemand et français, et loin de se sentir intimidée ou perplexe, elle exultait devant cette variété de sons humains. "J'aimerais parler comme ça", me dit-elle un matin pendant que nous passions devant la porte ouverte de l'un ou l'autre établissement où nous apercevions une petite femme boulotte qui s'adressait d'une voix aiguë à un vieillard. *"Mira ! Mira ! Mira !"* répéta Lucy, reproduisant la voix de la femme avec une exactitude incroyable. *"Hombre ! Gato ! Sucio !"* Une minute après, elle faisait une imitation similaire d'un homme qui appelait en arabe quelqu'un de l'autre côté de la rue – des mots que je n'aurais pu prononcer si ma vie en avait dépendu. Cette gosse avait de l'oreille, et des yeux pour voir, et un cerveau pour penser, et un cœur pour sentir. Elle s'était sans difficulté fait des amis au centre de vacances et, dès la fin de la première semaine, elle avait déjà été invitée par trois copines différentes à ce qu'elles appelaient des rendez-vous de jeu. Elle acceptait de bon cœur mes baisers et mes câlins du soir ; elle n'était pas difficile en ce qui concerne la nourriture ; elle faisait rarement des manières. En dépit de sa grammaire abominable (que j'avais décidé de ne pas corriger), et en dépit de son obstination à regarder des dessins animés à la télé (que j'avais freinée en la limitant à une heure par jour), je n'avais jamais un instant de regret de l'avoir prise chez moi.

Restait néanmoins le fait troublant de son refus de parler de sa mère. Aurora était la présence invisible qui dominait notre petit ménage et j'avais beau poser des questions, j'avais beau tenter d'amener Lucy à divulguer par inadvertance quelque bribe d'information pertinente, c'était toujours en vain. Une telle fermeté chez un être aussi jeune avait, je suppose, quelque chose d'admirable, mais je la trouvais exaspérante et plus la situation s'éternisait, plus je me sentais désemparé.

"Ta mère te manque, Lucy, n'est-ce pas ? lui demandai-je un soir.

— Elle me manque, que c'est terrible. Elle me manque si fort que mon cœur fait mal.

— Tu as envie de la revoir, non ?

— Plus que tout. Tous les soirs, je prie Dieu qu'elle me revienne.

— Elle reviendra. Il suffit que tu me dises où nous pouvons la trouver.

— Je ne dois pas le dire, oncle Nat. Je te répète tout le temps la même chose, mais c'est comme si t'entendais pas ce que je dis.

— Je t'entends. Seulement je n'ai plus envie que tu sois triste.

— Je peux pas en parler. J'ai promis, et si je tiens pas ma promesse, je brûlerai en enfer. L'enfer, c'est pour toujours, et je suis encore une petite fille. Je ne suis pas prête à brûler pour toujours.

— L'enfer n'existe pas, Lucy. Et tu ne brûleras pas, pas une minute. Tout le monde aime ta mère, et tout ce que nous voulons, c'est l'aider.

— Non, m'sieu. C'est pas comme ça. S'il te plaît, oncle Nat. Ne me pose plus de questions sur maman. Elle va bien, et un jour elle reviendra près de moi. Ça, je le sais, et c'est la seule chose que j'ai le droit de te dire. Si tu continues, je recommencerai comme quand je suis arrivée. Bouche cousue, et je dis plus un mot. Et où ça nous mènerait ? C'est si chouette quand on parle ensemble. Du moment que tu me poses pas de questions sur maman, c'est ça qui me plaît le plus. Parler avec toi, je veux dire. T'es un type si sympa, oncle Nat. On voudrait pas gâcher une bonne chose, dis ?"

Extérieurement, elle semblait être la plus heureuse et la plus satisfaite des enfants, mais je pensais avec angoisse aux tourments que devait représenter pour elle l'obligation de garder le secret. C'était trop demander à une fillette de neuf ans et demi que de porter une aussi lourde responsabilité. Elle ne s'en sortirait pas sans dommages, et je ne parvenais pas à imaginer une façon d'arrêter cela. Je parlai à Tom de l'envoyer chez un psychiatre, mais il pensait que ce ne serait qu'un gaspillage de temps et d'argent. Si Lucy ne voulait pas se confier à nous, elle ne se confierait certainement pas à un inconnu. "Nous devons être patients, me dit-il. Tôt ou tard, ça deviendra trop dur pour elle et alors tout sortira. Mais elle ne dira pas un mot tant qu'elle ne sera pas fin prête." Suivant le conseil de Tom, je mis de côté provisoirement l'idée d'un médecin, ce qui ne signifiait pas que je partageais son opinion. La gamine ne serait jamais prête. Elle était si coriace, si têtue, si foutrement résistante que j'étais convaincu qu'elle pouvait tenir indéfiniment.

Je commençai à travailler pour Tom le 14, trois jours après la dispersion des cendres de Harry dans Prospect Park et le retour de Rufus chez sa grand-mère jamaïcaine. Le lendemain, ma fille revint d'Angleterre. Depuis ma conversation désastreuse avec cette personne désormais sans nom qui avait porté mon enfant, je n'avais cessé de penser au 15 juin mais dans la tempête d'événements qui avaient suivi notre départ inopiné de l'auberge Chowder, j'avais été trop préoccupé pour tenir compte des dates. Nous étions en effet le 15, mais je n'étais plus dans le coup, même plus assez pour savoir ça. Après avoir fermé le magasin à dix-huit heures, nous avions dîné tôt, Tom, Lucy et moi, au Second Street Café, et puis j'étais rentré avec Lucy à l'appartement, où nous avions l'intention de passer la soirée à nous livrer bataille autour d'un jeu de Monopoly ou de Cluedo. C'est alors que j'entendis le message de Rachel sur le répondeur. Son avion avait atterri à treize heures ; elle avait regagné sa maison à quinze heures ; elle avait lu ma lettre à dix-sept heures. Au ton de sa voix prononçant le mot *lettre*, je compris que j'étais pardonné. "Merci, Nathan, disait-elle. Tu ne peux pas savoir combien c'est important pour moi. Il s'est passé tant de trucs moches, ces temps-ci, que c'est exactement ce que j'avais besoin d'entendre. Si je peux compter sur toi maintenant, je crois que je peux me tirer de n'importe quoi."

Le lendemain soir, Tom s'occupa de Lucy et j'allai dîner avec Rachel dans le centre de Manhattan, non loin de mon ancien bureau à la Mid-Atlantic Accident and Life. Avec quelle rapidité le monde change autour de nous ; avec quelle rapidité un problème en remplace un autre, nous laissant à peine un instant pour nous féliciter de nos victoires. Il y avait près d'un mois que je me rongeais en pensant à la lettre que j'avais envoyée à ma fille en colère et distante, en priant pour que mes misérables mots d'excuse, traversant des années de ressentiment, m'obtiennent d'elle une deuxième chance. Par miracle, cette lettre avait accompli tout ce que j'en espérais. Nous nous retrouvions ensemble sur un terrain solide et, les aigreurs du passé étant désormais oubliées, le dîner aurait dû être, ce soir-là, l'occasion de joyeuses retrouvailles, avec des plaisanteries, des rires et des remémorations nostalgiques. Mais je n'étais pas plus tôt rétabli dans mon rôle de père de Rachel que je me trouvais appelé à l'aider à se sortir de la pire épreuve de sa vie d'adulte. Ma fille vivait des "trucs moches". Elle était en pleine crise, et vers qui se serait-elle tournée sinon vers son paternel, si sot et incompétent qu'il ait pu être ?

Je nous avais réservé une table à la Grenouille, ce restaurant français aux prix exorbitants et à la décoration chichiteuse dans le style New York d'antan où nous l'avions emmenée, [nom effacé] et moi, pour célébrer son dix-huitième anniversaire. Elle arriva parée du collier que je lui avais offert, le jumeau de celui qui avait provoqué un tel drame au Cosmic Diner, et j'avais beau être heureux de constater comme il lui allait bien, comme il mettait en valeur la teinte sombre de ses yeux et de ses cheveux, je ne pouvais m'empêcher de penser aussi à l'autre collier, ce qui réveillait mes remords en me faisant revivre le désastre que j'avais attiré sur Marina Gonzalez. Toutes ces jeunes femmes aux environs de la trentaine, me disais-je, toutes ces jeunes vies féminines tourbillonnant autour de moi. Marina. Honey Chowder. Nancy Mazzucchelli. Aurora. Rachel. De tout ce groupe, j'aurais cru ma fille la plus équilibrée, la plus solide, celle qui avait le mieux réussi sa vie et qui risquait le moins de se laisser submerger par les difficultés, et pourtant voilà qu'assise à table en face de moi, les larmes aux yeux, elle me racontait que son mariage était en train de sombrer.

"Je ne comprends pas, dis-je. La dernière fois que je t'ai vue, tout allait bien. Terence était un type formidable. Tu étais une femme formidable. Vous veniez de fêter votre deuxième anniversaire, et tu me disais que ces deux années avaient été les plus heureuses de ta vie. C'était quand, ça ? Fin mars ? Début avril ? Un couple ne se défait pas aussi vite. Pas quand on est amoureux.

— Je suis encore amoureuse, répondit Rachel. C'est Terence qui m'inquiète.

— Ce type a fait le tour de la moitié du monde pour te persuader de l'épouser. Tu t'en souviens ? C'est lui qui t'a couru après. Au début, tu n'étais même pas sûre qu'il te plaisait.

— C'était il y a longtemps, ça. Maintenant, c'est maintenant.

— La dernière fois que nous avons parlé de maintenant, tu pensais à avoir des enfants. Tu disais que Terence mourait d'envie d'être père. Pas un père dans l'abstrait, le père de ton enfant. C'est ce que disent les hommes qui sont amoureux de la femme avec laquelle ils vivent.

— Je sais. C'est ce que je pensais, moi aussi. Et puis on est allés en Angleterre.

— L'Amérique, l'Angleterre. Quelle différence ? Vous êtes toujours les mêmes individus, où que vous soyez.

— Sans doute. Mais Georgina n'est pas en Amérique. Elle est en Angleterre.

— Ah. Nous y voilà. Pourquoi ne l'as-tu pas dit tout de suite ?

— Ce n'est pas facile. Rien que de prononcer son nom, ça me soulève le cœur.

— Si ça peut te consoler, je trouve ce prénom ridicule. Georgina. Ça me fait penser à une jeune fille de l'époque victorienne, avec des anglaises blondes et de grosses joues rouges.

— C'est une petite brunette timide, avec des cheveux gras et un teint affreux.

— Il me semble que la concurrence ne doit pas être très redoutable.

— Elle et Terence étaient ensemble à l'université. Elle a été son premier grand amour. Et puis elle s'est amourachée de quelqu'un d'autre et elle a rompu avec lui. C'est pour ça qu'il est venu en Amérique. Il était si déprimé, Nathan. Il m'a raconté qu'il avait pensé à se suicider.

— Et maintenant le quelqu'un d'autre a quitté la scène.

— Je n'en suis pas sûre. Tout ce que je sais, c'est qu'à Londres on a dîné ensemble, tous les trois, et que Terence ne la quittait pas des yeux. C'était comme si je n'étais même pas là. Après, il n'arrêtait plus de parler d'elle. Georgina est si intelligente. Georgina est si drôle. Georgina est si généreuse. Deux jours plus tard, il a déjeuné seul avec elle. Et puis on est partis voir ses parents en Cornouailles, mais au bout de trois ou quatre jours il a pris le train pour Londres où il devait parler à son éditeur du livre qu'il est en train d'écrire. Disait-il. Moi je crois qu'il allait retrouver son idiote de Georgina Watson, l'amour de sa vie. C'était affreux. Il m'a plantée à la campagne chez ses parents antisémites et de droite, et tout ce que je pouvais faire, c'était essayer d'avoir l'air enchantée. Il a couché avec elle. Je le sais. Il a couché avec elle, et maintenant il ne m'aime plus.

— Tu le lui as demandé ?

— Tu parles. A la minute où il est revenu chez ses parents. On a eu une bagarre terrible. La pire bagarre depuis qu'on se connaît.

— Et qu'est-ce qu'il a dit ?

— Il a nié. Il a dit que j'étais jalouse et que j'imaginais des histoires.

— C'est bon signe, ça, Rachel.

— Bon signe ? Ça veut dire quoi, bon ? Il mentait, et maintenant je ne pourrai plus jamais lui faire confiance.

— Supposons le pire. Supposons qu'il a réellement couché avec elle et puis qu'il est revenu et qu'il t'a menti. C'est toujours un bon signe.

— Comment peux-tu répéter ça ?

— Parce que ça veut dire qu'il ne veut pas te perdre. Il ne veut pas la fin de votre mariage.

— Quel mariage ? Quand tu ne peux même plus faire confiance au type que tu as épousé, c'est comme si vous n'étiez pas mariés du tout.

— Ecoute, mon petit chou, loin de moi la prétention de te donner un conseil. En fait de mariage, personne n'est moins qualifié que moi pour dire ce qu'il faut faire. Tu as vécu dans la même maison que moi pendant les dix-huit premières années de ta vie et je n'ai pas besoin de te rappeler le gâchis que nous en avons fait, ta mère et moi. Il y a eu des moments où j'en

avais tellement marre que j'ai bel et bien souhaité sa mort. J'imaginais des accidents de voiture, des catastrophes ferroviaires, des chutes
dans des escaliers gigantesques. C'est un aveu
terrible à faire, et je ne voudrais pas que tu penses
que je suis fier de moi, mais il est important que
tu comprennes ce que c'est qu'un mariage raté.
Ta mère et moi, on a raté notre mariage. On s'est
aimés pendant quelque temps, et puis tout a mal
tourné. On a tout de même tenu bon et, si mal
que nous soyons ensemble, on a réussi à te fabriquer. Tu es le dénouement heureux de toute
cette histoire tragique, et parce que tu es ce que
tu es, je n'ai pas le moindre regret. Tu me comprends, Rachel ? Je ne connais pas assez Terence
pour avoir une opinion à son sujet. Mais je sais
que tu n'es pas mal mariée. Les gens dérapent.
Ils font des conneries. Mais Georgina est de l'autre
côté de l'océan, maintenant, et à moins que tu
n'aies lié ta vie à celle d'un coureur de jupons
incurable, je pense que ce petit épisode est fini,
terminé. Tiens le coup pendant un moment et
vois ce qui arrive. Ne fais rien de précipité. Il t'a
affirmé qu'il était innocent, qu'est-ce qui te dit
que ce n'était pas la vérité ? C'est dur de se remettre de ses amours de jeunesse. Peut-être que
Terence a perdu la tête pendant un moment,
mais maintenant qu'il est revenu avec toi en Amérique, et si tu l'aimes autant que tu dis l'aimer, il
y a de bonnes chances pour que tout s'arrange.
Du moment qu'il ne devient pas le genre de mari
merdique qu'était ton père, il y a de l'espoir.
Beaucoup d'espoir. Espoir d'un avenir heureux
ensemble. Espoir de bébés. Espoir de chats et de
chiens. Espoir d'arbres et de fleurs. Espoir pour
l'Amérique. Espoir pour l'Angleterre. Espoir pour le
monde entier."

Je n'avais plus aucune idée de ce que je disais. Les mots me déboulaient follement des lèvres en un déluge irrépressible d'inepties et d'émotions excessives, et quand j'arrivai au bout de mon discours ridicule, je m'aperçus que Rachel souriait, qu'elle souriait pour la première fois depuis qu'elle était entrée dans le restaurant. Peut-être était-ce là tout ce que je pouvais espérer accomplir. Lui faire savoir que j'étais avec elle, que je croyais en elle et que la situation n'était sans doute pas aussi sombre qu'elle le croyait. A défaut d'autre chose, son sourire me disait qu'elle commençait à se calmer et, en continuant à parler, je l'éloignai progressivement du sujet brûlant, sachant que le meilleur remède consisterait à lui faire momentanément oublier Terence, à l'empêcher de s'appesantir sur le problème qui l'obsédait depuis des semaines. Un chapitre à la fois, je la mis au courant de tout ce qui m'était arrivé depuis la dernière fois que nous nous étions vus. Pour l'essentiel, c'était une version abrégée de ce que j'ai consigné jusqu'ici dans ce livre. Non, pas tout à fait – car j'éliminai l'histoire de Marina et de l'autre collier (trop triste, trop humiliante), je ne fis pas allusion à ma conversation téléphonique avec celle dont je tais le nom et je lui épargnai les détails pénibles de l'arnaque à *La Lettre écarlate*. Presque tous les autres éléments furent pris en compte : *Le Livre des folies humaines*, son cousin Tom, Harry Brightman, la petite Lucy, le voyage dans le Vermont, l'idylle entre Tom et Honey Chowder, les dispositions du testament de Harry, Tina Hott faisant semblant de chanter *"Can't help lovin' dat man"*. Rachel m'écoutait avec attention, en s'efforçant d'absorber tant d'informations surprenantes tout en mangeant son repas et en buvant son vin. Quant à moi, plus je parlais, plus je m'amusais. J'avais endossé le rôle du vieux marinier, et j'aurais pu continuer à débobiner mes histoires jusqu'au matin. Rachel était particulièrement impatiente de faire la connaissance de Lucy et nous convînmes donc qu'elle viendrait chez moi le dimanche suivant – avec ou sans son mari, comme elle voudrait. Elle se réjouissait aussi de revoir Tom, dit-elle, et puis elle posa la question à soixante-quatre mille dollars : "Et Honey ? Tu crois qu'il y aura une suite ?

— J'en doute, répondis-je. Tom a laissé son numéro de téléphone à son père en le chargeant de le lui donner, mais elle n'a pas appelé. Et, pour autant que je sache, Tom ne l'a pas appelée non plus. Si j'avais à parier, je dirais que nous ne verrons plus Honey. Dommage, mais l'affaire semble terminée."

Comme d'habitude, je me trompais. Exactement deux semaines après mon dîner avec Rachel, le dernier vendredi du mois, Honey Chowder fit son entrée dans la librairie, en robe d'été blanche et chapeau de paille à larges bords flottants. Il était cinq heures de l'après-midi. Tom était assis derrière le comptoir, plongé dans la lecture d'une édition de poche des *Federalist Papers*. J'étais déjà allé chercher Lucy au centre de vacances et nous nous trouvions tous deux au fond du magasin, occupés à ranger les livres de la section histoire. Il y avait deux heures qu'on n'avait pas vu un client et le seul bruit qu'on entendait était le ronron feutré d'un ventilateur.

Le visage de Lucy s'illumina quand elle vit entrer Honey. Comme elle allait se précipiter à sa rencontre, je posai la main sur son bras en murmurant : "Pas encore, Lucy. Laisse-leur d'abord une chance de se parler." Honey, les yeux fixés sur Tom, n'avait pas remarqué notre présence. Tels deux agents secrets, notre gamine et votre serviteur se cachèrent derrière l'une des biblio-thèques pour observer l'échange que voici :

"Salut, Tom", dit Honey en déposant son sac à main sur le comptoir. Après quoi elle ôta son chapeau, libérant sa longue et opulente cheve-lure. "Comment va ?"

Tom releva les yeux de son livre et dit : "Bon Dieu, Honey. Qu'est-ce que tu fais ici ?

— Nous y viendrons plus tard. D'abord, je veux savoir comment tu vas.

— Pas mal. Occupé, un peu stressé, mais pas mal. Il s'est passé des tas de choses depuis la dernière fois qu'on s'est vus. Mon patron est mort et, apparemment, j'ai hérité de cette librairie. Je suis encore en train de me demander ce que je vais en faire.

— Je ne te parle pas boulot. Je parle de toi. Les rouages intimes de ton cœur.

— Mon cœur ? Il bat toujours. Soixante-douze pulsations à la minute.

— Ce qui signifie que tu es toujours seul, pas vrai ? Si tu étais amoureux, il battrait beaucoup plus vite.

— Amoureux ? De quoi tu parles ?

— Tu n'as rencontré personne depuis un mois, n'est-ce pas ?

— Non, bien sûr que non. J'ai été beaucoup trop occupé.

— Tu te souviens du Vermont ?

— Comment pourrais-je l'oublier ?

— Et la dernière nuit que tu y as passée. Tu t'en souviens ?

— Oui. Je me souviens de cette nuit.

— Et ?

— Et quoi ?

— Qu'est-ce que tu vois quand tu me regardes, Tom ?

— Je ne sais pas, Honey. Je te vois, toi. Honey Chowder. Une femme qui a un nom impossible. Une femme impossible qui a un nom impossible.

— Tu sais ce que je vois quand je te regarde, Tom ?

— Je ne suis pas sûr d'avoir envie de le savoir.

— Je vois un homme remarquable, Tom. Je vois le type le plus merveilleux que je connaisse.

— Oh ?

— Oui, *oh*. Et à cause de ce que je vois quand je te regarde, j'ai tout planté là pour venir à Brooklyn et faire partie de ta vie.

— Tout planté là ?

— C'est ça. L'année scolaire est terminée depuis deux jours, et j'ai donné ma démission. Je suis libre comme l'air.

— Mais, Honey, je ne suis pas amoureux de toi. Je te connais à peine.

— Ça viendra.

— Qu'est-ce qui viendra ?

— D'abord, tu apprendras à me connaître. Ensuite tu te mettras à m'aimer.

— Tout simplement.

— Oui. Tout simplement." Elle resta un instant silencieuse et puis elle sourit. "Ceci dit, comment va Lucy ?

— Lucy va bien. Elle habite chez Nathan.

— Pauvre Nathan. C'est trop de travail pour lui. Cette enfant a besoin d'une mère. Désormais, elle vivra avec nous.

— Tu es sacrément sûre de toi, dis donc ?

— Il faut bien, Tom. Si je n'étais pas sûre de moi, je ne serais pas ici. Je n'aurais pas tous

285

mes bagages qui m'attendent là, dehors, dans la voiture. Je ne saurais pas que tu es l'homme de ma vie."

Là-dessus j'estimai qu'ils s'étaient dit l'essentiel et je laissai Lucy sortir de sa cachette. Elle fila à travers la pièce, droit sur Honey.

"Te voilà, petit ouistiti", s'écria l'ex-institutrice en prenant notre gamine dans ses bras et en la soulevant en l'air. Quand elle la redéposa enfin, elle demanda : "Tu as entendu ce que nous disions, Tom et moi ?"

Lucy hocha la tête.

"Et qu'est-ce que tu en penses ?

— Je crois que c'est un bon plan, déclara Lucy. Si je vis avec toi et oncle Tom, je n'aurai plus besoin de manger au restaurant. Tu me bourreras de toutes ces bonnes choses que tu prépares. Et oncle Nat pourra manger chez nous quand il voudra. Et quand toi et oncle Tom sortirez en ville, il pourra me garder."

Honey sourit. "Et tu seras sage, hein ? Tu seras un modèle de sagesse.

— Non, m'dame, répliqua Lucy en la regardant d'un air absolument impassible. Je serai pas sage. Je serai la petite fille la plus vilaine, la plus méchante et la plus embêtante de toute la création."

HAWTHORN STREET
OU
HAWTHORNE STREET ?

Des mois passèrent. Vers la mi-octobre, les hommes de loi ayant enfin réglé la succession de Harry, Tom et Rufus étaient devenus les propriétaires légitimes du Grenier de Brightman et de l'immeuble qui l'abritait. Tom et Honey étaient déjà mariés à ce moment-là et Lucy, aussi muette que jamais au sujet de l'endroit où se trouvait sa mère, fut inscrite en cinquième année à l'école publique du quartier, l'école n° 321. Rachel et Terence étaient toujours ensemble. Une semaine après le mariage Wood-Chowder, Rachel m'appela pour m'annoncer qu'elle était enceinte de deux mois.

Je travaillais encore à la librairie mais, depuis l'apparition spectaculaire de Honey à la fin juin, nous nous partagions le boulot, ce qui signifiait que je ne devais plus être là qu'à mi-temps. Les jours sans, je continuais à rédiger des anecdotes pour *Le Livre de la folie humaine* et, exactement comme Lucy l'avait suggéré, je jouais les baby-sitters chaque fois que Tom et Honey sortaient le soir. Pendant leurs premiers mois de vie commune, ce fut une occurrence fréquente. Honey s'était sentie en manque au fond de sa province et maintenant qu'elle s'était établie à New York, elle avait envie de profiter de tout ce que la ville avait à offrir : théâtres, cinémas, concerts, ballets, lectures de poésie, balades au clair de lune sur le ferry-boat de Staten Island. Cela me faisait du bien de voir ce lourdaud indolent de Tom s'épanouir sous l'influence énergique de sa nouvelle épouse. Quelques jours après l'arrivée de Honey, il avait cessé d'hésiter sur ce qu'il fallait faire de son héritage et décidé de mettre l'immeuble sur le marché. Sa part du produit de la vente leur permettrait largement d'acheter un appartement de deux ou trois chambres à coucher et il leur resterait encore de quoi subsister jusqu'à ce qu'ils aient trouvé des emplois convenables – vraisemblablement des postes d'enseignants dans des établissements privés pendant la prochaine année scolaire. Les mois passèrent et vers la mi-octobre Tom avait perdu près de dix kilos, la moitié de la différence entre sa silhouette et celle du jeune Dr Pouce d'antan. Les repas à la maison lui convenaient manifestement et, contrairement à ses prédictions, Honey ne le fatiguait pas, ne l'épuisait pas et ne lui cassait pas le moral. Jour après jour, elle le transformait lentement en l'homme que depuis toujours il devait devenir.

Avec de tels développements positifs au chapitre de l'amour, le lecteur pourrait être tenté de croire qu'un bonheur universel régnait sur notre petit bout de Brooklyn. Hélas, les mariages ne sont pas tous destinés à durer. Tout le monde sait cela, mais lequel d'entre nous aurait deviné que la personne la moins heureuse du quartier pendant ces mois-là était l'ancienne flamme de Tom, la Jeune Mère Sublime ? Il est vrai que son mari m'avait fait une mauvaise impression dans les bois de Prospect Park, mais jamais je n'aurais imaginé qu'il était assez bête pour ne pas se rendre compte du privilège qu'il avait d'être marié avec elle. Les Nancy Mazzucchelli de ce monde sont rares et exceptionnelles, et si un homme a la chance de conquérir un cœur Mazzucchelli, il lui appartient dès lors de faire tout ce qui est en son pouvoir pour ne pas le perdre. Les hommes, hélas (ainsi que je l'ai amplement démontré dans les chapitres précédents de ce livre), sont des créatures stupides et il s'avéra que ce joli garçon de James Joyce battait des records de stupidité. Parce que je me liai d'amitié cet été-là avec la mère de Nancy (nous y reviendrons), je fus souvent invité à la table familiale et c'est là, dans leur maison de Carroll Street, que j'entendis parler des infidélités passées de Jimmy et que j'assistai au naufrage de son mariage avec Nancy. Il avait commencé ses conneries avant même que Nancy ne devînt la JMS – il y avait au moins six ans de cela, quand elle était enceinte de leur premier enfant, Devon. Lorsqu'elle avait appris que son mari avait une liaison avec une barmaid de Tribeca, elle l'avait momentanément chassé de la maison mais, après la naissance du bébé, elle n'avait plus eu la force de résister à ses larmes ni à ses promesses que ça n'arriverait plus. Mais les mots sont de peu de poids en ce domaine et qui sait combien de liaisons secrètes il y eut encore ? Selon l'estimation de Joyce, pas moins de sept ou huit, y compris les rencontres d'un soir et les baises express dans l'escalier de service, au travail. Toujours généreuse et prête à pardonner, Nancy ne tenait guère compte des rumeurs. Alors Jim s'amouracha d'une consœur bruiteuse, Martha Ives, et ce fut la fin. Il déclara qu'il était amoureux et le 11 août 2000, deux mois après que je l'avais vu pour la première fois au service funèbre de Harry, il fit ses valises et partit.

Douze jours plus tard, mon cancérologue m'annonça que mes poumons étaient impeccables.

Quatre petits jours après cela, Rachel, de mèche avec Tom et Honey, organisa un complot diabolique pour me faire croire que j'allais assister à un match de base-ball à Shea Stadium – alors qu'il s'agissait en réalité d'une fête-surprise pour mon soixantième anniversaire. Il était prévu que je devais passer prendre Tom chez lui mais, à l'instant où je franchissais le seuil, une douzaine de personnes me tombèrent dessus avec force embrassades, baisers et claques dans le dos, sans parler d'une explosion de cris et de chansons. Je m'attendais si peu à ce bienveillant assaut que je faillis vomir sous le coup de l'émotion. Les festivités se prolongèrent fort avant dans la nuit et, à un moment donné, on me persuada de me lever et de faire un discours. Le champagne m'était depuis longtemps monté à la tête et je crois que j'ai parlé un bon moment, alignant bafouillages et plaisanteries incohérentes pendant que mon auditoire à demi bourré s'efforçait de suivre ce que je disais. Une des seules choses que je me rappelle, de ce verbiage de cinglé, c'est un bref aparté sur la perspicacité linguistique de Casey Stengel. Si ma mémoire est bonne, je conclus même mon speech en citant le maître en personne : "Ce n'est pas pour rien qu'on l'appelait le Vieux Professeur, dis-je. Il fut non seulement le premier manager de nos Mets bien-aimés mais aussi – plus essentiel encore dans l'intérêt de l'humanité en général – il fut l'auteur de nombreuses expressions qui ont modifié notre compréhension de la langue anglaise. Avant de me rasseoir, permettez-moi de prendre congé de vous avec cette perle inestimable, inoubliable, qui résume mon expérience personnelle avec plus de fidélité que n'importe quelle autre des déclarations que j'ai entendues en soixante ans de résidence dans la carcasse que voici : Il vient un moment dans la vie de chaque homme, et j'en ai eu des quantités."

Les *Subway Series** commencèrent et s'achevèrent ; il faisait plus froid ; Gore se présentait contre Bush. Dans mon esprit, le résultat ne faisait aucun doute. Même avec Nader qui sabotait le travail, la défaite des démocrates me paraissait une impossibilité et où que j'aille dans le quartier, presque tous les gens avec qui j'en discutais partageaient cette opinion. Seul Tom, le plus pessimiste des hommes en ce qui concernait la politique américaine, semblait inquiet. Il estimait que les jeux n'étaient pas faits, et dans l'éventualité d'une victoire de Bush, disait-il, nous pouvions oublier tout ce baratin sur le "conservatisme compassionnel". Ce type n'était pas un conservateur. C'était un idéologue de l'extrême droite et dès l'instant où il aurait prêté serment, le gouvernement serait aux mains d'une bande de fous.

Une semaine avant les élections, Aurora réapparut enfin – pour disparaître à nouveau moins de trente secondes après. Le contact prit la forme d'un coup de téléphone à Tom, mais il n'y avait personne chez lui ce matin-là et nous n'eûmes rien de plus à nous mettre sous la dent qu'un message tronqué sur le répondeur. Je ne sais pas à combien de reprises j'écoutai ce message avec Tom et Honey, mais nous avons repassé la bande assez souvent pour que j'en

* Matchs opposant des équipes de base-ball new-yorkaises, ici les Mets et les Yankees, ainsi appelés parce que les amateurs peuvent s'y rendre en métro *(subway)*.

conserve toutes les phrases en mémoire. Chaque fois que j'entendais sa voix, elle me paraissait un peu plus désespérée, un peu plus tendue, un peu plus inquiète. Elle parlait à voix basse, à peine plus qu'un chuchotement du début à la fin, mais ses paroles étaient si terribles qu'elles nous faisaient l'effet d'un hurlement.

Tom. C'est moi, Rory. Je t'appelle d'une cabine et je n'ai pas beaucoup de temps. Je sais que tu en as sans doute marre de moi, mais Lucy me manque tellement, je voudrais juste savoir comment elle va. Ne crois pas que c'était drôle, Tommy. J'ai réfléchi et réfléchi, mais tu étais la seule personne sur qui je pouvais compter. Elle ne pouvait plus rester ici. Tout s'écroule. Ça va très mal. J'ai essayé de me tirer, moi aussi, mais c'est trop difficile, je ne suis jamais seule... Ecris-moi, tu veux ? Je n'ai pas le téléphone, mais tu peux m'écrire au 87, Hawthorn Street à... Merde. Faut que j'y aille. Désolée. Faut que j'y aille.

La communication fut interrompue brusquement et cet appel tant attendu se termina soudain sans conclusion. Nos angoisses les plus noires pesaient désormais le poids de la réalité, et nous n'avions toujours aucune idée de l'endroit où Rory se trouvait. Tom était déjà passé avec sa sœur par des moments similaires, et bien qu'il fût tout aussi inquiet que moi à son sujet, ses craintes étaient tempérées par la lassitude, par l'irritation, par des années de déceptions et de regrets. "Je n'ai jamais rencontré personne d'aussi irresponsable, me dit-il. Lucy commence enfin à se faire à sa vie avec nous et c'est maintenant, après Dieu sait combien de mois, qu'elle téléphone pour nous dire que sa fille lui manque. C'est quel genre de mère, ça ? Elle veut que je lui écrive et elle n'est même pas foutue de nous dire dans quelle ville elle habite. Ce n'est pas juste, Nathan. Honey et moi, nous faisons tout notre possible et la dernière chose dont nous avons besoin, c'est de confusion et de drames supplémentaires. Assez, c'est assez.

— Ce n'est pas juste, sans doute, dis-je, mais Rory a des ennuis, quels qu'ils soient, et il faut qu'on la retrouve. On n'a pas le choix. Garde tes jugements pour plus tard, d'accord ?"

L'univers entier changea pour moi, après cela. On n'était plus qu'à quelques jours du désastre des élections de l'année 2000 mais, tandis que Tom et Honey, horrifiés, passaient les cinq semaines suivantes, assis devant leur écran de télévision, à regarder le parti républicain enrôler ses gros bras pour contester les résultats du scrutin en Floride et puis manipuler la Cour suprême et lui faire mettre en scène un "coup" légal en sa faveur, tandis qu'étaient commis ces outrages envers le peuple américain et que mon neveu et son épouse participaient à des manifestations, écrivaient à leur député et signaient d'innombrables protestations et pétitions, je n'étais préoccupé que d'une chose : découvrir où se cachait Rory et la ramener à New York.

87, Hawthorn Street : rue de l'Aubépine. Ou peut-être Hawthorne Street, en l'honneur d'un homme et non d'un buisson – peut-être même en l'honneur de Nathaniel Hawthorne, le romancier depuis longtemps défunt qui avait à son insu causé la mort de notre malheureux ami. Coïncidence amère, dépourvue de signification et qui, néanmoins, me donnait la chair de poule, comme si l'apparition du même mot dans deux contextes différents établissait un lien souterrain entre Harry et Aurora : l'un disparu à jamais, l'autre inaccessible, tous deux citoyens de l'invisible.

A part cet unique indice, on ne pouvait que deviner, travailler à l'aveuglette mais, parce que Lucy parlait avec un accent du Sud et parce qu'elle avait situé sa mère dans la contrée inexistante de Caroline-Caroline, je décidai de commencer mes recherches dans les véritables Carolines, celle du Nord et celle du Sud. Le hic, c'était qu'Aurora et son mari n'avaient pas le téléphone. S'ils avaient figuré au répertoire, il aurait été possible de les trouver en s'adressant aux renseignements dans toutes les villes et bourgades des deux Etats et en demandant le numéro de David Minor, 87, Hawthorn(e) Street. Une entreprise laborieuse, mais qui ne pouvait qu'aboutir à un résultat positif. Cette possibilité m'étant refusée, il ne me restait qu'à procéder en sens inverse. Un dimanche, je pris le train pour Princeton Junction et je passai douze heures assis devant un écran d'ordinateur en compagnie de ma fille enceinte et de son mari humble et assagi. Terence pouvait manquer de charme, c'était néanmoins un as en technologie et quand je rentrai chez moi, le lendemain matin, j'emportais la liste imprimée de toutes les rues Hawthorn et Hawthorne des deux Carolines. A ma stupeur, il y en avait plusieurs centaines. Beaucoup trop. Pour rendre visite à tous les numéros 87 de ma liste, je devrais passer six mois sur les routes.

C'est alors que je me tournai vers Henry Peoples, mon vieil associé à la Mid-Atlantic Accident and Life. Il avait été l'un des principaux enquêteurs de la société et, au cours des années, nous avions travaillé ensemble sur un certain nombre de cas dont le plus spectaculaire, dit "affaire Dubinski", avait fait de Henry quelque chose comme une légende dans son domaine. Arthur Dubinski avait simulé sa mort à cinquante et un ans en tuant un SDF des rues de New York et en substituant son corps au sien au volant d'une voiture qu'il envoya s'écraser en flammes au pied d'une falaise dans les Rocheuses. Maureen, sa troisième épouse, âgée de vingt-huit ans, empocha la prime d'un million six cent mille dollars et puis, exactement un mois après, vendit son appartement de Manhattan et disparut. Henry, qui depuis le début trouvait Dubinski suspect, avait continué à surveiller Maureen et quand, tout à coup, elle quitta New York, il fit son rapport au patron de son département qui lui accorda la permission de la prendre en chasse. Il lui fallut neuf mois de recherches ardues pour retrouver Mrs Dubinski – qui vivait avec son mari parfaitement indemne sur l'île de Sainte-Lucie. Nous parvînmes à récupérer quatre-vingt-cinq pour cent de la prime ; Arthur Dubinski se retrouva en prison pour meurtre ; et Henry et moi, nous reçûmes en récompense des bonus considérables.

J'avais travaillé avec Peoples pendant plus de vingt ans mais je ne peux pas dire que je l'aie jamais aimé. C'était un type étrange et peu sympathique, qui observait un régime strictement végétarien et manifestait autant de chaleur humaine et de personnalité qu'un lampadaire éteint. Des costumes en polyester froissés (marron, en général), de grosses lunettes d'écaille, d'éternelles pellicules et une répugnance déconcertante envers toute forme de conversation polie. Vous pouviez vous amener au bureau avec un bras en écharpe ou un cache sur un œil, Henry n'en disait pas un mot. Il vous dévisageait un moment, absorbait les détails de votre apparence et puis, sans vous demander comment vous vous étiez fait ça ni si vous aviez mal, il déposait calmement son rapport sur votre bureau.

Il avait néanmoins un talent particulier pour se faufiler dans les interstices et débusquer les personnes disparues et, à présent qu'il était à la retraite, je me demandais s'il accepterait de se charger pour moi de ce travail. Heureusement, il n'avait pas déménagé de son ancien appartement du Queens, qu'il partageait avec sa sœur veuve et quatre chats. Quand je téléphonai chez lui, il décrocha dès la deuxième sonnerie.

"Dis-moi ton prix, dis-je. Je te paierai ce que tu demanderas.

— Je ne veux pas de ton argent, Nathan, répliqua-t-il. Contente-toi de couvrir mes frais, et le marché est conclu.

— Ça risque de prendre des mois. Je n'aimerais pas te voir perdre tout ce temps sans rien y gagner.

— Pas d'importance. Ce n'est pas comme si j'avais mieux à faire ces jours-ci. Je vais remonter en selle, et ça me fera revivre toutes ces années de gloire.

— Les années de gloire ?

— Mais oui. Tous ces bons moments qu'on a connus ensemble, Nathan. Dubinski. Williamson. O'Hara. Lupino. Tu te souviens de ces affaires, non ?

— Bien sûr que je m'en souviens. Je ne te savais pas aussi sentimental, Henry.

— Je ne le suis pas. Du moins, je ne croyais pas l'être. En tout cas tu peux compter sur moi. Au nom du bon vieux temps.

— Je suppose que ça se trouve en Caroline, du Nord ou du Sud. Mais je peux me tromper.

— Ne t'en fais pas. Du moment que Minor a un jour eu le téléphone, je dois pouvoir le localiser. L'affaire est dans le sac."

Six semaines plus tard, Henry m'appelait en pleine nuit pour me murmurer quatre syllabes à l'oreille : "Winston-Salem."

Le lendemain matin je m'envolais vers le Sud, vers le cœur de la région du tabac.

LA JOYEUSE

Le 87, Hawthorne Street était une bicoque à deux niveaux au bord d'une voie mi-rurale, mi-suburbaine, à quelque trois miles du centre-ville. Je me perdis plusieurs fois avant d'y arriver et quand je garai dans le chemin de terre la Ford Escort que j'avais louée, je remarquai que tous les stores étaient baissés aux fenêtres de la façade. C'était un dimanche morose et nuageux de la mi-décembre. Logiquement, je pouvais supposer qu'il n'y avait personne à la maison – ou bien que Rory et son mari habitaient là comme dans une caverne, en se protégeant de la lumière éclatante du jour, en évitant les intrusions du monde extérieur, seuls membres d'une société de deux personnes. Comme il n'y avait pas de sonnette, je frappai. Il ne se passa rien et je frappai de nouveau. Depuis que Rory avait laissé son message sur le répondeur de Tom, nous nous étions attendus à ce qu'elle rappelle. Mais nous étions restés sans nouvelles et à présent que je me trouvais devant ce qui semblait être une maison déserte, je commençai à me demander si elle y habitait encore. Toutes sortes d'idées affreuses me tourbillonnaient dans la tête quand je frappai pour la troisième fois. Et si elle avait tenté de s'enfuir, imaginai-je, et si Minor l'avait rattrapée ? S'il l'avait emmenée dans une autre ville, dans un autre Etat, nous faisant perdre sa trace définitivement ? Et s'il l'avait frappée et tuée par accident ? Si la fin s'était déjà produite et si j'arrivais trop tard pour lui venir en aide, trop tard pour la ramener dans le monde qui était le sien ?

La porte s'ouvrit sur Minor en chair et en os, un grand et bel homme d'une quarantaine d'années, avec des cheveux noirs bien peignés et de doux yeux bleus. Je m'en étais fait un tel monstre au cours de ces derniers mois que je ressentis un choc en découvrant combien il avait l'air peu menaçant, un air *normal*. S'il avait quelque chose d'un peu étrange, c'était d'être vêtu d'une chemise blanche à manches longues, avec une cravate bleue bien serrée au col. Quel genre d'homme se balade chez lui en chemise blanche et cravate ? me demandai-je. Il me fallut un moment pour trouver la réponse. Un homme qui est allé à l'église, me dis-je. Un homme qui respecte le jour du Seigneur et qui prend sa religion au sérieux.

"Oui ? fit-il. Que puis-je pour vous ?

— Je suis l'oncle de Rory, dis-je, Nathan Glass. Je me trouvais dans les parages, et l'idée m'est venue de passer la voir.

— Ah ? Elle vous attend ?

— Pas que je sache. A ma connaissance, vous n'avez pas le téléphone.

— C'est exact. Nous n'en sommes pas partisans. C'est un encouragement aux bavardages excessifs et aux paroles oiseuses. Nous préférons réserver nos paroles à des sujets plus essentiels.

— Très intéressant… Mr… Mr…

— Minor. David Minor. Je suis le mari d'Aurora.

— C'est ce que je pensais. Mais je ne voulais pas en préjuger.

— Entrez, Mr Glass. Malheureusement, Aurora ne se sent pas bien aujourd'hui. Elle est en haut, en train de se reposer, mais entrez, je vous en prie. Nous sommes très tolérants, dans ce petit pays. Même envers ceux qui ne partagent pas notre foi, nous nous efforçons de nous comporter avec dignité et respect. C'est l'un des saints commandements de Dieu."

Je souris sans répondre. Il se montrait plutôt agréable mais il parlait déjà comme un fanatique et je n'avais pas la moindre envie de débattre avec lui de questions de théologie. Laisse-lui son dieu et son Eglise, me dis-je. Je n'avais qu'une seule raison de me trouver là, c'était de vérifier si Rory était ou non en danger – et, si elle l'était, de la tirer de cette maison aussi vite que je pourrais.

D'après l'état de l'extérieur (peinture écaillée, volets délabrés, mauvaises herbes entre les marches de ciment), je m'attendais à trouver à l'intérieur un bric-à-brac sordide d'objets et de meubles en mauvais état et mal assortis, mais en réalité la maison était plus que présentable. Rory avait hérité de June son talent de faire beaucoup avec peu, et elle avait arrangé le living-room en une pièce austère mais plaisante, décorée avec des plantes en pots, des rideaux en vichy et, au mur du fond, une grande affiche pour une exposition Giacometti. Minor m'invita du geste à prendre place sur le canapé et je m'assis. Il s'installa dans un fauteuil de l'autre côté de la table basse en verre et pendant quelques instants nous restâmes l'un et l'autre silencieux. J'eus la tentation de me lancer carrément – d'exiger de monter et de parler avec Aurora, d'infliger à Minor un interrogatoire à propos de Lucy, de le forcer à expliquer pourquoi sa femme avait peur d'appeler son propre frère – mais je me rendis compte qu'une telle attitude se retournerait sans doute contre moi et j'entamai donc la conversation sur la pointe des pieds, aussi délicatement que je pouvais.

"La Caroline-du-Nord, commençai-je. Aux dernières nouvelles, vous viviez avec votre mère à Philadelphie. Qu'est-ce qui vous a attiré ici ?

— Plusieurs choses, répondit Minor. Ma sœur et son mari habitent dans le coin et ils m'ont trouvé un bon emploi. Cet emploi m'a permis d'accéder à un autre, meilleur encore, et à présent je suis sous-directeur de la quincaillerie True Value, dans la galerie marchande Camelback. Ça ne vous paraît sans doute pas bien prestigieux, mais c'est un travail honnête et je gagne convenablement ma vie. Quand je pense à ce que j'étais il y a sept ou huit ans, c'est un miracle que j'en sois là. J'étais un pêcheur, Mr Glass. J'étais un drogué et un fornicateur, un menteur et un petit malfrat, traître à tous ceux qui m'aimaient. Et puis j'ai trouvé la paix dans le Seigneur, et ma vie a changé. Je sais qu'il est difficile pour un juif comme vous de nous comprendre, mais nous ne sommes pas simplement une secte supplémentaire de ces chrétiens qui brandissent la Bible, le feu et le soufre. Nous ne croyons pas à l'Apocalypse, ni au Jugement dernier ; nous ne croyons pas à l'extase ni à la Fin des Temps. Nous nous préparons à vivre au paradis en vivant bien sur la terre.

— Quand vous dites «nous», de qui parlez-vous ?

— Notre Eglise. Le Temple du Verbe sacré. Nous sommes un petit groupe. Notre congrégation ne compte que soixante membres, mais le révérend Bob est un guide inspiré, et il nous a appris bien des choses. «Au commencement était le Verbe, et le Verbe était en Dieu, et le Verbe était Dieu.»

— L'Evangile selon saint Jean. Chapitre un, verset un.

— Ainsi vous connaissez le Livre.

— Dans une certaine mesure. Pour un juif qui ne croit pas en Dieu, mieux que la plupart.

— Etes-vous en train de me dire que vous êtes athée ?

— Tous les juifs sont athées. Sauf ceux qui ne le sont pas, bien entendu. Mais je n'ai pas grand-chose à faire avec eux.

— Vous ne vous moqueriez pas de moi, Mr Glass ?

— Non, Mr Minor, je ne me moque pas de vous. Je n'en rêverais pas.

— Parce que si vous vous moquez de moi, je devrai vous demander de partir.

— Le révérend Bob m'intéresse. Je voudrais savoir en quoi son Eglise est différente des autres.

— Il comprend ce que signifie le sacrifice. Si le Verbe est Dieu, alors les paroles des hommes sont dépourvues de sens. Elles n'en ont pas plus que les grognements des animaux ou les cris des oiseaux. Pour respirer Dieu en nous et absorber Sa Parole, le révérend nous recommande d'éviter de nous complaire dans la vanité de la parole humaine. C'est cela, le sacrifice. Un jour sur sept, chacun des membres de la congrégation doit observer un silence complet et ininterrompu pendant vingt-quatre heures d'affilée.

— Ce doit être très difficile.

— Ce l'est, au début. Et puis on s'adapte, peu à peu, et les journées de silence deviennent les moments les plus beaux et les plus épanouissants de la semaine. On peut véritablement sentir en soi la présence de Dieu.

— Et que se passe-t-il si quelqu'un rompt ce silence ?

— Il doit tout recommencer le lendemain.

— Et si votre enfant est malade, si vous devez appeler le médecin pendant votre journée de silence, que se passe-t-il alors ?

— Les couples mariés ne sont jamais silencieux le même jour. On fait faire l'appel par son conjoint.

— Mais comment pouvez-vous appeler puisque vous n'avez pas de téléphone ?

— On va à la cabine la plus proche.

— Et les enfants ? Ils ont des jours de silence, eux aussi ?

— Non, les enfants en sont exemptés. Ils n'entrent dans le giron de l'Eglise qu'à l'âge de quatorze ans.

— Votre révérend Bob a pensé à tout, dirait-on.

— C'est un homme d'une intelligence supérieure, et son enseignement nous rend à tous la vie plus belle et plus facile. Nous sommes un petit troupeau heureux, Mr Glass. Tous les jours, je remercie Jésus à deux genoux de m'avoir envoyé en Caroline-du-Nord. Si nous n'étions pas venus ici, nous n'aurions jamais connu les joies de l'appartenance au Temple du Verbe sacré."

En entendant Minor parler, j'avais l'impression qu'il aurait volontiers continué à chanter les vertus du révérend Bob pendant encore six ou sept heures, mais je trouvais curieux de voir avec quel soin il évitait de prononcer les noms de sa femme et de sa fille adoptive. Je n'avais pas fait tout ce voyage depuis New York pour discuter à bâtons rompus de la quincaillerie True Value ou de temples divins à la noix. Maintenant que nous avions passé un certain temps ensemble et qu'il commençait apparemment à se sentir un peu moins nerveux en ma compagnie, j'estimai que le moment était venu de changer de sujet.

"Je suis surpris que vous ne m'ayez pas encore demandé de nouvelles de Lucy, dis-je.

— Lucy ? répliqua-t-il d'un air sincèrement interloqué. Vous la connaissez ?

— Bien sûr, je la connais. Elle vit chez le frère d'Aurora et sa nouvelle épouse. Je la vois presque tous les jours.

— Je croyais que vous n'aviez aucun contact avec la famille. Aurora disait que vous habitiez quelque part en banlieue et que personne ne vous avait vu depuis des années.

— Ça a changé il y a six mois environ. J'ai repris contact. Je suis en contact permanent."

Minor m'adressa un bref sourire mélancolique. "Comment va la petite ?

— Ça vous importe ?

— Evidemment, ça m'importe.

— Alors pourquoi l'avez-vous fait partir ?

— Ce n'était pas ma décision. Aurora ne voulait plus d'elle et je n'ai rien pu faire pour l'en empêcher.

— Je ne vous crois pas.

— Vous ne connaissez pas Aurora, Mr Glass. Elle n'est pas tout à fait bien, mentalement. Je fais ce que je peux pour l'aider et la soutenir, mais elle ne manifeste aucune gratitude. Je l'ai sortie des profondeurs de l'enfer, je lui ai sauvé la vie, mais elle ne cède toujours pas. Elle ne veut toujours pas croire.

— Existe-t-il une loi qui dit qu'elle doit croire ce que vous croyez ?

— Elle est ma femme. Une femme doit suivre son mari. Elle a le devoir de suivre son mari en toutes choses."

Il devenait difficile de savoir où nous allions. La conversation partait dans plusieurs directions à la fois et mon instinct commençait à s'y perdre. Le calme et la douceur de ton des questions que Minor m'avait posées sur Lucy semblaient dénoter un intérêt sincère pour son bien-être et, sauf si c'était un fieffé menteur, un homme qui n'aurait pas hésité à déformer la vérité lorsque cela servait son propos, je m'aperçus non sans embarras qu'il me faisait un peu pitié. Ce fut le cas, du moins, pendant quelques instants, et cet élan soudain et inattendu de sympathie m'avait fait baisser ma garde, transformant ce qui aurait dû être le choc de deux volontés nues en quelque chose de beaucoup plus complexe, plus humain. Mais alors il s'était mis à dénigrer Rory, à lui reprocher l'abandon de sa fille, à l'accuser d'instabilité mentale et enfin, pis encore, il avait sorti cet axiome stupide et réactionnaire sur le mariage. Certaines réalités demeuraient néanmoins incontestables. Il l'avait sauvée de la drogue, il était tombé amoureux d'elle et, si l'on se rappelait le passé de Rory, qui aurait pu affirmer qu'elle n'était pas sujette à des crises d'irrationalité, qu'elle n'était pas impossible à vivre, qu'elle n'était pas partiellement déséquilibrée ? D'autre part, le conflit tout entier se réduisait peut-être à un seul point insurmontable : Minor croyait aux enseignements du révérend Bob et Rory n'y croyait pas. Et parce qu'elle refusait d'y croire, il en était arrivé peu à peu à la détester.

De l'endroit où j'étais assis sur le canapé, je voyais l'escalier qui menait à l'étage. Tout en pesant les termes dans lesquels j'allais lui répondre, je regardais de ce côté, au-delà de l'épaule gauche de Minor, distrait momentanément par quelque chose que j'avais aperçu du coin de l'œil

– un petit objet foncé qui était apparu pendant moins d'une seconde et disparu avant que j'aie pu distinguer ce que c'était. Minor se remit à parler, à développer ses idées sur ce qui caractérisait un mariage convenable, mais je ne l'écoutais plus avec attention. J'observais l'escalier, comprenant avec retard que ce que j'avais vu devait être le bout d'une chaussure – une chaussure d'Aurora, sûrement – et, si tel était le cas, j'espérais qu'il y avait un moment qu'elle se tenait là, qu'elle avait entendu notre conversation depuis le début. Minor était si absorbé par ce qu'il me disait qu'il ne s'était pas encore rendu compte que je ne le regardais pas en face. Va au diable, me dis-je, assez joué au chat et à la souris. Assez tourné autour du pot. Il est temps de lever le rideau du second acte.

"Descends, Rory, dis-je. Je suis ton oncle Nat, et je ne partirai pas de cette maison sans t'avoir parlé."

Je me levai d'un bond et, évitant Minor, je gagnai le bas de l'escalier en faisant vite, au cas où il tenterait de m'empêcher de la rejoindre.

"Elle dort, l'entendis-je affirmer derrière moi, à l'instant même où j'apercevais les jambes d'Aurora en haut de l'escalier. Elle lutte contre une grippe depuis jeudi et elle a une forte fièvre. Revenez en milieu de semaine. Vous pourrez lui parler, alors.

— Non, David, répliqua ma nièce en descendant. Je vais tout à fait bien."

Elle était vêtue d'un jean noir et d'un vieux sweat-shirt gris et, en vérité, elle avait mauvaise mine, l'air pas du tout en forme. Pâle et maigre, avec des cernes noirs sous les yeux, elle descendait lentement vers moi, cramponnée à la rampe, mais, quels que fussent les effets de la grippe et de la fièvre, elle souriait, elle souriait de ce grand sourire lumineux de la fillette que, tant d'années auparavant, nous appelions la Joyeuse.

"Oncle Nat, dit-elle en m'ouvrant les bras. Mon chevalier à l'armure étincelante." Elle se jeta contre moi et m'étreignit de toutes ses forces. "Comment va mon bébé ? chuchota-t-elle. Elle va bien, ma petite fille ?

— Elle va très bien, répondis-je. Elle meurt d'impatience de te revoir, mais elle va très bien."

Minor nous avait rejoints à ce moment et ne paraissait pas trop satisfait de cet étalage d'affection familiale. "Ma chérie, dit-il. Tu devrais vraiment remonter te coucher. Tu avais trente-huit trois, il y a à peine une demi-heure, et il vaut mieux ne pas se lever quand on a autant de fièvre.

— C'est mon oncle Nat, répliqua Rory en restant accrochée à moi comme à une bouée de sauvetage. L'unique frère de ma mère. Je ne l'ai plus vu depuis très, très longtemps.

— Je sais bien, fit Minor. Mais il peut revenir dans quelques jours – dès que tu te sentiras moins fatiguée.

— C'est toi qui as raison, hein, David, dit Rory. Tu as toujours raison. Quelle sotte je suis d'être descendue sans ton accord.

— Ne remonte pas si tu n'en as pas envie, lui dis-je. Si tu restes en bas pendant quelques minutes de plus, tu n'en mourras pas.

— Oh, si, j'en mourrai, fit-elle, ouvertement sarcastique. David est persuadé que je mourrai si je ne lui obéis pas en tout. Pas vrai, David ?

— Calme-toi, Aurora, dit son mari. Pas devant ton oncle.

— Pourquoi pas ? demanda-t-elle. Et pourquoi pas, bordel de merde ?

— Surveille ton langage, ordonna Minor. On ne parle pas comme ça dans cette maison.

— Ah, on ne parle pas comme ça ? reprit-elle. Alors il est peut-être temps que je me tire de cette foutue saloperie de maison. Il est peut-être temps que la vermine débarrasse le plancher pour que tu restes seul avec tes pensées pures et ton langage pur et ton foutu dieu muet. Ça y est, monsieur le saint homme. Le moment de vérité. Mon jour de chance est venu, enfin, et maintenant oncle Nat va m'emmener loin d'ici. Pas vrai, oncle Nat ? On va s'en aller dans ta voiture et avant le lever du soleil, demain matin, je serai de nouveau près de ma Lucy.

— Tu n'as qu'un mot à dire, répondis-je, et je t'emmène où tu veux.

— Je le dis, oncle Nat. Je le dis maintenant."

Minor était si éberlué qu'il ne sut comment réagir. Je m'attendais à le voir se jeter sur elle, faire tout ce qui était en son pouvoir pour l'empêcher de sortir de la maison, mais l'affrontement avait été si rapide, si violent qu'il en restait sans voix. J'entourai de mon bras les épaules d'Aurora et, avant même que son mari n'ait compris ce qui lui arrivait, nous étions dans ma voiture en train de sortir du chemin en marche arrière, et nous tournions définitivement le dos à Hawthorne Street.

DANS L'AVION
DE NEW YORK

Aurora ne me paraissait pas en état de voyager mais quand je suggérai que nous prenions une chambre dans un hôtel en attendant que sa fièvre tombe, elle secoua la tête et demanda avec insistance que nous montions dans le premier avion pour New York.

"David est intelligent, dit-elle. Si nous traînons par ici ne fût-ce que quelques heures, il nous trouvera. Bourre-moi d'Advil ou d'un truc équivalent, et ça ira."

Je lui achetai donc de l'Advil, je l'enroulai dans mon pardessus, je mis le chauffage à fond dans la voiture et je fonçai vers l'aéroport. J'avais atterri le matin à Greensboro mais, comme Minor ne manquerait pas d'aller nous y chercher, Rory pensait que nous avions intérêt à partir par Raleigh-Durham. Cela représentait un trajet de cent miles et Rory dormit pendant les deux heures de route. Après quatre Advil et ce long somme, elle se réveilla en meilleure forme. Encore pâlotte, encore très lasse mais la fièvre semblait retombée et après une nouvelle dose de comprimés et deux verres de jus d'orange à l'aéroport, elle se sentait capable de parler – et c'est bien ce que nous fîmes pendant les quelques heures suivantes : depuis le moment où nous nous assîmes dans la salle d'embarquement jusqu'au soir même, à Brooklyn, quand un taxi jaune nous débarqua devant chez moi.

"Tout ça, c'est de ma faute, me dit-elle. Il y a un bon moment que je voyais ça venir mais j'étais trop faible pour défendre mon point de vue, trop énervée pour riposter. C'est ce qui arrive quand tu crois que l'autre vaut mieux que toi. Tu cesses de penser par toi-même et bientôt ta propre vie ne t'appartient plus. On ne s'en rend même pas compte, oncle Nat, mais on est foutu, complètement foutu…

"Ma première erreur a été de tourner le dos à Tom. Après ma sortie du centre de désintoxication, on a quitté la Californie, David et moi, et on est venus vers l'Est avec Lucy. On a vécu six mois chez sa mère à Philadelphie, et tout allait bien, de toute ma vie j'avais jamais rien connu de mieux. J'étais folle de lui. Aucun homme n'avait jamais été aussi gentil avec moi, et je me baladais avec cette incroyable sensation que j'étais protégée, que ce type intelligent et correct savait réellement qui j'étais. Nous étions des rescapés, tous les deux. Nous avions tous les deux vécu tant de choses et voilà qu'après tous nos hauts et nos bas, nous reprenions pied ensemble, et nous allions nous marier…

"Un jour, je suis allée voir Tom à New York, et je dois avouer que j'ai trouvé ça un peu déprimant. Il avait tellement grossi, et il avait abandonné ses études pour faire le taxi, et il s'est montré plutôt grincheux avec moi, en tout cas au début. Je ne pouvais pas le lui reprocher. Je l'avais laissé si longtemps sans nouvelles, pourquoi ne m'en aurait-il pas voulu ? Je n'avais pas d'excuse. J'étais restée tout ce temps-là en Californie à me foutre en l'air peu à peu, même pas capable de décrocher un téléphone pour l'appeler. J'ai essayé de le lui expliquer, mais sans grand succès. Pourtant Tom était toujours mon grand frère et maintenant que je me mariais, je voulais qu'il me conduise à l'autel – juste comme tu as fait pour maman quand elle s'est mariée. Il a dit qu'il le ferait volontiers et tout à coup c'était de nouveau comme au bon vieux temps, et je me sentais vraiment heureuse. J'avais retrouvé mon frère. J'allais épouser David, et Lucy, mon étonnante petite Lucy vivrait de nouveau avec sa mère – sa sotte gamine de mère qui commençait enfin à devenir adulte. Qu'est-ce que je pouvais demander de plus ? J'avais tout ce que je désirais, oncle Nat. Tout...

"Et puis j'ai repris le bus pour Philadelphie et quand j'ai raconté à David que j'avais invité Tom à notre mariage, il a dit que c'était impossible, hors de question. Il y avait réfléchi pendant tout le temps que j'étais à New York, et il était arrivé à la conclusion que mon frère avait une mauvaise influence sur moi. Si je tenais à ce mariage, il fallait que je coupe tous les liens avec mon passé. Non seulement avec mes amis, mais aussi avec tous les membres de ma famille. J'ai protesté : Qu'est-ce que tu racontes, j'aime mon frère, il n'y a pas meilleur que lui au monde. Mais David a refusé de discuter. Nous commencions une nouvelle vie ensemble et si je ne rompais pas nettement avec tout ce qui m'avait corrompue autrefois, je retomberais dans mes vieilles habitudes. Il fallait que je choisisse. C'était tout ou rien, disait-il. Un acte de foi ou un acte de rébellion. La vie avec Dieu ou la vie sans Dieu. Le mariage ou pas de mariage. Un mari ou mon frère. David ou Tom. Un avenir plein d'espoir ou un lamentable retour au passé...

"J'aurais dû réagir. J'aurais dû lui dire que je n'avalais pas ses salades et que s'il croyait pouvoir m'épouser sans inviter Tom au mariage, il n'y aurait pas de mariage – un point c'est tout. Mais je ne l'ai pas fait. Je n'ai pas lutté, et quand j'ai accepté de faire ainsi tout ce qu'il voulait, c'était déjà le début de la fin. On ne peut pas laisser un autre décider pour soi, même si on a confiance en cet autre, même si on croit que cet autre sait ce qui est le mieux. C'est ça qui m'a foutue dedans. Ce n'était pas seulement la peur de perdre David. Ce qui me faisait vraiment peur, c'était que je pensais qu'il avait sans doute raison. J'aimais Tommy, mais qu'est-ce que je lui avais jamais apporté d'autre que des tas d'ennuis et de chagrins ? Il valait peut-être mieux que je coupe les liens, que je lui fiche la paix. Il vaudrait peut-être mieux pour lui ne plus jamais me revoir…

"Non, David ne m'a jamais frappée. Il n'a jamais frappé Lucy, et il ne m'a jamais frappée. Il n'est pas violent. Son truc, c'est parler. Il parle, il parle, il parle. Et puis il parle encore. Il t'épuise à force d'arguments et parce qu'il a une voix si raisonnable, parce qu'il s'exprime si bien, il t'aspire dans son propre cerveau, si on peut dire – presque comme s'il t'hypnotisait. C'est ça qui m'a sauvée au centre de désintoxication, à Berkeley. Sa façon de me parler continûment, en me regardant dans les yeux avec un air si concerné et cette voix douce et régulière. C'est difficile de lui résister, oncle Nat. Il s'introduit dans ta tête et après quelque temps tu commences à croire qu'il ne peut se tromper en rien…

"Je sais que Tom était inquiet. Il avait peur que je me transforme en l'un de ces illuminés vertueux, mais je ne suis pas faite pour ce genre de choses. David ne renonçait pas à me convertir, mais je faisais seulement semblant de marcher. Si ça lui plaît de croire à ces conneries – très bien, je m'en fous. Ça le rend heureux et jamais je n'irai m'opposer à un truc qui rend quelqu'un heureux. J'ai entendu ce qu'il te disait à la maison, cet après-midi, et c'était vrai. Il n'a rien d'un intégriste forcené. Il croit à Jésus et à la vie éternelle mais, comparé à ce que croient certaines autres personnes, ce n'est pas trop lourd. Son problème, c'est qu'il se figure qu'il peut être un saint. Il veut être parfait…

"Alors, bon, je l'ai accompagné à l'église tous les dimanches. Je n'avais pas vraiment le choix, hein ? Mais ce n'était pas si terrible, en tout cas pas tant que nous avons habité Philadelphie. Je chantais dans le chœur, là-bas, et tu sais combien j'aime chanter. Ces hymnes font partie de ce qu'on a composé de plus ringard, en fait de musique, mais j'avais au moins l'occasion de faire travailler mes poumons une fois par semaine et, du moment que David ne s'efforçait pas trop de me gaver de Jésus, je n'étais pas à proprement parler malheureuse. Je me dis parfois que si nous n'étions pas partis de Philadelphie, ça aurait fini par marcher. Mais nous n'arrivions ni l'un ni l'autre à décrocher des boulots convenables. J'ai fait un remplacement à mi-temps dans un *diner* sordide, et ce que David avait pu trouver de mieux après des mois de recherche, c'était veilleur de nuit dans un immeuble de bureaux de Market Street. On allait à nos réunions d'excamés ; on était sobres ; Lucy se plaisait à l'école ; la mère de David était un peu timbrée mais, dans le fond, plutôt sympa – seulement nous n'arrivions pas à gagner notre vie dans cette ville. Alors une occasion s'est présentée en Caroline-du-Nord et

David a sauté dessus. La quincaillerie True Value. Après ça, tout a paru s'arranger et puis, il y a environ un an et demi, David a fait la connaissance du révérend Bob et, du coup, c'est devenu de pire en pire…

"David n'avait que sept ans quand son père est mort. Je ne dis pas que c'est de sa faute, mais je crois que depuis ce temps-là il se cherche un père. Une figure d'autorité. Quelqu'un d'assez fort pour le prendre sous son aile et le guider dans la vie. C'est probablement pour ça qu'il est entré dans les marines après l'école secondaire au lieu de faire des études. Tu sais, obéis aux ordres du Big Daddy américain, et Big Daddy prendra soin de toi. Tu parles qu'il a pris soin de lui, Big Daddy. Il l'a expédié dans le désert, et *Desert Storm* lui a bousillé la cervelle. Méchamment. Alors David dégringole pendant quelques années et il finit à l'héroïne. Ça, tu le sais déjà. Je l'ai entendu t'en parler cet après-midi mais ce qui m'intéresse, c'est comment il a réussi à s'en sortir. Pas grâce à ce refrain des ligues anti-drogue qui vous serinent de faire confiance à un pouvoir supérieur – non, grâce à la religion, la vraie. Il va carrément au sommet s'adresser au plus grand de tous les pères. M. Dieu. M. Sacré Nom de Dieu, le souverain de l'univers. Pourtant, ça ne suffit peut-être pas. Tu peux parler à ton Dieu et espérer qu'il t'écoute, mais à moins d'avoir le cerveau branché vingt-quatre heures par jour sur Radio-Schizo, t'auras pas de réponse. Prie autant que tu voudras, papa restera muet. Tu peux étudier ses paroles dans la Bible, mais la Bible n'est qu'un bouquin et un bouquin, ça ne parle pas. Le révérend Bob, lui, il parle, et dès que tu as commencé à l'écouter, tu sais que tu as trouvé ton homme. C'est lui, le père que tu cherchais, un véritable père en chair et en os, et chaque fois qu'il ouvre la bouche, tu es convaincu que ça lui vient du grand patron en personne. Dieu parle par la voix de ce type, et quand il te dit de faire un truc, t'as intérêt à le faire, sinon…

"Il a cinquante et quelques années, je crois. Grand et maigre, avec un long nez et une grosse vache d'épouse prénommée Darlene. Je ne sais pas quand il a fondé le Temple du Verbe sacré, mais ce n'est pas une Eglise normale comme celle que nous fréquentions à Philadelphie. Le révérend se dit chrétien, sans jamais préciser de quel genre, et je ne suis même pas sûre qu'il se soucie plus de religion que de sa première culotte. Tout ça se ramène à dominer les autres, à leur faire faire des trucs saugrenus, contre nature, en les persuadant qu'ils servent la volonté de Dieu. Je pense que c'est un imposteur, un comédien de première bourre, mais il tient ses ouailles dans le creux de sa main, ils l'adorent, tous l'adorent et David plus que tous les autres. Ce qui les maintient en éveil, c'est cette façon qu'il a de s'amener sans cesse avec de nouvelles idées, de changer sans cesse son enseignement. Un dimanche, ce sont les dangers du matérialisme, il faut mépriser les biens de ce monde et vivre dans une sainte pauvreté à l'instar du fils de notre cher Seigneur. Le dimanche suivant, il s'agit de travailler dur et de gagner tout l'argent qu'on peut. J'ai dit à David qu'à mon avis il était cinglé et que je ne voulais plus exposer Lucy à ces sornettes. Mais David était déjà complètement converti et il n'a pas voulu m'écouter. Deux ou trois mois plus tard, le révérend Bob décide tout à coup que le chant doit être banni des services religieux. Le chant offense les oreilles de Dieu, déclare-t-il, et désormais nous devrons l'adorer en silence. En ce qui me concernait, c'était la dernière goutte d'eau. J'ai dit à David que Lucy et moi, nous quittions l'Eglise. Il pouvait continuer d'y aller autant qu'il voudrait, mais nous n'y remettrions plus les pieds. C'était la première fois que je défendais mon point de vue depuis qu'on était mariés, et ça ne m'a pas réussi. Tout en faisant mine de sympathiser, il m'a expliqué que la règle voulait que les familles des fidèles assistent ensemble aux services chaque dimanche. Si j'y manquais, il serait excommunié. Bon, ai-je dit, alors raconte-leur que nous sommes malades, Lucy et moi, que nous sommes gravement atteintes et que nous ne pouvons pas sortir du lit. David m'a décoché un de ses sourires tristes et protecteurs. Le mensonge est un péché, m'a-t-il dit. Si nous ne disons pas toujours la vérité, nos âmes se verront refuser l'entrée au paradis, elles seront rejetées dans la gueule de l'enfer...

"On a donc continué à y aller chaque semaine et un mois environ après ça, le révérend Bob s'est ramené avec sa dernière trouvaille. La culture profane était en train de détruire l'Amérique, selon lui, et la seule possibilité que nous avions d'arrêter ses ravages, c'était de refuser tout ce qu'elle nous offrait. C'est alors qu'il a commencé à promulguer ses prétendus édits dominicaux. D'abord, tout le monde a dû se débarrasser des postes de télévision. Ensuite ç'a été les radios. Et puis les livres – plus un livre dans la maison à part la Bible. Ensuite les téléphones. Ensuite les CD, les cassettes et les disques. Tu imagines ça ? Plus de musique, oncle Nat, plus de romans, plus de poèmes. Ensuite on a dû annuler nos abonnements à des revues. Ensuite les journaux.

Ensuite on n'a plus eu le droit d'aller au cinéma. Cet idiot était déchaîné, mais plus il exigeait de sacrifices, plus ses fidèles avaient l'air d'aimer ça. Pour autant que je sache, pas une famille ne l'a quitté…

"Finalement, on n'avait plus rien à rejeter. Le révérend a cessé de vitupérer la culture et les médias, et il s'en est pris à ce qu'il appelait «les questions primordiales». Chaque fois que nous parlons, nous noyons la voix de Dieu. Chaque fois que nous écoutons les paroles des hommes, nous négligeons les paroles de Dieu. Il a décrété que, désormais, tous les membres de la communauté âgés de plus de quatorze ans passeraient une journée par semaine dans un silence absolu. De cette façon, nous pourrions rétablir notre connexion avec Dieu, l'entendre parler au-dedans de nos âmes. Après tous les autres tours qu'il nous avait joués, celui-ci paraissait relativement inoffensif…

"David travaille du lundi au vendredi, il a donc choisi le samedi comme jour de silence. Le mien était le jeudi, mais comme il n'y avait personne à la maison avant que Lucy ne rentre de l'école, je pouvais faire ce que je voulais. Je chantais, je parlais toute seule, je criais des injures au tout-puissant révérend Bob. Dès que Lucy et David passaient la porte, il fallait jouer la comédie. Je leur servais le dîner en silence, je mettais Lucy au lit en silence, je souhaitais bonne nuit à David en l'embrassant en silence. Pas de problème. Alors, au bout d'un mois à ce train-là, Lucy s'est mis en tête de suivre mon exemple. Elle venait d'avoir neuf ans. Même le révérend Bob ne demandait pas aux enfants de s'y mettre, mais ma petite fille m'aimait tellement qu'elle voulait m'imiter en tout. Trois samedis de suite, elle n'a pas dit un mot. J'avais beau la supplier de ne pas faire ça, elle refusait d'arrêter. C'est une gamine si intelligente, oncle Nat, et têtue, tu sais à quel point. Tu as subi le même traitement : une fois qu'elle a décidé quelque chose, essayer de la faire reculer, c'est comme essayer de faire bouger un immeuble. Chose à peine croyable, David a pris mon parti, mais je crois que d'un côté il était tellement fier d'elle parce qu'elle se conduisait en adulte qu'il n'y a pas mis beaucoup de conviction. De toute façon, ça n'a rien à voir avec lui. C'était moi. Elle et moi. J'ai dit à David qu'il fallait que j'en parle au révérend Bob. S'il acceptait de me dégager de l'obligation de me taire le jeudi, ça libérerait Lucy et elle retrouverait son comportement normal…

"David a voulu m'y accompagner mais j'ai dit non, il faut que je voie le révérend seul à seul. Pour m'assurer qu'il ne s'en mêle pas, j'ai fixé le rendez-vous un samedi, le jour où David n'avait pas le droit de parler. Conduis-moi simplement chez lui, ai-je dit, et attends-moi dans la voiture. Ça ne devrait pas être long…

"Le révérend Bob était assis à son bureau, en train de peaufiner le sermon qu'il était censé prononcer le lendemain matin. Il m'a dit : Asseyez-vous, mon enfant, et racontez-moi votre problème. Je lui ai expliqué ce qui se passait avec Lucy et la raison pour laquelle je pensais qu'il nous rendrait grand service en me dégageant de mon obligation de silence. Hum, a-t-il fait, hum. Il faut que j'y réfléchisse. Je vous communiquerai ma décision à la fin de la semaine prochaine. Il me regardait droit dans les yeux et chaque fois qu'il parlait, ses sourcils broussailleux avaient comme un curieux petit spasme. J'ai dit : Merci. Je crois que vous êtes un homme sage, et je suis sûre que votre cœur vous conseillera d'assouplir la règle pour venir en aide à une enfant. Je n'allais pas lui dire ce que je pensais vraiment. Que je le veuille ou non, j'étais un membre de cette foutue congrégation et il fallait que je joue le jeu comme si j'étais sincère. J'imaginais que nous en avions terminé mais alors, comme je me levais pour partir, il a tendu le bras droit en me faisant signe de me rasseoir et il m'a déclaré : Je vous ai observée, femme, et je veux que vous sachiez que vous obtenez les meilleures notes sur tous les fronts. Vous et le frère Minor, vous faites partie des piliers de cette communauté et je suis certain de pouvoir compter sur vous pour me suivre en toutes choses, sacrées et profanes. Profanes ? ai-je demandé. Qu'entendez-vous par profanes ? Il a repris : Comme vous le savez sans doute, mon épouse Darlene n'a pas pu me donner d'enfant. Maintenant que j'ai atteint un certain âge, j'ai commencé à penser à ma succession et il me paraît tragique d'envisager de quitter ce monde sans avoir engendré un héritier. Vous pourriez adopter, ai-je suggéré. Non, cela ne suffit pas. Il faut un enfant de ma propre chair, un descendant de mon propre sang qui puisse poursuivre l'œuvre que j'ai commencée. Je vous ai observée, femme, et de toutes les âmes dont j'ai la charge, vous seule êtes digne de porter ma semence. Et moi : Qu'est-ce que vous dites ? Je suis mariée, j'aime mon mari. Oui, je sais cela, mais dans l'intérêt du Temple du Verbe sacré, je vous engage à divorcer afin de m'épouser. Mais vous avez une épouse, ai-je protesté. Nul n'a le droit d'avoir deux épouses, révérend Bob, pas même vous. Non, bien sûr, a-t-il dit. Inutile de préciser que je demanderai le divorce, moi aussi. Laissez-moi y réfléchir, ai-je suggéré. Tout va si vite, je ne sais pas quoi dire. J'ai la tête qui tourne, les mains qui tremblent, et je ne vois plus clair. Ne vous en faites pas, mon enfant, prenez tout votre temps. Mais, afin que vous compreniez quels plaisirs vous attendent, il y a quelque chose que je veux vous faire voir. Le révérend s'est levé, il a contourné son bureau et il a ouvert sa braguette. Il s'est planté juste devant moi, avec cette braguette ouverte à cinquante centimètres de mon visage. Regardez ceci, m'a-t-il dit, et il a sorti son zob pour me le montrer. Faut reconnaître que c'était un zob énorme – beaucoup plus grand que ce qu'on s'attendrait à voir pendre entre les jambes d'un type aussi maigre. J'ai vu pas mal d'hommes à poil dans ma vie et pour ce qui est de la longueur et du diamètre, je ne peux que situer l'organe du révérend tout en haut, dans les dix pour cent supérieurs. Un zob aux dimensions pornographiques, si tu vois ce que je veux dire, mais sans le moindre attrait à mes yeux. Il était raide et violacé, et l'érection faisait saillir les veines et, en plus, en pleine extension il se recourbait vers la gauche. Un gros zob, mais dégoûtant aussi, et l'homme auquel il appartenait me dégoûtait encore plus. Je suppose que j'aurais pu bondir et me tirer de là en courant mais, quelque part, je me doutais que cet imbécile était en train de m'offrir une occasion inappréciable et qu'en échange de quelques instants répugnants, je pourrais tous nous libérer de cette Eglise de crétins…

"Voici le membre sacré, a déclaré le révérend en tenant ce truc dans sa main et en me l'agitant sous le nez. Dieu m'a accordé ce don précieux, et le foutre qui en jaillit peut engendrer des vies d'anges. Prenez-le en main, sœur Aurora, et sentez le feu qui en parcourt les veines. Prenez-le dans votre bouche et goûtez la chair dont notre Seigneur bien-aimé a jugé bon de me doter...

"J'ai fait ce qu'il voulait, oncle Nat. J'ai fermé les yeux, et je me suis fourré dans la bouche ce gros épi de maïs veineux et petit à petit je l'ai soulagé. C'était dégueulasse. Mon pauvre nez contre son bas-ventre puant, mon pauvre estomac tout retourné, mais je savais ce que je faisais et j'étais contente. Au moment où il allait jouir, je l'ai sorti de ma bouche et j'ai terminé le travail à la main, en m'assurant que son précieux foutre jaillissait bien sur ma blouse. Ce serait ma preuve, tout ce dont j'avais besoin pour faire tomber ce salaud. Tu te rappelles Monica et Bill ? Tu te rappelles la robe ? Eh bien, maintenant, j'avais ma blouse, et ça valait bien une arme, ça valait bien un revolver chargé...

"Quand je suis remontée dans la voiture, je pleurais. Je ne sais pas si mes larmes étaient vraies ou fausses, mais je pleurais. J'ai dit à David de démarrer et de rentrer chez nous mais, comme il n'avait pas le droit de parler avant le lendemain matin, il n'a pas pu me poser de questions. J'ai compris alors que c'était de deux choses l'une. J'allais lui raconter que le révérend Bob m'avait violée. Si David parlait, ça voudrait dire qu'il tenait plus à moi qu'à son foutu Temple du Verbe sacré. On pouvait passer la blouse aux flics, faire analyser l'ADN, et le révérend serait cuit, comme dans un tonneau d'huile bouillante. Mais si David ne parlait pas ? Ça signifierait que je n'étais rien pour lui, qu'il tenait envers et contre tout à son vieux Bob le Père. Je n'aurais pas beaucoup de temps pour réagir. Si David me laissait tomber, il faudrait que je cesse de penser à moi. C'était Lucy que je devais sauver, et la seule manière d'y arriver, c'était de l'envoyer loin de la Caroline-du-Nord. Pas demain, ni la semaine prochaine mais maintenant, à la minute, sur le premier bus en partance vers New York…

"Au bout d'une centaine de mètres, je lui ai raconté mon histoire. J'ai dit : Ce salaud m'a violée. Regarde ma blouse, David. Ça, c'est le sperme du révérend Bob. Il m'a coincée, il ne voulait plus me lâcher. Il m'a prise de force, et je n'ai pas réussi à le repousser. David a garé la voiture au bord de la route. Pendant un bref instant, j'ai cru qu'il était avec moi et j'ai eu des remords d'avoir douté de lui, honte de ne pas lui avoir fait confiance. Il a tendu la main et m'a caressé le visage et ses yeux avaient cette expression douce et éthérée, la même belle et tendre expression qui m'avait fait tomber amoureuse de lui en Californie. Je me suis dit : Voilà l'homme que j'ai épousé, et il m'aime toujours. Mais je me trompais. Il était peut-être bien désolé pour moi, mais il n'allait pas désobéir aux saints préceptes du révérend Bob en interrompant son silence. Je l'ai supplié : Parle-moi. Je t'en prie, David, ouvre la bouche et parle-moi. Il a fait non de la tête. Il secouait la tête et moi j'ai fondu en larmes, pour de bon, cette fois…

"On s'est remis en route et au bout d'une ou deux minutes, j'ai réussi à me reprendre en main suffisamment pour lui dire que nous allions envoyer Lucy chez mon frère à Brooklyn. S'il ne faisait pas exactement ce que je lui demandais, je montrerais ma blouse à la police, je porterais plainte contre le révérend Bob et ce serait la fin de notre mariage. Tu as envie que nous restions mariés, non ? David a fait signe que oui. Bon, j'ai dit, alors voilà le marché : d'abord, on va chercher Lucy à la maison. Ensuite on va à la banque et on retire deux cents dollars en espèces.

Et puis on va à la gare routière et tu lui paies avec ta Master Card un aller simple pour New York. Enfin on lui donne l'argent, on la met dans le car, on l'embrasse et on lui dit au revoir. Ça, c'est ce que tu vas faire pour moi. Ce que moi je vais faire pour toi, c'est ceci : à l'instant où le car s'éloigne, je te donne la blouse avec les taches de foutre de ton héros, et tu peux détruire cette preuve pour lui sauver la mise. Je te promets aussi de rester avec toi, mais seulement à une condition : que je n'aie jamais à remettre les pieds près de cette église. Si tu essaies à nouveau de m'y traîner, je disparais de ta vie, j'en disparais pour toujours...

"Je n'ai pas envie de parler de mes adieux à Lucy. Ça me fait trop mal d'y penser. Je lui avais dit au revoir quand je suis entrée au centre de désintoxication, mais là, c'était différent. Là, ça ressemblait à la fin de tout et je n'étais capable que de la serrer dans mes bras, en essayant de ne pas craquer, et de lui rappeler de dire à tout le monde que j'allais bien. Je regrette qu'elle ait perdu la lettre que j'avais écrite à Tom. J'expliquais beaucoup de choses dans cette lettre et vous avez dû trouver très bizarre qu'elle s'amène comme ça les mains vides. J'ai aussi essayé de téléphoner à Tom de la gare routière, mais tout était si précipité, je n'avais pas assez de pièces de monnaie et il a fallu que je l'appelle en PCV. Il n'était pas chez lui, mais au moins j'étais sûre qu'il habitait toujours à la même adresse. Je me conduisais peut-être comme une folle, ce jour-là, mais pas folle au point d'envoyer Lucy à New York sans savoir exactement où habitait Tom...

"Je ne comprends pas cette histoire de Caroline-Caroline. Je ne lui ai jamais demandé de ne pas dire où j'étais. Pourquoi aurais-je fait ça ? Je l'envoyais chez Tom – et je n'ai jamais imaginé qu'elle ne lui parlerait pas de Winston-Salem. Pauvre chou. Ce que je lui ai dit, c'est : Raconte-lui juste que je vais bien, que tout va bien. J'aurais dû prévoir. Lucy prend les choses tellement au pied de la lettre, elle a dû croire que le mot *juste* signifiait que c'était la seule information que je voulais qu'elle donne. Elle a toujours été comme ça. Quand elle avait trois ans, je l'ai mise à la maternelle pendant deux heures tous les matins. Au bout de quelques semaines, la maîtresse m'a appelée pour m'expliquer que Lucy l'intriguait. A l'heure où on distribuait du lait aux enfants, Lucy restait toujours en arrière jusqu'à ce que tous les autres gosses aient pris un berlingot avant d'en prendre un pour elle. La maîtresse ne comprenait pas. Elle lui disait : Va chercher ton lait, mais Lucy voulait toujours attendre qu'il n'en reste qu'un seul. Il m'a fallu un moment pour trouver l'explication. Lucy ne savait pas lequel des berlingots était censé être le sien. Elle croyait que tous les autres gamins savaient lequel était le leur et que si elle attendait jusqu'à ce qu'il n'en reste qu'un dans la caisse, ce devait être le sien. Tu comprends ce que je raconte, oncle Nat ? Elle est un peu spéciale – d'une intelligence spéciale, si tu vois ce que je veux dire. Différente des autres. Si je n'avais pas utilisé le mot *juste*, vous auriez su depuis le début où j'étais…

"Pourquoi je ne vous ai pas rappelés ? Parce que je ne pouvais pas. Non, pas parce qu'on n'avait pas le téléphone chez nous – parce que j'étais piégée. J'avais promis à David que je ne le quitterais pas, mais il n'avait plus confiance en moi. Dans la minute qui a suivi notre retour de la gare routière, il m'a fait monter dans la chambre de Lucy et il m'y a enfermée. Oui, oncle Nat, il m'a enfermée et il m'a laissée là pendant le restant de la journée et toute la nuit. Le lendemain matin, quand il a recommencé à parler, il m'a dit que je devais être punie pour avoir menti au sujet du révérend Bob. J'ai protesté : Menti ? Qu'est-ce que ça voulait dire ? Il a prétendu qu'il n'y avait pas eu de viol. La seule raison de mon insistance à aller seule chez le révérend, c'était que j'avais l'intention de le séduire – et ce pauvre homme n'avait pas pu résister à mes charmes. Merci, David, ai-je dit. Merci de croire en moi et d'apprécier à quel point j'ai été pour toi une bonne épouse…

"Plus tard, le même jour, il a cloué des planches sur les fenêtres de la chambre. Tu comprends, à quoi sert une prison si le prisonnier peut filer par la fenêtre, hein ? Alors, très généreusement, mon cher époux a remonté tous les trucs qu'on avait descendus à la cave en suite des édits dominicaux du révérend Bob. La télé, la radio, le lecteur de CD, les livres. Je lui ai demandé si ce n'était pas contraire au règlement. Si, m'a dit David, mais j'en ai parlé au révérend après le service, ce matin, et il m'a accordé une dispense spéciale. Je veux que tout soit aussi confortable que possible pour toi, Aurora. Mazette, j'ai dit, pourquoi es-tu si gentil avec moi ? Parce que je t'aime, a répondu David. Tu as mal agi, hier, mais cela ne m'empêche pas de t'aimer. En preuve de la pureté de cet amour, il est revenu une minute après avec un grand fait-tout pour que je ne sois pas obligée de pisser et de chier par terre. A propos, m'a-t-il annoncé, tu seras heureuse d'apprendre que tu as été excommuniée. Tu es exclue du Temple, mais j'en fais encore partie. J'ai répondu que j'étais consternée. Que c'était le jour le plus triste de ma vie…

"Je ne sais pas ce qui m'avait prise, mais tout ça me faisait l'effet d'une blague, je n'arrivais pas à le prendre au sérieux. Je m'imaginais que ça allait durer quelques jours et qu'ensuite je me tirerais. Promesse ou pas promesse, je n'allais pas rester là une minute de plus dès que je pourrais faire autrement…

"Mais les jours sont devenus des semaines, les semaines sont devenues des mois. David se doutait de ce que j'avais en tête, et il n'était pas près de me laisser partir. Je pouvais sortir de la chambre quand il rentrait du boulot, mais quelle chance avais-je de partir ? Il me surveillait sans cesse. Si j'avais essayé de me ruer vers la porte, jusqu'où serais-je allée ? Deux pas, peut-être. Il est plus grand et plus fort que moi, et il n'aurait eu qu'à me courir après et me ramener de force. Les clés de la voiture étaient dans sa poche, l'argent était dans sa poche, le seul argent que j'avais, c'était une poignée de petite monnaie que j'avais trouvée dans un tiroir de la commode de Lucy. Je continuais d'attendre et d'espérer, mais je n'ai réussi qu'une seule fois à sortir de la maison. C'est cette fois-là que j'ai essayé d'appeler Tom. Tu t'en souviens, sûrement ? Comme par miracle, David s'était assoupi dans le salon après le déjeuner. Il y a une cabine dans la rue à un mile et demi environ et j'ai couru jusque-là de toute la vitesse de mes jambes. Si seulement j'avais eu le cran de glisser la main dans la poche de David pour lui voler les clés de voiture. Mais je ne voulais pas risquer de le réveiller, alors je suis partie à pied. David doit avoir rouvert les yeux dix minutes après que j'étais partie et, faut-il le dire, il a pris la voiture, lui. Quel fiasco.

Je n'ai même pas eu le temps de terminer ce foutu message…

"Maintenant tu sais pourquoi j'ai une mine aussi affreuse. J'ai passé six mois enfermée dans cette chambre, oncle Nat. Enfermée comme une bête dans ma propre maison pendant la moitié d'une année. Je regardais la télé, je lisais, j'écoutais de la musique, mais ce que je faisais surtout, c'était réfléchir au moyen de me tuer. Si je ne l'ai pas fait, c'est parce que j'avais promis à Lucy que je viendrais la retrouver un jour, qu'un jour nous recommencerions à vivre ensemble. Mais, bon Dieu, ce n'était pas facile, pas facile du tout. Si tu n'étais pas arrivé cet après-midi, je ne sais pas pendant combien de temps j'aurais encore tenu le coup. Je serais sans doute morte dans cette maison. C'est aussi simple que ça, oncle Nat. Je serais morte dans cette maison et alors mon mari et le bon révérend Bob m'auraient sortie de là en pleine nuit et ils auraient jeté mon cadavre dans une tombe anonyme."

UNE VIE NOUVELLE

Grâce à mon amitié avec Joyce Mazzucchelli, propriétaire de la maison de Carroll Street qu'elle partageait avec sa JMS de fille et ses deux petits-enfants, je pus trouver un toit pour Aurora et Lucy. Il y avait une chambre libre au second étage. Elle avait servi autrefois à Jimmy Joyce d'atelier-studio à tout faire, mais à présent que l'ex-mari bruiteur de Nancy était parti, pourquoi n'auraient-elles pu loger là ? demandai-je. Rory n'avait ni argent ni travail, mais j'étais prêt à payer le loyer jusqu'à ce qu'elle ait retrouvé son assiette et, Lucy étant désormais assez grande pour pouvoir de temps à autre s'occuper des enfants de Nancy, tout le monde y trouverait son avantage.

"T'inquiète pas du loyer, Nathan, me dit Joyce. Nancy a besoin d'une assistante dans son affaire de bijoux et si Aurora veut bien donner un petit coup de main au ménage et à la cuisine, elle peut avoir la chambre pour rien."

Chère Joyce. Il y avait alors presque six mois que nous batifolions ensemble et bien que nous habitions chacun de notre côté, rare était la semaine où nous ne passions pas au moins deux ou trois nuits dans le même lit – le sien ou le mien, selon les diktats de nos humeurs et des circonstances. Elle avait environ deux ans de moins que moi, ce qui signifie qu'elle n'était plus toute jeune, mais avec ses cinquante-huit, cinquante-neuf ans, elle avait encore assez de pep pour que les choses gardent leur intérêt.

L'amour entre gens d'un certain âge a ses côtés embarrassants et ses lenteurs comiques, mais aussi une qualité de tendresse qui échappe souvent aux jeunes. Vos seins, votre queue peuvent bien avoir perdu de leur fermeté, votre peau est toujours votre peau et si quelqu'un vous caresse, vous serre dans ses bras ou vous embrasse sur la bouche, vous pouvez encore fondre comme autrefois, quand vous pensiez vivre toujours. Nous n'en étions pas encore, Joyce et moi, au mois de décembre de nos vies mais, incontestablement, mai était loin derrière nous. Ce que nous vivions ensemble, c'était un après-midi de la fin ou de la mi-octobre, l'une de ces belles journées d'automne où le ciel est d'un bleu intense, l'air vif et savoureux et où un million de feuilles tiennent encore aux branches – brunes, en majorité, mais avec encore assez d'or, de rouge et de jaune pour vous donner envie de rester dehors le plus longtemps possible.

Non, elle n'était pas la beauté qu'était sa fille et, d'après ce que j'avais vu des photographies prises dans sa jeunesse, elle ne l'avait jamais été. Joyce attribuait l'apparence physique de Nancy à feu son mari, Tony, un entrepreneur qui était mort d'une crise cardiaque en 1993. "C'était le plus bel homme que j'aie jamais vu, me confia-t-elle un jour. Le portrait craché de Victor Mature." Avec son fort accent de Brooklyn, le nom de l'acteur devenait dans sa bouche quelque chose comme *Victa Machûah*, comme si la lettre *r* s'était atrophiée au point d'avoir disparu de l'alphabet anglais. J'adorais cette voix terrienne, prolétaire. Elle me donnait un sentiment de sécurité et, autant que toutes ses autres qualités, elle me disait : Voici une femme sans prétention, une femme qui croit en ce qu'elle est. Elle était la mère de la Jeune Mère Sublime, après tout, et comment aurait-elle pu élever une fille comme Nancy si elle n'avait pas su ce qu'elle faisait ?

En surface, nous n'avions quasiment rien en commun. Nous étions issus de milieux tout à fait différents (catholique et citadine, juif des banlieues), et nos intérêts divergeaient sur presque tous les points. Les livres impatientaient Joyce, qui ne lisait jamais, alors que, craignant tout effort physique, j'aspirais à l'immobilité comme au nec plus ultra du bien-être. Pour Joyce, l'exercice n'était pas seulement un devoir, c'était un plaisir, et son activité préférée, en week-end, consistait à se lever à six heures le dimanche matin pour aller se balader à vélo dans Prospect Park. Elle travaillait encore, et j'étais à la retraite. Elle était optimiste, j'étais cynique. Elle avait été heureuse en ménage et mon mariage – assez làdessus. Elle ne s'intéressait que peu ou pas du tout à l'actualité, et je lisais attentivement les journaux tous les jours. Quand nous étions enfants, elle avait soutenu les Dodgers alors que j'étais un fan des Giants. Elle aimait le poisson et les pâtes, moi j'étais viande et pommes de terre. Et pourtant – qu'est-ce que la vie humaine peut avoir de plus mystérieux que ce *pourtant* ? – nous nous entendions comme larrons en foire. Je m'étais senti attiré tout de suite quand nous avions été présentés (par Nancy, un jour, dans la Septième Avenue), mais c'est seulement au cours de notre première longue conversation, aux funérailles de Harry, que je compris qu'une étincelle avait peut-être jailli entre nous. Pris de timidité, j'avais hésité à l'appeler et puis un jour, la semaine suivante, elle m'avait invité à dîner chez elle et c'est ainsi que tout avait commencé.

Est-ce que je l'aimais ? Oui, sans doute, je l'aimais. Dans la mesure où j'étais capable d'aimer, Joyce était la femme de ma vie, la seule candidate sur ma liste. Et même si ce n'était pas la passion épanouie à cent pour cent que le mot *amour* est censé définir, ce n'en était pas bien loin – assez proche, en vérité, pour que la distinction n'eût pas de sens. Elle me faisait beaucoup rire, ce qui, de l'avis médical, est excellent pour la santé physique et mentale. Elle tolérait mes petites manies et mes inconséquences, supportait mes humeurs noires et restait calme quand je me mettais en rage contre le parti républicain, la CIA et Rudolph Giuliani. Elle m'amusait par le fanatisme de son attachement aux Mets. Elle m'étonnait par sa connaissance encyclopédique des vieux films hollywoodiens et par sa capacité d'identifier jusqu'au moindre acteur oublié qui passait sur l'écran *(Regarde, Nathan, voilà Franklin Pangborn... voilà Una Merkel... voilà C. Aubrey Smith)*. J'admirais le courage qu'elle manifestait en me laissant lui faire la lecture du *Livre de la folie humaine*, après quoi, dans sa généreuse ignorance, elle traitait mes historiettes insignifiantes en littérature de grande classe. Oui, je l'aimais dans toute la mesure autorisée par les lois (les lois de ma nature) mais étais-je prêt à me poser et à passer le restant de mes jours avec elle ? Avais-je envie de la voir tous les jours de la semaine ? Etais-je assez fou d'elle pour soulever la grande question ? Je n'en étais pas certain. Après le long désastre avec [nom effacé], j'hésitais, on peut le comprendre, à me lancer dans une nouvelle tentative matrimoniale. Néanmoins, Joyce était une femme et comme la grande majorité des femmes semble préférer la vie en couple au célibat, j'estimais lui devoir cette preuve du sérieux de mes intentions. Au cours d'un des moments les plus sombres de cet automne – deux jours après la fausse couche de Rachel, quatre jours après la victoire illégale de Bush aux élections et douze jours avant que Henry Peoples ne parvienne à localiser notre Aurora disparue –, je craquai et lui fis ma demande. A ma grande surprise, ma proposition fut accueillie avec un grand rire sonore. "Oh, Nathan, s'écria-t-elle, ne fais pas l'imbécile. On est bien comme on est. Pourquoi faire tanguer le bateau et nous compliquer la vie ? Le mariage, c'est pour les jeunes, pour les enfants qui veulent des bébés. Nous avons déjà donné. Nous sommes libres. Nous pouvons baiser comme des adolescents sans jamais tomber enceints. T'as qu'à siffler, bonhomme, et mon grand cul italien est à toi, d'accord ? Mon cul pour toi, et pour moi ton beau tu-sais-quoi yiddish. Tu es mon premier juif, Nathan, et maintenant que tu t'es garé devant ma porte, je n'ai pas l'intention de renoncer à toi. Je t'appartiens, mon cœur. Mais oublie ces idées de mariage. Je n'ai plus envie d'être une épouse et la vérité, mon gentil drôle d'homme, c'est que tu ferais un mari épouvantable…"

En dépit de la rudesse de ces paroles, elle fondit en larmes un peu après – soudain dépassée, perdant pour la première fois depuis que je la connaissais le contrôle de ses émotions. Je supposai qu'elle pensait à son défunt Tony, qu'elle se rappelait l'homme à qui elle avait dit oui quand elle était encore une jeune fille, le mari qu'elle avait perdu alors qu'il n'avait que cinquante-neuf ans, l'amour de sa vie. C'était peut-être le cas, mais ce qu'elle me dit fut tout autre chose. "Ne crois pas que je n'apprécie pas, Nathan. Tu es ce qui m'est arrivé de mieux depuis longtemps et maintenant, ça, tu me donnes ça. Je ne l'oublierai jamais, mon ange. Une vieille peau comme moi demandée en mariage. Je ne voudrais pas radoter mais, oh là là, savoir que tu tiens autant à moi, ça me va droit au cœur."

Je me sentis réconforté de savoir que je l'avais émue au point de provoquer ces larmes. Cela signifiait qu'il y avait entre nous quelque chose de solide, un lien qui n'allait pas se briser de sitôt. Pourtant, je dois reconnaître aussi que j'étais soulagé que Joyce m'ait refusé. J'avais accompli mon grand geste mais en toute honnêteté ce n'était pas sans arrière-pensées et elle me connaissait suffisamment bien pour comprendre que, en effet, j'aurais fait un mari épouvantable, et que nous n'avions ni l'un ni l'autre, rien à faire du mariage. Et par conséquent, comme l'aurait dit l'immortel Dr Pangloss, tout était bien qui finissait bien – et pour la première fois de ma vie, il m'était donné de savourer un bonheur sans ombre.

Joyce sécha ses larmes et, quinze jours plus tard, Aurora et Lucy habitaient chez elle. C'était un arrangement raisonnable pour tous les inté-ressés mais, si la logique voulait que mère et fille soient réunies, il ne faudrait tout de même pas méconnaître la difficulté qu'éprouvèrent Tom et Honey à se séparer de leur jeune pupille. Il y avait alors plusieurs mois qu'ils s'occupaient d'elle et avec le temps le trio s'était solidifié, formant une petite famille bien unie. J'avais ressenti un pincement comparable quand je la leur avais abandonnée au début de l'été, et elle n'avait vécu chez moi que pendant quelques semaines. Quand je pensais aux cinq mois et demi qu'ils avaient passés ensemble, je ne pouvais pas m'empêcher de sympathiser avec eux – si heureux que nous fussions tous qu'Aurora soit arrivée saine et sauve à Brooklyn. "Il faut qu'elle vive avec sa mère, dis-je à Tom en essayant de considérer la situation avec philosophie. Mais une partie de Lucy reste à nous, à chacun de nous. Elle est notre gamine, à nous aussi, et on n'y changera jamais rien."

Quel que fût leur chagrin de la perdre, leur brève expérience du rôle de parents avait convaincu Tom et Honey qu'ils voulaient des enfants à eux. Pour l'instant, ils étaient aux prises avec une multitude de considérations pratiques – la négociation de la vente de l'immeuble de Harry, la recherche d'un nouvel appartement, leurs candidatures à des postes d'enseignants dans la ville – mais sitôt ces obligations remplies, Honey se débarrassa de son diaphragme et ils s'appliquèrent tous deux chaque soir à faire ce qu'il fallait pour fonder une famille. En mars 2001, ils emménagèrent dans un immeuble en copropriété situé entre les Sixième et Septième Avenues : un appartement lumineux et bien aéré au troisième étage, avec un living-room de bonnes dimensions en façade, une cuisine modeste et une salle à manger au centre et, sur l'arrière, au bout d'un couloir étroit, trois petites chambres (de l'une desquelles Tom fit son bureau). Au moment de leur installation dans cet appartement, le Grenier de Brightman n'existait plus. L'acheteur de l'immeuble avait posé comme condition avant de signer l'acte que tous les livres fussent retirés des lieux, ce qui avait exigé de Tom en début d'année une période d'activité frénétique afin de liquider la totalité du stock de l'ancien commerce de Harry. Les livres de poche se vendaient cinq ou dix cents, les volumes brochés à un dollar les trois, et les invendus au 1er février furent envoyés à des bibliothèques d'hôpitaux, d'organisations caritatives et de la marine marchande. J'apportai mon aide à ces tâches lugubres et, malgré la somme considérable que rapportèrent les livres rares et les éditions originales de l'étage (même aux prix extrêmement bas consentis par Tom afin de transférer la collection complète à un libraire spécialisé de Great Barrington, dans le Massachusetts), ce ne fut pas drôle de prendre part à l'anéantissement de l'empire de Harry – surtout après avoir appris l'usage que le nouvel acquéreur projetait de faire des lieux lorsqu'ils seraient vides. Les livres céderaient la place à des chaussures et des sacs de femme, et les trois étages supérieurs allaient être convertis en appartements de grand standing. L'immobilier est la religion officielle de New York, son dieu est vêtu d'un complet à fines rayures et son nom est Fric, Mr Toujours-plus-de-fric. Ma seule consolation devant ce triste état de choses, c'était la certitude que Tom et Rufus ne seraient plus jamais dans le besoin. Pour la deux centième fois depuis sa mort, mes pensées revenaient à Harry – et à son vaste saut de l'ange dans la grandeur éternelle.

Un jeudi soir, au début de juin, Honey annonça qu'elle était enceinte. Tom l'entoura de son bras et puis, se penchant par-dessus la table du dîner, il me demanda si je voulais bien être le parrain. "Tu es notre seul candidat, dit-il. Pour services

rendus, Nathan, en sus et au-delà de toute obligation. Pour courage exceptionnel au plus fort
du combat. Pour avoir risqué ta vie et tout le
reste afin de venir en aide sous un feu intense à
ton camarade mal en point. Pour avoir encouragé ce même camarade à se remettre sur pied
et à accepter cette union conjugale. En recon-
naissance de ces actions héroïques et au bénéfice de nos futurs rejetons, tu mérites de porter
un titre plus approprié à ton rôle que celui de
grand-oncle. C'est pourquoi je te déclare parrain
– si Votre Grâce consent à faire bon accueil à
notre humble supplique et à assumer le manteau de cette charge. Qu'en sera-t-il, mon bon
sire ? Nous attendons votre réponse le cœur battant." La réponse fut oui. Un oui suivi d'un long
chapelet de mots marmonnés dont aucun ne
me revient en mémoire. Après quoi je levai mon
verre à leur santé et, inexplicablement, mes yeux
se remplirent de larmes.

Trois jours après, Rachel et Terence vinrent
du New Jersey prendre chez moi le brunch domi-
nical. Joyce m'aida à préparer le festin et lorsque
nous fûmes attablés tous les quatre dans le jardin devant nos bagels et notre saumon fumé, je
remarquai que ma fille était plus en beauté et
paraissait plus heureuse qu'à aucun moment de
ces derniers mois. Sa fausse couche, en automne,
avait été une déception brutale et elle était restée
depuis en mauvaise forme – elle s'épuisait à
tenter de surmonter sa tristesse en s'investissant
trop à fond dans son travail, en mitonnant pour
Terence des repas de gourmet afin de démontrer qu'elle était une bonne épouse même si
elle n'avait pas réussi à garder l'enfant. Mais ce
jour-là, dans le jardin, l'ancienne lumière brillait
à nouveau dans ses yeux et bien qu'elle fût

habituellement plutôt réservée en société, elle participait pleinement à la conversation à quatre voix et parlait autant et aussi souvent que nous autres. A un moment donné, Terence s'excusa et rentra dans la maison pour aller à la salle de bains, et juste après Joyce fila à la cuisine pour refaire du café. Nous restions seuls, Rachel et moi. Je l'embrassai sur la joue et lui dis combien je la trouvais belle, et elle réagit au compliment en me rendant mon baiser et en posant la tête sur mon épaule. "Je suis de nouveau enceinte, me dit-elle. J'ai fait le test ce matin et le résultat était positif. Il y a un bébé qui grandit en moi, Nathan, et cette fois-ci il vivra. Je le promets. Je te ferai grand-père, même si je dois passer au lit les sept mois qui viennent."

Pour la seconde fois en moins de soixante-douze heures, mes yeux se remplirent soudain de larmes.

Les femmes enceintes s'épanouissaient autour de moi et j'étais en train de devenir un peu femme, moi aussi : une créature qui avait la larme à l'œil rien qu'à entendre parler de bébés, un nigaud sentimental qui avait besoin de se trimballer avec un paquet de mouchoirs en papier pour s'éviter un embarras public. La maison de Carroll Street était sans doute un peu responsable de tels manques de tenue virile. J'y passais beaucoup de mon temps et à présent qu'Aurora et Lucy occupaient la place du mari de Nancy, la maisonnée était devenue un univers entièrement féminin. Son seul élément masculin était Sam, le fils de Nancy, qui avait alors trois ans, et comme il parlait à peine, son influence était fort limitée. A part lui, il n'y avait que des femmes, trois générations de femmes, avec Joyce en haut de l'échelle, Nancy et Aurora au milieu, et puis, en bas, Lucy, dix ans, et Devon, cinq ans. L'intérieur de la maison était un musée vivant d'objets féminins, avec des galeries consacrées à l'exposition de soutiens-gorge et de petites culottes, de sèche-cheveux et de tampons, de pots de fond de teint et de tubes de rouge à lèvres, de poupées et de cordes à sauter, de chemises de nuit et de barrettes, de fers à friser, de crèmes pour le visage et d'innombrables paires de chaussures. S'y promener, c'était comme parcourir un pays étranger mais comme j'adorais chacune des habitantes de cette maison, c'était l'endroit au monde que je préférais à tout autre.

Pendant les mois qui suivirent l'évasion d'Aurora de la Caroline-du-Nord, un certain nombre de choses étranges se produisirent chez Joyce. Parce que la porte de la maison m'était toujours ouverte, je fus en mesure d'observer ces drames de près. Avec Lucy, par exemple, on ne pouvait plus jurer de rien. Durant son séjour chez Tom et Honey, j'avais eu des appréhensions, je m'attendais sans cesse à des difficultés. Non seulement elle avait menacé de se montrer "la petite fille la plus vilaine, la plus méchante et la plus embêtante de toute la création" mais, de plus, il me paraissait inévitable que l'absence prolongée de sa mère finisse par la démoraliser et faire d'elle une gosse maussade, râleuse et renfrognée. Et pourtant, non. Elle s'était portée comme un charme dans cet appartement au-dessus de l'ancienne boutique de Harry et elle avait continué à une cadence remarquable à s'adapter à son nouveau cadre de vie. Lorsque j'avais enfin ramené Rory à Brooklyn, Lucy parlait sans le moindre accent du Sud, elle avait grandi d'au moins dix à douze centimètres et elle était parmi les meilleurs élèves de sa classe. Oui, elle avait souvent pleuré le soir en pensant à sa mère mais à présent que sa mère lui était rendue, on aurait pu supposer que notre gamine voyait ses prières exaucées. Là encore, non. Il y eut un premier élan de bonheur tout de suite après les retrouvailles et puis, au bout de quelque temps, des pointes de rancune et d'hostilité apparurent et à la fin de leur premier mois de vie commune, notre fillette intelligente, énergique et pleine d'humour s'était transformée en emmerdeuse de premier ordre. Les portes claquaient ; des demandes polies étaient accueillies avec une dérision amère ; des cris belliqueux retentissaient au second étage ; des rouspétances évoluaient en bouderies, les bouderies en orages, les orages en crises de larmes ; les mots *non, idiote, ferme-la* et *mêle-toi de ce qui te regarde* devinrent partie intégrante du discours quotidien. Vis-à-vis de tous les autres, le comportement de Lucy restait inchangé. Seule sa mère était en butte à ces assauts et, avec le temps, ils devenaient de plus en plus acharnés.

Si déprimante que fût cette attitude pour la fragile Aurora, je la considérais comme une purge nécessaire, un signe que Lucy luttait activement pour sa vie. L'amour n'était pas en question. Lucy aimait sa mère, mais cette mère bien-aimée l'avait embarquée sur un autocar par un après-midi de folle agitation et envoyée à New York, et pendant six mois la fillette s'était sentie abandonnée. Comment une enfant aurait-elle pu assimiler des péripéties aussi incompréhensibles sans se sentir au moins en partie responsable ? Pourquoi une mère voudrait-elle se débarrasser de son enfant sinon parce que cet enfant n'était pas sage, pas digne de l'amour de sa mère ? Sans que ce fût de sa faute, la mère avait infligé une blessure à l'âme de sa fille, et comment cette blessure pouvait-elle se cicatriser si la fille ne criait pas de toute sa voix pour annoncer au monde : Je souffre ; je n'en peux plus ; aidez-moi ? La maisonnée aurait été un lieu plus paisible si Lucy s'était tue, mais renfermer ce cri lui aurait fait beaucoup de mal à la longue. Il fallait qu'elle le laisse sortir. Il n'y avait pas d'autre moyen de guérir la plaie.

Je m'efforçais de voir Aurora le plus souvent possible, surtout au cours de ces premiers mois difficiles, pendant qu'elle se débattait encore pour reprendre pied. Les atrocités de Caroline-du-Nord l'avaient marquée pour la vie et nous savions tous deux qu'elle ne s'en remettrait jamais, qu'elle aurait beau parvenir à bien se débrouiller dans l'avenir, le passé resterait toujours en elle. Je proposai de lui offrir des séances de thérapie régulières si elle pensait que ça lui ferait du bien, mais elle refusa, disant qu'elle préférait parler avec moi. Moi. Cet homme amer, solitaire, revenu se terrer à Brooklyn il y avait moins d'un an, ce type fini qui s'était persuadé qu'il ne lui restait aucune raison de vivre – moi, l'andouille, Nathan le Sot, incapable d'imaginer qu'il pourrait avoir mieux à faire qu'attendre tranquillement la mort, métamorphosé désormais en confident et conseiller, en amoureux de veuves ardentes, en chevalier errant, sauveteur de damoiselles en détresse. Aurora préférait parler avec moi parce que c'était moi qui étais venu à sa rescousse en Caroline-du-Nord et que, même s'il y avait alors plusieurs années que nous avions perdu tout contact, j'étais tout de même son oncle, l'unique frère de sa mère, et elle savait qu'elle pouvait me faire confiance. Nous nous retrouvions donc plusieurs fois par semaine pour déjeuner ensemble et pour parler, à nous deux, attablés dans le fond de la salle du New Purity Diner, et peu à peu nous devenions amis, comme nous l'avions fait, son frère et moi, et à présent que les deux enfants de June avaient repris place dans ma vie, c'était comme si ma petite sœur vivait à nouveau en moi – et, parce qu'elle était le fantôme qui continuait à me hanter, ses enfants étaient devenus mes enfants.

La seule chose qu'Aurora n'avait jamais confiée à sa mère, à son frère ni à personne de la famille, c'était le nom du père de Lucy. Elle gardait le secret depuis tant d'années qu'il semblait futile de soulever encore la question mais, au cours de l'un de nos déjeuners, au début d'avril, sans que je l'y aie poussée, elle laissa échapper la réponse.

Cela commença quand je lui demandai si elle avait gardé son tatouage. Rory déposa sa fourchette, me fit un large sourire et demanda : "Comment sais-tu ça ?

— Tom m'en a parlé. Un grand aigle sur ton épaule, n'est-ce pas ? Nous nous demandions si tu l'avais fait enlever, mais Lucy n'a pas voulu nous le dire.

— Il est toujours là. Aussi grand et beau que jamais.

— Et David trouvait ça convenable ?

— Pas vraiment. Il y voyait un symbole de mon passé perdu et il a souhaité que je m'en débarrasse. J'étais d'accord pour faire ce qu'il voulait, mais il s'est avéré que c'était trop cher. Quand il s'est rendu compte qu'on ne pouvait pas se payer ça, David a pris un virage à cent quatre-vingts degrés. Ça te donne une idée du fonctionnement de son esprit, c'est pour ça que je n'ai jamais pu avoir raison contre lui. Il a dit : C'est peut-être une bonne chose. Laissons le tatouage là où il est et, chaque fois que nous le regarderons, il nous rappellera la distance que tu as parcourue depuis les jours sombres de ta jeunesse. Ça c'est du David tout craché : *les jours sombres de ma jeunesse*. Il a ajouté que ce serait comme une amulette que je porterais sur ma peau et qui me protégerait désormais du mal et de la souffrance. Une amulette. Je n'avais aucune idée de ce que c'était, alors j'ai regardé dans le dictionnaire. Un objet magique qui éloigne les esprits malins. D'accord, ça me botte. Il n'a pas fait grand-chose pour moi quand je vivais avec David, mais peut-être que maintenant il me sera utile.

— Je suis content que tu l'aies encore. Je ne sais pas pourquoi je suis content, mais c'est comme ça.

— Moi aussi. J'ai une sorte d'affection pour ce truc idiot. Je me le suis fait faire dans l'East Village il y a onze ans. Pour célébrer le fait que j'attendais Lucy. Le matin même où l'infirmière, à la clinique, m'a dit que le test était positif, j'ai couru me faire tatouer.

— Etrange façon de célébrer, non ?

— Je suis une fille étrange, oncle Nat. Et c'était sans doute la période la plus étrange de ma vie. Je louais un petit appartement minable près de l'avenue C avec deux garçons, Billy et Greg. Billy jouait de la guitare, Greg faisait le violoneux et moi, je chantais. On n'était pas trop mauvais, en réalité, si tu penses à ce qu'on était jeunes. La plupart du temps, on se produisait dans Washington Square Park. Ou alors dans la station de métro de Times Square. J'adorais les échos dans ces salles souterraines, quand je gueulais mes chansons et que les gens jetaient leurs cents et leurs dollars dans l'étui à violon de Greg. Parfois, je chantais défoncée et Billy m'appelait sa *floozy, woozy, boozy girl*. Parfois, je chantais sobre et Greg m'appelait la Reine de la Planète X. Bon Dieu. On était bien en ce temps-là, oncle Nat. Quand on ne gagnait pas assez avec notre musique, j'allais piquer dans les magasins. Ils m'appelaient l'Amazone intrépide. Je dévalais les travées des supermarchés en fourrant des steaks et des poulets sous mon manteau. On ne prenait rien au sérieux. Une semaine j'étais amoureuse de Greg. La semaine suivante j'étais amoureuse de Billy. Je couchais avec les deux, et puis je me suis retrouvée enceinte. Je n'ai jamais su lequel était le père et comme ni l'un ni l'autre ne *voulait* être le père, je les ai remballés tous les deux.

— C'est pour ça que tu ne l'as jamais dit à June. Tu ne savais pas.

— Merde. Je peux pas croire que je sois bête à ce point. Merde, merde, merde. Je m'étais juré de ne jamais le dire à personne, et maintenant, voilà, c'est foutu.

— Ça n'a pas d'importance, Rory. Greg et Billy, ce ne sont que des noms pour moi. N'ajoute pas un mot si tu n'as pas envie.

— Greg est mort d'une overdose deux ans environ après la naissance de Lucy. Et Billy, il a comme disparu. Je sais pas ce qu'il est devenu. Quelqu'un m'a un jour raconté qu'il était rentré chez lui, qu'il avait terminé ses études et qu'il enseignait la musique dans une école secondaire quelque part dans le Middle West. Mais qui sait si c'est le même Billy Finch ? Ça pourrait être quelqu'un d'autre."

Même après son arrivée à Brooklyn, il n'était pas du tout certain qu'Aurora fût quitte de David Minor. Mon nom et mon adresse figuraient dans l'annuaire du téléphone et il aurait pu sans difficulté retrouver sa trace en passant par moi. J'avais la chair de poule à la seule idée d'une nouvelle confrontation avec ce vertueux connard, mais je taisais mes inquiétudes et n'en disais rien à Rory. Minor restait pour elle un sujet si pénible qu'elle arrivait à peine à en parler et je ne souhaitais pas susciter de nouvelles angoisses qui s'ajouteraient aux problèmes auxquels elle était déjà confrontée. Au fur et à mesure que les mois passaient, je reprenais espoir mais ce n'est qu'à la fin de juin que je pus enfin cesser de me faire du souci et laisser aller les choses. Une épaisse enveloppe blanche apparut un matin dans ma boîte aux lettres et parce que, distrait, je n'avais pas remarqué qu'elle était adressée non pas à Nathan Glass mais à Aurora Wood aux bons soins de Nathan Glass, je l'ouvris avant d'avoir pris conscience de mon erreur. Sur la courte lettre d'accompagnement, je lus ces mots, rédigés à la main :

Bien-aimée,

Il vaut mieux qu'il en soit ainsi.
Bonne chance – et que Dieu te garde à jamais dans sa miséricorde.

DAVID

La lettre était attachée à un document de sept pages, lequel se trouvait être un jugement de divorce émanant du comté de Saint Clair dans l'Etat d'Alabama et déclarait dissous le mariage entre David Wilcox Minor et Aurora Wood Minor pour cause d'abandon du domicile conjugal.

Ce jour-là, au déjeuner, je présentai mes excuses à Rory pour avoir ouvert son courrier, et puis je lui passai la lettre.

"Qu'est-ce que c'est ? demanda-t-elle.

— Un mot de ton ex, répondis-je. Avec un paquet de documents officiels.

— Mon ex ? Qu'est-ce que ça veut dire ?

— Ouvre, tu verras."

Comme je la regardais lire la lettre et étudier le document, je fus frappé de voir à quel point son expression changeait peu. J'avais imaginé qu'elle sourirait, qu'elle aurait même peut-être un ou deux petits rires, mais son visage restait quasi impassible. Quelque sentiment enfoui, énigmatique parut palpiter un instant, mais il était impossible de savoir quel était ce sentiment.

"Bon, fit-elle enfin. C'est comme ça, je suppose.

— Tu es libre, Rory. Si tu voulais, tu pourrais te remarier demain.

— Je ne laisserai plus jamais de ma vie un homme me toucher.

— C'est ce que tu dis maintenant. Un jour, tu rencontreras quelqu'un et tu recommenceras à penser au mariage.

— Non, je t'assure, Nathan. Cette partie de ma vie est passée, terminée. Quand David m'a enfermée dans cette chambre, je me suis dit : Cette fois ça y est, les hommes, c'est fini. Les aimer n'a jamais rien donné de bon. Et ne le fera jamais.

— Tu oublies Lucy.

— D'accord, une chose. Mais j'ai déjà ma gosse, je n'ai pas besoin d'en avoir d'autre.

— Est-ce que tout va bien ? Tu as l'air affreusement à plat.

— Je vais bien. Je ne me suis jamais sentie mieux.

— Il y a six mois que tu es là, maintenant. Tu habites chez Joyce, tu t'occupes de ta fille, mais il serait peut-être temps que tu penses à la prochaine étape. Tu sais, que tu commences à faire des projets.

— Quel genre de projets ?

— Ce n'est pas à moi de le dire. Ce que tu veux.

— Mais les choses me plaisent telles qu'elles sont.

— Et la chanson ? Tu n'es pas tentée de t'y remettre ?

— Parfois. Mais je n'ai plus envie de faire carrière. Je ne serais pas contre quelques trucs dans le quartier, en fin de semaine, mais finis les voyages, finies les grandes ambitions. Ça n'en vaut pas la peine.

— Tu es heureuse de fabriquer des bijoux ? C'est assez pour te satisfaire ?

— Plus qu'assez. Ça me permet d'être tous les jours avec Nancy, et qu'est-ce qu'il pourrait y avoir de mieux ? Il n'y a personne comme elle dans le monde entier. Je l'aime éperdument.

— Nous l'aimons tous.

— Non, tu ne comprends pas. Je l'*aime*, vraiment. Et elle m'aime aussi.

— Bien sûr qu'elle t'aime. Nancy est l'une des créatures les plus affectueuses que j'aie jamais rencontrées.

— Tu ne comprends toujours pas. Ce que j'essaie de te dire, c'est que nous sommes *amoureuses* l'une de l'autre. Nancy et moi, nous nous aimons *d'amour*.

— …

— Tu devrais voir ta tête, oncle Nat. On dirait que tu as avalé ta machine à écrire.

— Excuse-moi. C'est juste que je ne savais pas. Je voyais bien que vous vous entendiez, toutes les deux. Je voyais bien que vous vous appréciiez mais… mais je ne m'étais pas rendu compte que ça allait jusque-là. Depuis quand est-ce que ça dure ?

— Depuis mars. Ça a commencé trois mois après mon installation.

— Pourquoi ne m'en as-tu jamais rien dit ?

— J'avais peur que tu en parles à Joyce. Et Nancy ne veut pas qu'elle le sache. Elle pense que sa mère péterait les plombs.

— Alors pourquoi moi, maintenant ?

— Parce que j'ai décidé que tu peux garder un secret. Tu ne vas pas me trahir, hein ?

— Non, je ne vais pas te trahir. Si tu ne veux pas que Joyce le sache, je ne lui dirai rien.

— Et je ne te déçois pas ?

— Bien sûr que non. Si vous êtes heureuses, Nancy et toi, tant mieux pour vous.

— Nous avons tant de choses en commun, tu vois. C'est comme si on était sœurs et que nos cerveaux fonctionnaient sur la même longueur d'onde. On sait toujours ce que l'autre pense ou ressent. Avec les hommes que j'ai aimés, il fallait toujours des mots – on était tout le temps à parler, à s'expliquer, à se disputer, à jacasser. Entre nous – je n'ai qu'à la regarder et elle est dans ma peau. Je n'ai jamais connu ça avec personne. Nancy appelle ça un lien magique – moi je dis que c'est l'amour, pur et simple. Le vrai."

"JUSTE COMME TONY"

Je tins ma promesse de ne rien dire à Joyce mais si je gardais le secret, c'était autant pour me protéger, moi, que pour aider les deux jeunes femmes. Si Joyce découvrait la vérité, je n'avais aucune idée de ce que serait sa réaction. Je soupçonnais qu'elle ne serait pas calme et si cela se vérifiait, un des résultats possibles de son ire serait de rechercher quelqu'un à blâmer. Et à qui le rôle de bouc émissaire aurait-il mieux convenu qu'à l'oncle d'Aurora, ce flemmard, ce bon à rien qui avait introduit au cœur de la maisonnée Mazzucchelli sa déséquilibrée de nièce, la corruptrice qui avait fait de l'innocente Nancy une lesbienne brûlante de passion ? J'imaginais que Joyce chasserait Rory et Lucy de la maison et que dans le tohu-bohu qui suivrait, je me sentirais obligé de défendre la fille de ma sœur, ce qui indisposerait Joyce à mon égard à tel point que je me retrouverais mis à la porte, moi aussi. Il y avait alors un an que nous étions ensemble et Dieu m'était témoin que c'était la dernière chose que je souhaitais.

Un dimanche tiède et calme, juste après les vacances d'été, elle vint me retrouver chez moi pour une soirée de cinéma et de cuisine thaïe. Après que nous eûmes commandé notre repas par téléphone, elle se tourna vers moi et m'annonça : "Tu ne croiras jamais ce qu'elles fabriquent.

— De qui parlons-nous ? demandai-je.

— Nancy et Aurora.

— Je ne sais pas. Elles créent des bijoux et les vendent. Elles s'occupent de leurs gosses. Le train-train habituel.

— Elles couchent ensemble, Nathan. Elles ont une liaison.

— Comment le sais-tu ?

— Je les ai surprises. Jeudi soir, je suis restée ici, tu te rappelles ? Le lendemain, je me suis levée tôt et au lieu d'aller directement travailler, je suis passée par la maison pour me changer. Le plombier devait venir dans l'après-midi et je suis montée pour rappeler le rendez-vous à Nancy. J'ai ouvert la porte de sa chambre et je les ai vues, là, nues, toutes les deux, couchées au-dessus des couvertures et profondément endormies dans les bras l'une de l'autre.

— Elles se sont réveillées ?

— Non. J'ai refermé la porte aussi doucement que je pouvais et je suis redescendue sur la pointe des pieds. Qu'est-ce que je vais faire ? Je suis tellement effondrée que je m'ouvrirais bien les veines. Pauvre Tony. Pour la première fois depuis qu'il m'a quittée, je suis contente qu'il soit mort. Je suis contente qu'il ne soit plus là pour voir ça… cette *abomination*. Ça lui aurait brisé le cœur. Sa fille qui couche avec une autre fille. Rien que d'y penser, ça me donne envie de vomir.

— Tu n'y peux pas grand-chose, Joyce. Nancy est adulte, et elle peut coucher avec qui elle veut. Même chose pour Aurora. Elles en ont vu de toutes les couleurs, l'une et l'autre. Leurs deux mariages ont mal tourné et elles en ont sans doute un peu marre des hommes. Ça ne veut pas dire qu'elles sont gay, et ça ne veut pas dire que ça durera toujours. Si elles peuvent se donner momentanément un peu de réconfort l'une à l'autre, où est le mal ?

— Le mal, c'est que c'est dégoûtant et contre nature. Je ne comprends pas comment tu peux accepter ça si calmement, Nathan, vraiment. On dirait que tu t'en fiches.

— Les sentiments des gens sont ce qu'ils sont. De quel droit dirais-je qu'ils ont tort ?

— Je croirais entendre un militant gay. Bientôt, tu vas m'annoncer que tu as eu des relations avec des hommes.

— Plutôt me couper le bras droit que coucher avec un homme.

— Alors pourquoi prends-tu la défense de Nancy et Aurora ?

— D'abord parce qu'elles ne sont pas moi. Et puis parce que ce sont des femmes.

— Qu'est-ce que ça peut bien vouloir dire ?

— Je ne suis pas très sûr. Je trouve les femmes si attirantes, pour ma part, que je peux comprendre qu'une femme se sente attirée par une autre.

— Tu es un porc, Nathan. Ça t'excite, hein ?

— Je n'ai pas dit ça.

— C'est ça que tu fais quand tu es tout seul ? Tu passes tes soirées à regarder des pornos lesbiens à la télé ?

— Mmm. Je n'y avais jamais pensé. Ça pourrait être plus amusant que de taper mon idiot de bouquin.

— Ne plaisante pas. Je suis au bord de la dépression nerveuse et toi tu blagues.

— Parce que ça ne nous regarde pas, voilà tout.

— Nancy est ma fille…

— Et Rory est ma nièce. Et alors ? Elles ne nous appartiennent pas. Elles nous ont seulement été prêtées.

— Qu'est-ce que je vais faire, Nathan ?

— Tu peux faire semblant que tu ne te doutes de rien et leur foutre la paix. Ou bien tu peux leur donner ta bénédiction. Tu n'es pas obligée d'approuver, mais tu n'as pas d'autre choix.

— Je pourrais les chasser de la maison, non ?

— Oui, je suppose que oui. Et tu te retrouverais à le regretter pendant le restant de tes jours. Ne prends pas ce chemin-là, Joyce. Essaie d'encaisser les coups en souplesse. Garde la tête haute. N'accepte pas de monnaie de singe. Vote démocrate à toutes les élections. Balade-toi à vélo dans le parc. Rêve de mon corps doré et parfait. Prends tes vitamines. Bois huit verres d'eau par jour. Soutiens les Mets. Va beaucoup au cinéma. Ne travaille pas trop au bureau. Viens avec moi faire un séjour à Paris. Viens à l'hôpital quand Rachel aura son bébé, et prends dans tes bras mon petit-fils ou ma petite-fille. Brosse-toi les dents après chaque repas. Ne traverse pas la rue quand le feu est au rouge. Prends le parti des opprimés. Ne te laisse pas faire. Rappelle-toi combien tu es belle. Rappelle-toi combien je t'aime. Bois un scotch *on the rocks* chaque jour. Respire à fond. Garde les yeux ouverts. Evite les aliments gras. Dors du sommeil du juste. Rappelle-toi combien je t'aime."

Sa réaction à cette découverte avait été à peu près conforme à mes prévisions mais, au moins, elle ne m'avait pas tenu pour responsable du comportement de Rory et, à ce moment-là, cela seul comptait pour moi. J'étais désolé qu'elle ait ouvert cette porte, désolé que la révélation ait provoqué en elle un choc aussi violent, aussi indélébile, mais elle finirait bien par accepter la situation, que ça lui plaise ou non. Le repas est arrivé et, pendant un moment, abandonnant le sujet de Nancy et Aurora, nous nous sommes concentrés sur ce que nous avions dans nos assiettes. Je me souviens que j'étais particulièrement affamé ce soir-là et que j'ai engouffré mes hors-d'œuvre et mes crevettes épicées au basilic en l'espace de quelques minutes. Ensuite, nous avons allumé la télé et nous nous sommes mis à regarder un film intitulé *Le Convoi maudit*, un western de 1950 avec Joel McCrea. A un moment donné, les cow-boys bavardent autour d'un feu de camp et le plus vieux de la bande (interprété par James Whitmore, je crois) sort une réplique qui m'a fait pouffer de rire : "Ça ne me déplaît pas de vieillir, dit-il. On a la vie sans les embêtements." J'ai embrassé Joyce sur la joue en chuchotant : "Cet idiot-là ne sait pas de quoi il parle" et, pour la première fois de la soirée, ma chérie encore toute secouée et malheureuse a ri, elle aussi.

Dix minutes après ce rire de Joyce, ma vie touchait à sa fin. Nous étions assis sur le canapé, en train de regarder le film, et, soudain, j'ai ressenti une douleur à la poitrine. Je l'ai d'abord prise pour une crampe d'estomac, une indigestion due au repas que j'avais mangé, mais la douleur ne cessait d'augmenter, en se répandant à travers tout le haut de mon corps comme si mes entrailles avaient pris feu, comme si j'avais avalé un gallon de plomb en fusion et bientôt je n'ai plus senti mon bras gauche et ma mâchoire s'est mise à picoter comme sous les piqûres d'un millier d'aiguilles invisibles. J'avais lu suffisamment d'articles sur les crises cardiaques pour en reconnaître les symptômes classiques et, sentant la douleur qui se renforçait, qui n'arrêtait pas de grimper à des degrés d'intensité de plus en plus insoutenables, j'ai compris que mon heure était venue. J'ai essayé de me lever mais j'avais à peine fait deux pas que je tombai à terre et commençai à m'y tordre de souffrance. Je me cramponnais la poitrine à deux mains, je haletais, et Joyce me tenait dans ses bras en me suppliant de tenir bon. Quelque part, très loin, je l'ai entendue s'exclamer : "Oh, mon Dieu. Oh, mon Dieu, c'est juste comme Tony", et puis elle n'était plus là et sa voix criait à quelqu'un d'envoyer une ambulance dans la Première Rue. Assez étrangement, je n'avais pas peur. La crise m'avait transporté ailleurs, dans une région où les questions de vie et de mort étaient sans importance. Il suffisait d'accepter. Vous preniez simplement ce qu'on vous donnait et si ce qu'on me donnait ce soir-là, c'était la mort, j'étais prêt à l'accepter. Pendant qu'on me chargeait dans l'ambulance, j'ai remarqué que Joyce était de nouveau là, debout près de moi, le visage inondé de larmes. Si je me souviens bien, je crois avoir réussi à lui sourire. "Ne me fais pas le coup de mourir, mon amour, disait-elle. Je t'en prie, Nathan, ne meurs pas." Et puis les portières ont claqué et un instant après j'étais parti.

INSPIRATION

Je ne suis pas mort. En fin de compte, je n'avais même pas fait une crise cardiaque. La cause de cette souffrance atroce était une inflammation de l'œsophage mais, au moment même, personne ne le savait et je passai le restant de la nuit et le plus gros de la journée du lendemain convaincu que c'en était fait de moi.

L'ambulance m'emmena à l'hôpital méthodiste, à l'angle de la Sixième Rue et de la Septième Avenue, et parce que tous les lits étaient occupés à l'étage, on me mit dans l'une des petites alcôves réservées aux malades cardiaques dans la salle des urgences, au rez-de-chaussée. Un mince rideau vert me séparait du bureau principal (quand les infirmières pensaient à le fermer) et, à part une visite, tout au début, au service de radiologie, au bout du couloir, je ne fis que rester couché sur un lit étroit pendant tout le temps que je passai là. J'étais branché à un moniteur cardiaque et, avec l'aiguille de la perfusion plantée dans mon bras et des tubes à oxygène en plastique dans les narines, je n'avais d'autre possibilité que de rester sur le dos. On me faisait une prise de sang toutes les quatre heures. Si j'avais eu un infarctus, de petits bouts de tissu endommagé se seraient détachés du cœur et auraient passé dans le sang, et on aurait tôt ou tard commencé à les voir à l'analyse. Une infirmière m'expliqua qu'on n'aurait pas de certitude avant vingt-quatre heures. En attendant, je ne pouvais que rester couché et attendre, seul avec ma peur et mon imagination morbide, que mon sang raconte peu à peu l'histoire de ce qui m'était ou ne m'était pas arrivé.

Les ambulanciers amenaient sans cesse de nouveaux patients et, l'un après l'autre, ils défilaient devant moi avec leurs crises d'épilepsie, leurs occlusions intestinales, leurs coups de couteau et leurs overdoses d'héroïne, leurs bras cassés et leurs têtes ensanglantées. Des voix s'appelaient, des téléphones sonnaient, des chariots de nourriture brinquebalaient d'une extrémité à l'autre du couloir. Tout ça se passait à moins de la longueur d'un corps du bout de mes pieds et néanmoins, pour tout l'effet que ça avait sur moi, ç'aurait pu être dans un autre monde. Je ne crois pas avoir jamais été plus insensible à ce qui m'entourait que cette nuit-là, plus enfermé en moi-même, plus absent. Rien ne me paraissait réel, à l'exception de mon propre corps, et tandis que je gisais là, vautré dans ma faiblesse, je fus pris de l'idée fixe d'essayer de visualiser les circuits des veines et des artères qui s'entrecroisaient dans ma poitrine, ce réseau intérieur compact de magma et de sang. Je m'apercevais moi-même là-dedans, occupé à fouiller avec une sorte de désespoir impatient et, en même temps, j'étais aussi très loin, en train de flotter au-dessus du lit, au-dessus du plafond, au-dessus du toit de l'hôpital. Je sais que ça n'a aucun sens, mais là, couché dans cette cellule étroite avec les bips des appareils et les fils branchés sur ma peau, c'est le plus près que je me sois jamais trouvé de n'être nulle part, d'être à la fois à l'intérieur et à l'extérieur de moi.

C'est ce qui vous arrive quand vous aboutissez à l'hôpital. On vous déshabille, on vous enfile une de ces liquettes humiliantes et, soudain, vous n'êtes plus vous-même. Vous devenez l'individu qui habite votre corps et ce que vous êtes désormais, c'est la somme de tout ce qui va mal dans ce corps. Etre ainsi diminué, c'est perdre tout droit à l'intimité. Quand les médecins et les infirmières viennent vous poser des questions, vous devez leur répondre. Ils veulent vous maintenir en vie, et seule une personne qui ne désire pas vivre leur donnerait des réponses fausses. S'il se fait que vous vous trouvez dans une alcôve minuscule et qu'à moins d'un mètre de vous quelqu'un d'autre répond aux questions d'un médecin ou d'une infirmière, vous ne pouvez éviter d'entendre ce que dit cette personne. Vous ne tenez pas nécessairement à connaître ses réponses, mais la situation est telle qu'il vous est impossible de les ignorer. C'est ainsi que j'ai fait la connaissance d'Omar Hassim-Ali, un chauffeur de voiture de place de cinquante-trois ans, Egyptien de naissance, ayant une épouse, quatre enfants et six petits-enfants. On l'amena dans l'alcôve vers une heure du matin, après qu'il avait été pris de douleurs thoraciques en plein milieu du pont de Brooklyn, où il conduisait un client. En l'affaire de quelques minutes, j'avais appris qu'il prenait un remède contre l'hypertension, qu'il fumait encore un paquet par jour mais essayait d'arrêter, qu'il souffrait d'hémorroïdes et, de temps à autre, de légers vertiges et qu'il vivait en Amérique depuis 1980. Après le départ du médecin, nous bavardâmes ensemble, Omar Hassim-Ali et moi, pendant près d'une heure. Peu importait que nous fussions des inconnus l'un pour l'autre. Quand un homme se croit sur le point de mourir, il parle à qui veut bien l'écouter.

Je dormis très peu cette nuit-là – quelques petits sommes de dix minutes, un quart d'heure chacun – et puis, une heure ou deux après l'aube, je m'assoupis pour de bon. A huit heures, une infirmière vint me prendre ma température et, en jetant un coup d'œil vers ma droite, je m'aperçus que le lit de mon voisin était vide. Je demandai à l'infirmière où était passé Mr Hassim-Ali mais elle ne put me répondre. Elle venait de prendre son service, me dit-elle, et elle n'était pas au courant.

Toutes les quatre heures, les examens sanguins revenaient négatifs. Il y eut des visites matinales de Joyce, de Tom et Honey et d'Aurora et Nancy – mais aucun d'entre eux ne fut autorisé à rester plus de quelques minutes. En début d'après-midi, Rachel arriva, elle aussi. Tous commençaient par poser la même question – *comment me sentais-je ?* – et à tous je faisais la même réponse : Bien, bien, bien, ne vous en faites pas pour moi. La douleur avait disparu et je commençais à reprendre confiance dans mes chances de sortir de là en un morceau. Je disais : Je n'ai pas réchappé du cancer pour mourir d'une connerie d'infarctus du myocarde. C'était une affirmation absurde mais au fur et à mesure que la journée s'avançait et que les examens sanguins continuaient à donner des résultats négatifs, je m'y accrochais comme à une preuve logique du fait que les dieux avaient choisi de m'épargner, que la crise de la veille n'avait été qu'une démonstration du pouvoir qu'ils avaient de décider de mon sort. Oui, je pouvais mourir d'un instant à l'autre – et, oui, j'avais eu la certitude d'être en train de mourir alors que je gisais entre les bras de Joyce sur le tapis du salon. S'il y avait une leçon à tirer de cette brève rencontre avec la camarde, c'était que ma vie, au sens le plus étroit du terme, ne m'appartenait plus. Je n'avais qu'à me rappeler la douleur qui m'avait déchiré pendant ce terrible assaut de feu pour comprendre que chacune des inspirations qui remplissaient mes poumons était un cadeau de ces dieux capricieux, que désormais chaque battement de mon cœur me serait accordé comme une grâce arbitraire.

Depuis dix heures et demie, le lit voisin était occupé par Rodney Grant, un couvreur de trente-neuf ans qui s'était évanoui en montant un escalier un peu plus tôt dans la matinée. Ses camarades avaient appelé une ambulance et de se voir là, dans sa chemise d'hôpital étriquée, ce grand gaillard noir aux muscles puissants et au visage de petit garçon avait l'air carrément terrifié. Après son entretien avec le médecin, il se tourna vers moi en déclarant qu'il mourait d'envie de fumer. Croyais-je qu'il aurait des ennuis s'il allait en griller une aux toilettes ? "Vous ne le saurez que si vous essayez", répondis-je. Et le voilà parti, après s'être débranché du moniteur et en traînant sa perfusion derrière lui dans le couloir. A son retour, quelques minutes plus tard, il m'annonça en souriant : "Mission accomplie." A deux heures, une infirmière écarta le rideau et l'informa qu'on allait le transférer à l'étage, au service de cardiologie. Ne s'étant encore jamais évanoui, n'ayant jamais souffert de rien de plus grave que la varicelle et un léger rhume des foins, le jeune homme ne comprenait pas. "Ça a l'air plutôt sérieux, Mr Grant, lui dit l'infirmière. Je sais que vous vous sentez mieux, mais le docteur a besoin de certains examens."

Je lui souhaitai bonne chance quand on l'emmena, et je me retrouvai seul dans l'alcôve. Je pensais à Omar Hassim-Ali, en essayant de me rappeler les noms de ses nombreux enfants, et je me demandais si lui aussi avait été transféré à l'étage. C'était une supposition raisonnable, mais en voyant le lit vide à côté du mien, je ne pouvais pas m'empêcher d'imaginer qu'il était mort. Je n'avais pas la moindre bribe de preuve à l'appui de cette hypothèse mais à présent qu'on avait escorté Rodney Grant vers son avenir incertain, le lit vide me paraissait hanté par quelque mystérieuse force d'effacement, une force qui faisait disparaître les hommes qu'on y avait couchés, en les envoyant vers un domaine de ténèbres et d'oubli. Le lit vide signifiait la mort, que cette mort fût réelle ou imaginaire, et tandis que je méditais sur les implications de cette pensée, une nouvelle pensée s'imposa progressivement à moi, prenant le dessus sur toute autre réflexion. Le temps de voir où j'allais, je compris que je venais d'avoir l'idée la plus importante de ma vie, une idée qui était de taille à me maintenir occupé chaque heure de chacun des jours qui me restaient à vivre.

Je n'étais personne. Rodney Grant n'était personne. Omar Hassim-Ali n'était personne. Javier Rodriguez, le charpentier à la retraite âgé de soixante-dix-sept ans qui occupa le lit à partir de quatre heures, n'était personne. Un jour ou l'autre, nous allions tous mourir et une fois nos corps emportés et enfouis dans la terre, seuls nos amis et nos familles sauraient que nous avions vécu. Nos morts ne seraient pas annoncées à la radio, ni à la télévision. Il n'y aurait pas de notices nécrologiques dans le *New York Times*. On n'écrirait pas de livres sur nous. Cet honneur-là est réservé aux puissants et aux célébrités, aux gens d'un talent exceptionnel, mais qui se soucierait de publier les biographies des gens ordinaires, de ceux qu'on ne chante pas, de ceux qu'on rencontre dans la rue tous les jours de la semaine et qu'on ne prend même pas la peine de remarquer ?

La plupart des vies disparaissent. Quelqu'un meurt et, petit à petit, toutes traces de sa vie s'effacent. Un inventeur survit dans ses inventions, un architecte dans ses immeubles mais la majorité des gens ne laissent derrière eux ni monument ni réalisation durable : une série d'albums photo, un bulletin scolaire de cinquième primaire, un trophée gagné au bowling, un cendrier piqué dans une chambre d'hôtel en Floride le dernier jour de vacances quasiment oubliées. Quelques objets, quelques documents, quelques impressions vagues conservées par des tiers. Ceux-ci ont invariablement des histoires à raconter à propos du défunt, mais le plus souvent en mêlant les dates, en oubliant des événements, et la vérité en sort de plus en plus déformée et quand ces gens-là meurent à leur tour, presque toutes leurs histoires s'en vont avec eux.

Mon idée était la suivante : créer une entreprise qui publierait des livres sur les oubliés, sauvegarder les histoires, les événements et les documents avant qu'ils ne s'évanouissent – et leur donner la forme d'un récit continu, le récit d'une vie.

Les biographies seraient commandées par des amis ou des parents de l'intéressé, et les livres seraient imprimés en quantités limitées à usage privé – de cinquante à trois ou quatre cents exemplaires. J'imaginais que je les écrirais moi-même mais, si la demande devenait trop importante, je pourrais toujours me faire aider par d'autres auteurs : poètes et romanciers désargentés, anciens journalistes, universitaires sans emploi, voire, peut-être, par Tom. Le coût de la rédaction et de la publication de tels livres serait considérable mais je ne voulais pas que mes biographies deviennent un privilège accessible seulement aux riches. Pour les familles aux petits moyens, j'envisageais un nouveau genre de police d'assurance selon laquelle une somme négligeable serait mise de côté chaque mois ou chaque trimestre en vue de faire face au financement du livre. Non plus une assurance immobilière, ni une assurance vie – une assurance biographie.

Etais-je fou de rêver que je pourrais faire quelque chose de ce projet incongru ? Je ne le pensais pas. Quelle jeune femme n'aimerait pas lire la biographie véridique de son père – même si ce père n'avait été qu'un ouvrier d'usine ou le sous-directeur d'une banque rurale ? Quelle mère ne souhaiterait lire l'histoire de son fils policier, tué dans l'exercice de ses fonctions à l'âge de trente-quatre ans ? Dans tous les cas, ce devrait être une affaire d'amour. Une épouse ou un mari, un fils ou une fille, un père ou une mère, un frère ou une sœur – seuls les attachements les plus profonds. Ces gens viendraient me trouver six mois ou un an après la mort du sujet. Ils auraient alors fait leur deuil, mais ils ne seraient pas encore consolés et, à présent que leur vie quotidienne avait repris son cours, ils comprendraient qu'ils ne le seraient jamais. Ils désireraient redonner vie à celui ou celle qu'ils aimaient et je ferais tout ce qui serait humainement possible pour répondre à leur désir. Je ressusciterais cette personne à l'aide de mots et, une fois les pages imprimées et l'histoire reliée sous une couverture, ils auraient un objet à chérir pour le restant de leur vie. Non seulement cela, mais aussi un objet qui leur survivrait, qui nous survivrait à tous.

Il ne faut jamais sous-estimer le pouvoir des livres.

MARQUÉ D'UNE CROIX

Le résultat de ma dernière analyse de sang arriva juste après minuit. Il était trop tard pour me faire sortir de l'hôpital et j'y passai donc le restant de la nuit à organiser fiévreusement la structure de ma nouvelle entreprise tout en observant Javier Rodriguez qui somnolait, épuisé, dans le lit voisin. J'imaginai toute une série d'intitulés capables de traduire l'esprit de mon projet et à la fin j'en trouvai un, neutre mais significatif : *Bios Unlimited*. Une heure plus tard environ, je décidai que je commencerais par prendre contact avec Bette Dombrowski à Chicago pour lui demander si elle ne voulait pas me commander la rédaction d'une biographie de son ex-mari. J'aurais trouvé approprié que le premier livre de la collection soit consacré à Harry.

Et puis on me laissa sortir. Je me retrouvai dans l'air frais du matin et je me sentis si heureux d'être vivant que j'aurais aimé le crier à tue-tête. Là-haut, le ciel était du bleu le plus pur et le plus profond. En marchant d'un bon pas, je pouvais arriver à Carroll Street avant que Joyce ne parte à son travail. Nous nous attablerions dans la cuisine et nous prendrions une tasse de café ensemble en regardant les enfants courir autour de nous comme de petits écureuils. Et puis j'accompagnerais Joyce jusqu'à la station de métro, je la prendrais dans mes bras et je lui donnerais un baiser.

Il était huit heures quand je mis le pied dans la rue, huit heures du matin, le 11 septembre 2001 – exactement quarante-six minutes avant que le premier avion ne s'écrase contre la tour nord du World Trade Center. Deux heures plus tard, la fumée de trois mille corps carbonisés dériverait au-dessus de Brooklyn et viendrait pleuvoir sur nous en un nuage blanc de cendres et de mort.

Mais pour l'instant, il était encore huit heures et je marchais dans l'avenue sous ce ciel d'un bleu éclatant, heureux, mes amis, aussi heureux qu'homme le fut jamais en ce monde.

TABLE

OUVRAGE RÉALISÉ
PAR L'ATELIER GRAPHIQUE ACTES SUD
ACHEVÉ D'IMPRIMER
SUR ROTO PAGE
EN JUILLET 2005
PAR L'IMPRIMERIE FLOCH
A MAYENNE
POUR LE COMPTE DES ÉDITIONS
ACTES SUD
LE MÉJAN
PLACE NINA-BERBEROVA
13200 ARLES

DÉPÔT LÉGAL
1re ÉDITION : SEPTEMBRE 2005
N° impr. : 63572
(Imprimé en France)